ROBERTO CHIEPPA

CODICE AMMINISTRATIVO

GIUFFRÈ
GIUFFRÈ FRANCIS LEFEBVRE

ISBN 9788828844280

Redazione, editing e progetto
Giuffrè Francis Lefebvre S.p.A. - Milano

Concept e graphic design
Carmi e Ubertis Milano

Testo composto in
LinoLetter™ Font Family
(Linotype Design Studio, 1992)

Finito di stampare nel mese di giugno 2022 da
Tipografia Galli & C. S.r.l. - Varese

Per la Parte VIII si riportano importanti estratti di due nuovi provvedimenti: il **d.l. 17 maggio 2022, n. 50**, recante « Misure urgenti in materia di politiche energetiche nazionali, produttività delle imprese e attrazione degli investimenti, nonché in materia di politiche sociali e di crisi ucraina » (G.U. 17 maggio 2022, n. 114) e il **d.l. 30 aprile 2022, n. 36**, recante « Ulteriori misure urgenti per l'attuazione del Piano nazionale di ripresa e resilienza » (G.U. 30 aprile 2022, n. 100).

PARTE SECONDA
L'ORGANIZZAZIONE

SEZIONE PRIMA
LO STATO

12. Decreto legislativo 18 agosto 2000, n. 267. — Testo unico delle leggi sull'ordinamento degli enti locali.

Pubblicato nella Gazzetta Ufficiale n. 227 del 28 settembre 2000, S.O. n. 162/L.

51 Durata del mandato del sindaco, del presidente della provincia e dei consigli. Limitazione dei mandati.

1. Il sindaco e il consiglio comunale, il presidente della provincia e il consiglio provinciale durano in carica per un periodo di cinque anni.

2. Chi ha ricoperto per due mandati consecutivi la carica di sindaco e di presidente della provincia non è, allo scadere del secondo mandato, immediatamente **ricandidabile** (*) alle medesime cariche. **Per i sindaci dei comuni con popolazione inferiore a 5.000 abitanti, il limite previsto dal primo periodo si applica allo scadere del terzo mandato** (**).

3. **Per l'ipotesi di cui al comma 2, primo periodo, è consentito** (***) un terzo mandato consecutivo se uno dei due mandati precedenti ha avuto durata inferiore a due anni, sei mesi e un giorno, per causa diversa dalle dimissioni volontarie.

(*) *La parola* « ricandidabile » *è stata sostituita alla parola* « rieleggibile » *dall'art. 3, comma 1, lett.* a), *n. 1 l. 12 aprile 2022, n. 35.*

(**) *Periodo aggiunto dall'art. 3, comma 1, lett.* a), *n. 2 l. n. 35, cit.*

(***) *Le parole* « Per l'ipotesi di cui al comma 2, primo periodo, è consentito » *sono state sostituite alle parole* « È consentito » *dall'art. 3, comma 1, lett.* b) *l. n. 35, cit.*

SEZIONE QUINTA
AUTORITÀ INDIPENDENTI

CAPO IV
CONSOB E BANCA D'ITALIA

68. Decreto legislativo 24 febbraio 1998, n. 58. — Testo unico delle disposizioni in materia di intermediazione finanziaria, ai sensi degli articoli 8 e 21 della legge 6 febbraio 1996, n. 52.

Pubblicato nella Gazzetta Ufficiale del 26 marzo, n. 71, S.O. n. 52.

4 Collaborazione tra autorità e segreto d'ufficio.

1. La Banca d'Italia, la Consob, la COVIP e l'IVASS collaborano tra loro, anche mediante scambio di informazioni, al fine di agevolare le rispettive funzioni. Dette autorità non possono reciprocamente opporsi il segreto d'ufficio.

2. La Banca d'Italia e la Consob collaborano, anche mediante scambio di informazioni, con le autorità e i comitati che compongono il SEVIF e con la Banca Centrale Europea (BCE) al fine di agevolare le rispettive funzioni. Nei casi e nei modi stabiliti dalla normativa europea adempiono agli obblighi di comunicazione e di cooperazione nei confronti di tali soggetti e delle altre autorità e istituzioni indicate dalle disposizioni dell'Unione europea.

2-*bis*. Ai fini indicati al comma 2, la Consob e la Banca d'Italia possono concludere con le autorità competenti degli Stati membri dell'Unione europea, con l'AESFEM e la BCE accordi di collaborazione, che possono prevedere la delega reciproca di compiti di vigilanza. La Consob e la Banca d'Italia possono ricorrere all'AESFEM e all'ABE per la risoluzione delle controversie con le autorità di vigilanza degli altri Stati membri in situazioni transfrontaliere.

2-*ter*. La Consob è il punto di contatto per la ricezione delle richieste di informazioni provenienti da autorità competenti di Stati membri dell'Unione europea in materia di servizi e attività di investimento svolti da soggetti abilitati, di sedi di negoziazione e di **APA o ARM** (*). La Consob interessa la Banca d'Italia per gli aspetti di competenza di questa ultima. La Banca d'Italia trasmette le informazioni contestualmente all'autorità competente dello Stato membro dell'Unione europea che le ha richieste e alla Consob.

3. [...] la Banca d'Italia e la Consob possono cooperare, anche mediante scambio di informazioni, con le autorità competenti degli Stati extracomunitari.

4. Le informazioni ricevute dalla Banca d'Italia e dalla Consob ai sensi dei commi 1, 2 e 3 non possono essere trasmesse a terzi né ad altre autorità italiane, ivi incluso il Ministro dell'economia e delle finanze, senza il consenso dell'autorità che le ha fornite.

5. La Banca d'Italia e la Consob possono scambiare informazioni:

a) con autorità amministrative e giudiziarie nell'ambito di procedimenti di liquidazione o di fallimento, in Italia o all'estero, relativi a soggetti abilitati;

b) con gli organismi preposti all'amministrazione dei sistemi di indennizzo;

c) con le controparti centrali e i depositari centrali.

d) con i gestori delle sedi di negoziazione, al fine di garantire il regolare funzionamento delle sedi da essi gestite.

5-*bis*. Lo scambio di informazioni con autorità di Paesi extracomunitari è subordinato all'esistenza di norme in materia di segreto di ufficio.

6. Le informazioni indicate nel comma 5, lett. *b*), *c*) e *d*), possono essere rivelate a terzi con il consenso del soggetto che le ha fornite. Si può prescindere dal consenso se le informazioni siano fornite in ottemperanza a obblighi di cooperazione e collaborazione internazionale.

7. La Banca d'Italia e la Consob possono esercitare i poteri a esse assegnati dall'ordinamento anche ai fini della cooperazione con altre autorità e su richiesta delle medesime. Le autorità competenti di Stati comunitari, o extracomunitari possono chiedere alla Banca d'Italia e alla Consob di effettuare per loro conto, secondo le norme previste nel presente decreto, un'indagine sul territorio dello Stato, nonché di eseguire, per loro conto, notifiche sul territorio dello Stato inerenti ai provvedimenti da esse adottati. Le predette autorità possono chiedere che venga consentito ad alcuni membri del loro personale di accompagnare il personale della Banca d'Italia e della Consob durante l'espletamento dell'indagine.

8. Restano ferme le norme che disciplinano il segreto d'ufficio sulle notizie, i dati e le informazioni in possesso della Banca d'Italia.

9. Al fine di agevolare l'esercizio della vigilanza su base consolidata nei confronti di gruppi operanti in più Stati comunitari la Banca d'Italia, nel rispetto delle condizioni previste dalle disposizioni dell'Unione europea e sulla base di accordi con le autorità competenti, definisce forme di collaborazione e coordinamento, istituisce collegi di supervisori e partecipa ai collegi istituiti da altre autorità. In tale ambito, la Banca d'Italia può concordare specifiche ripartizioni di compiti e deleghe di funzioni.

9-*bis*. La Banca d'Italia, se nell'esercizio della vigilanza consolidata verifica una situazione di emergenza, inclusa una situazione descritta all'articolo 18 del regolamento (UE) n. 1093/2010, o un'evoluzione negativa sui mercati, che possa compromettere la liquidità del mercato e la stabilità del sistema finanziario in uno Stato membro dell'Unione europea in cui opera il gruppo individuato ai sensi dell'articolo 11, informa tempestivamente l'ABE, il CERS e le pertinenti autorità competenti, tra cui la Consob, e comunica tutte le informazioni essenziali allo svolgimento dei loro compiti.

10. Tutte le notizie, le informazioni e i dati in possesso della Consob in ragione della sua attività di vigilanza sono coperti dal segreto d'ufficio anche nei confronti delle pubbliche amministrazioni, a eccezione del Ministro dell'economia e delle finanze. Sono fatti salvi i casi previsti dalla legge per le indagini relative a violazioni sanzionate penalmente.

11. I dipendenti della Consob, nell'esercizio delle funzioni di vigilanza, sono pubblici ufficiali e hanno l'obbligo di riferire esclusivamente alla Commissione tutte le irregolarità constatate, anche quando integrino ipotesi di reato.

12. I dipendenti e coloro che a qualunque titolo lavorano o hanno lavorato per la Consob, nonché i consulenti e gli esperti dei quali la stessa si avvale o si è avvalsa, sono vincolati dal segreto d'ufficio.

13. Le pubbliche amministrazioni e gli enti pubblici forniscono dati, notizie e documenti e ogni ulteriore collaborazione richiesta dalla Consob, in conformità delle leggi disciplinanti i rispettivi ordinamenti.

13-*bis*. Ai fini della cooperazione, mediante scambio di informazioni, con le autorità competenti di Stati membri dell'Unione europea e con l'AESFEM, la Consob e la Banca d'Italia stabiliscono con il Ministero della giustizia, anche sulla base di un protocollo d'intesa, le modalità di acquisizione delle informazioni relative alle sanzioni penali applicate dall'Autorità giudiziaria, per i reati di cui all'art. 2638 del codice civile e agli artt. 166, 167, 168, 169, 170-*bis* e 173-*bis*, per la successiva comunicazione all'AESFEM, ai sensi dell'art. 195-*ter*, comma 1-*bis*.

13-*ter*. Per i medesimi fini di cui al comma 13-*bis* e fermo restando il divieto di cui all'art. 329 del c.p.p., la Consob e la Banca d'Italia possono richiedere informazioni all'autorità giudiziaria procedente in ordine alle indagini e ai procedimenti penali per i reati previsti dal comma 13-*bis*.

(*) *Le parole* « APA o ARM » *sono state sostituite alle parole* « servizi di comunicazione dati » *dall'art. 50, comma 2, lett.* c) *d.l. 17 maggio 2022, n. 50, in corso di conversione in legge.*

CAPO V
AUTORITÀ DI REGOLAZIONE PER ENERGIA, RETI E AMBIENTE

70. Legge 14 novembre 1995, n. 481. — Norme per la concorrenza e la regolazione dei servizi di pubblica utilità. Istituzione delle Autorità di regolazione dei servizi di pubblica utilità.

Pubblicata nella Gazzetta Ufficiale n. 270 del 18 novembre 1995, S.O. n. 136.

2 Istituzione delle Autorità per i servizi di pubblica utilità.

1. Sono istituite le Autorità di regolazione di servizi di pubblica utilità, competenti, rispettivamente, per l'energia elettrica, il gas ed il sistema idrico [e il gas] e per le telecomunicazioni. Tenuto conto del quadro complessivo del sistema delle comunicazioni, all'Autorità per le telecomunicazioni potranno essere attribuite competenze su altri aspetti di tale sistema.

2. Le disposizioni del presente articolo costituiscono princìpi generali cui si ispira la normativa relativa alle Autorità.

[3. Al fine di consentire una equilibrata distribuzione sul territorio italiano degli organismi pubblici che svolgono funzioni di carattere nazionale, più Autorità per i servizi pubblici non possono avere sede nella medesima città.]

4. La disciplina e la composizione di ciascuna Autorità sono definite da normative particolari che tengono conto delle specificità di ciascun settore sulla base dei princìpi generali del presente articolo. La presente legge disciplina nell'articolo 3 il settore dell'energia elettrica e del gas. Gli altri settori saranno disciplinati con appositi provvedimenti legislativi.

5. Le Autorità operano in piena autonomia e con indipendenza di giudizio e di valutazione; esse sono preposte alla regolazione e al controllo del settore di propria competenza. Per i settori dell'energia elettrica e del gas, al fine di tutelare i clienti finali e di garantire mercati effettivamente concorrenziali, le competenze ricomprendono tutte le attività della relativa filiera.

6. Le Autorità, in quanto autorità nazionali competenti per la regolazione e il controllo, svolgono attività consultiva e di segnalazione al Governo nelle materie di propria competenza anche ai fini della definizione, del recepimento e della attuazione della normativa comunitaria.

7. Ciascuna Autorità è organo collegiale costituito dal presidente e da due membri, nominati con decreto del Presidente della Repubblica, previa deliberazione del Consiglio dei Ministri su proposta del Ministro competente. Le designazioni effettuate dal Governo sono previamente sottoposte al parere delle competenti Commissioni parlamentari. In nessun caso le nomine possono essere effettuate in mancanza del parere favorevole espresso dalle predette Commissioni a maggioranza dei due terzi dei componenti. Le medesime Commissioni possono procedere all'audizione delle persone designate. In sede di prima attuazione della presente legge le Commissioni parlamentari si pronunciano entro trenta giorni dalla richiesta del parere; decorso tale termine il parere viene espresso a maggioranza assoluta.

8. I componenti di ciascuna Autorità sono scelti fra persone dotate di alta e riconosciuta professionalità e competenza nel settore; durano in carica sette anni e non possono essere confermati. A pena di decadenza essi non possono esercitare, direttamente o indirettamente, alcuna attività professionale o di consulenza, essere amministratori o dipendenti di soggetti pubblici o privati né ricoprire altri uffici pubblici di qualsiasi natura, ivi compresi gli incarichi elettivi o di rappresentanza nei partiti politici né avere interessi diretti o indiretti nelle imprese operanti nel settore di competenza della medesima Autorità. I dipendenti delle amministrazioni pubbliche sono collocati fuori ruolo per l'intera durata dell'incarico.

9. Per almeno due anni dalla cessazione dell'incarico i componenti e i dirigenti delle Autorità non possono intrattenere, direttamente o indirettamente, rapporti di collaborazione, di consulenza o di impiego con le imprese operanti nel settore di competenza; la violazione di tale divieto è punita, salvo che il fatto costituisca reato, con una sanzione pecuniaria pari, nel minimo, alla maggiore somma tra 50 milioni di lire e l'importo del corrispettivo percepito e, nel massimo alla maggiore somma tra 500 milioni di lire e l'importo del corrispettivo percepito. All'imprenditore che abbia violato tale divieto si applica la sanzione amministrativa pecuniaria pari allo 0,5 per cento del fatturato e, comunque, non inferiore a 300 milioni di lire e non superiore a 200 miliardi di lire, e, nei casi più gravi o quando il comportamento illecito sia stato reiterato, la revoca dell'atto concessivo o autorizzativo. I valori di tali sanzione sono rivalutati secondo il tasso di variazione annuo dei prezzi al consumo per le famiglie di operai e impiegati rilevato dall'ISTAT. Le disposizioni del presente comma non si applicano ai dirigenti che negli ultimi quattro anni di servizio sono stati responsabili esclusivamente di uffici di supporto.

10. I componenti e i funzionari delle Autorità, nell'esercizio delle funzioni, sono pubblici ufficiali e sono tenuti al segreto d'ufficio. Fatta salva la riserva all'organo collegiale di adottare i provvedimenti nelle materie di cui al comma 12, per garantire la responsabilità e l'autonomia nello svolgimento delle procedure istruttorie, ai sensi della legge 7 agosto 1990, n. 241, e successive modificazioni, e del decreto legislativo 3 febbraio 1993, n. 29, e successive modificazioni, si applicano i princìpi riguardanti l'individuazione e le funzioni del responsabile del procedimento, nonché

quelli relativi alla distinzione tra funzioni di indirizzo e controllo, attribuite agli organi di vertice, e quelli concernenti le funzioni di gestione attribuite ai dirigenti.

11. Le indennità spettanti ai componenti le Autorità sono determinate con decreto del Presidente del Consiglio dei ministri, su proposta del Ministro del tesoro.

12. Ciascuna Autorità nel perseguire le finalità di cui all'articolo 1 svolge le seguenti funzioni:

a) formula osservazioni e proposte da trasmettere al Governo e al Parlamento sui servizi da assoggettare a regime di concessione o di autorizzazione e sulle relative forme di mercato, nei limiti delle leggi esistenti, proponendo al Governo le modifiche normative e regolamentari necessarie in relazione alle dinamiche tecnologiche, alle condizioni di mercato ed all'evoluzione delle normative comunitarie;

b) propone ai Ministri competenti gli schemi per il rinnovo nonché per eventuali variazioni dei singoli atti di concessione o di autorizzazione, delle convenzioni e dei contratti di programma;

c) controlla che le condizioni e le modalità di accesso per i soggetti esercenti i servizi, comunque stabilite, siano attuate nel rispetto dei princìpi della concorrenza e della trasparenza, anche in riferimento alle singole voci di costo, anche al fine di prevedere l'obbligo di prestare il servizio in condizioni di eguaglianza in modo che tutte le ragionevoli esigenze degli utenti siano soddisfatte, ivi comprese quelle degli anziani e dei disabili, garantendo altresì il rispetto: dell'ambiente, la sicurezza degli impianti e la salute degli addetti;

d) propone la modifica delle clausole delle concessioni e delle convenzioni, ivi comprese quelle relative all'esercizio in esclusiva, delle autorizzazioni, dei contratti di programma in essere e delle condizioni di svolgimento dei servizi, ove ciò sia richiesto dall'andamento del mercato o dalle ragionevoli esigenze degli utenti, definendo altresì le condizioni tecnico-economiche di accesso e di interconnessione alle reti, ove previsti dalla normativa vigente;

e) stabilisce e aggiorna, in relazione all'andamento del mercato **e del reale costo di approvvigionamento della materia prima** (*), la tariffa base, i parametri e gli altri elementi di riferimento per determinare le tariffe di cui ai commi 17, 18 e 19, nonché le modalità per il recupero dei costi eventualmente sostenuti nell'interesse generale in modo da assicurare la qualità, l'efficienza del servizio e l'adeguata diffusione del medesimo sul territorio nazionale, nonché la realizzazione degli obiettivi generali di carattere sociale, di tutela ambientale e di uso efficiente delle risorse di cui al comma 1 dell'articolo 1, tenendo separato dalla tariffa qualsiasi tributo od onere improprio; verifica la conformità ai criteri di cui alla presente lettera delle proposte di aggiornamento delle tariffe annualmente presentate e si pronuncia, sentiti eventualmente i soggetti esercenti il servizio, entro novanta giorni dal ricevimento della proposta; qualora la pronuncia non intervenga entro tale termine, le tariffe si intendono verificate positivamente;

f) emana le direttive per la separazione contabile e amministrativa e verifica i costi delle singole prestazioni per assicurare, tra l'altro, la loro corretta disaggregazione e imputazione per funzione svolta, per area geografica e per categoria di utenza evidenziando separatamente gli oneri conseguenti alla fornitura del servizio universale definito dalla convenzione, provvedendo quindi al confronto tra essi e i costi analoghi in altri Paesi, assicurando la pubblicizzazione dei dati;

g) controlla lo svolgimento dei servizi con poteri di ispezione, di accesso, di acquisizione della documentazione e delle notizie utili, determinando altresì i casi di indennizzo automatico da parte del soggetto esercente il servizio nei confronti dell'utente ove il medesimo soggetto non rispetti le clausole contrattuali o eroghi il servizio con livelli qualitativi inferiori a quelli stabiliti nel regolamento di servizio di cui al comma 37, nel contratto di programma ovvero ai sensi della lettera *h*);

h) emana le direttive concernenti la produzione e l'erogazione dei servizi da parte dei soggetti esercenti i servizi medesimi, definendo in particolare i livelli generali di qualità riferiti al complesso delle prestazioni e i livelli specifici di qualità riferiti alla singola prestazione da garantire all'utente, sentiti i soggetti esercenti il servizio e i rappresentanti degli utenti e dei consumatori, eventualmente differenziandoli per settore e tipo di prestazione; tali determinazioni producono gli effetti di cui al comma 37;

i) assicura la più ampia pubblicità delle condizioni dei servizi; studia l'evoluzione del settore e dei singoli servizi, anche per modificare condizioni tecniche, giuridiche ed economiche relative allo svolgimento o all'erogazione dei medesimi; promuove iniziative volte a migliorare le modalità di erogazione dei servizi; presenta annualmente al Parlamento e al Presidente del Consiglio dei ministri una relazione sullo stato dei servizi e sull'attività svolta;

l) pubblicizza e diffonde la conoscenza delle condizioni di svolgimento dei servizi al fine di garantire la massima trasparenza, la concorrenzialità dell'offerta e la possibilità di migliori scelte da parte degli utenti intermedi o finali;

m) valuta reclami, istanze e segnalazioni presentate dagli utenti o dai consumatori, singoli o associati, in ordine al rispetto dei livelli qualitativi e tariffari da parte dei soggetti esercenti il servizio nei confronti dei quali interviene imponendo, ove opportuno, modifiche alle modalità di esercizio degli stessi ovvero procedendo alla revisione del regolamento di servizio di cui al comma 37;

n) verifica la congruità delle misure adottate dai soggetti esercenti il servizio al fine di assicurare la parità di trattamento tra gli utenti, garantire la continuità della prestazione dei servizi, verificare periodicamente la qualità e l'efficacia delle prestazioni all'uopo acquisendo anche la valutazione degli utenti, garantire ogni informazione circa le modalità di prestazione dei servizi e i relativi livelli qualitativi, consentire a utenti e consumatori il più agevole accesso agli uffici aperti al pubblico, ridurre il numero degli adempimenti richiesti agli utenti semplificando le procedure per l'erogazione del servizio, assicurare la sollecita risposta a reclami, istanze e segnalazioni nel rispetto dei livelli qualitativi e tariffari;

o) propone al Ministro competente la sospensione o la decadenza della concessione per i casi in cui tali provvedimenti siano consentiti dall'ordinamento;

p) controlla che ciascun soggetto esercente il servizio adotti, in base alla direttiva sui princìpi dell'erogazione dei servizi pubblici del Presidente del Consiglio dei ministri del 27 gennaio 1994, pubblicata nella Gazzetta Ufficiale n. 43 del 22 febbraio 1994, una carta di servizio pubblico con indicazione di standards dei singoli servizi e ne verifica il rispetto.

13. Il Ministro competente, se respinge le proposte di cui alle lettere *b*) *d*) e *o*) del comma 12, chiede all'Autorità una nuova proposta e indica esplicitamente i princìpi e i criteri previsti dalla presente legge ai quali attenersi. Il Ministro competente, qualora non intenda accogliere la seconda proposta dell'Autorità, propone al Presidente del Consiglio dei ministri di decidere, previa deliberazione del Consiglio dei ministri, in difformità esclusivamente per gravi e rilevanti motivi di utilità generale.

14. A ciascuna Autorità sono trasferite tutte le funzioni amministrative esercitate da organi statali e da altri enti e amministrazioni pubblici, anche a ordinamento autonomo, relative alle sue attribuzioni. Fino alla data di entrata in vigore dei regolamenti di cui al comma 28, il Ministro competente continua comunque ad esercitare le funzioni in precedenza ad esso attribuite dalla normativa vigente. Sono fatte salve le funzioni di indirizzo nel settore spettanti al Governo e le attribuzioni riservate alle autonomie locali.

15. Nelle province autonome di Trento e di Bolzano si applicano gli articoli 12 e 13 del testo unico approvato con decreto del Presidente della Repubblica 31 agosto 1972, n. 670, e le relative norme di attuazione contenute nel decreto del Presidente della Repubblica 22 marzo 1974, n. 381, e nel decreto del Presidente della Repubblica 26 marzo 1977, n. 235.

16. Nella regione Valle d'Aosta si applicano le norme contenute negli articoli 7, 8, 9 e 10 dello statuto speciale, approvato con legge costituzionale 26 febbraio 1948, n. 4.

17. Ai fini della presente legge si intendono per tariffe i prezzi massimi unitari dei servizi al netto delle imposte.

18. Salvo quanto previsto dall'articolo 3 e unitamente ad altri criteri di analisi e valutazioni, i parametri di cui al comma 12, lettera *e*), che l'Autorità fissa per la determinazione della tariffa con il metodo del price-cap, inteso come limite massimo della variazione di prezzo vincolata per un periodo pluriennale, sono i seguenti:

a) tasso di variazione medio annuo riferito ai dodici mesi precedenti dei prezzi al consumo per le famiglie di operai e impiegati rilevato dall'ISTAT;

b) obiettivo di variazione del tasso annuale di produttività, prefissato per un periodo almeno triennale.

19. Ai fini di cui al comma 18 si fa altresì riferimento ai seguenti elementi:

a) recupero di qualità del servizio rispetto a standards prefissati per un periodo almeno triennale;

b) costi derivanti da eventi imprevedibili ed eccezionali, da mutamenti del quadro normativo o dalla variazione degli obblighi relativi al servizio universale;

c) costi derivanti dall'adozione di interventi volti al controllo e alla gestione della domanda attraverso l'uso efficiente delle risorse.

20. Per lo svolgimento delle proprie funzioni, ciascuna Autorità:

a) richiede, ai soggetti esercenti il servizio, informazioni e documenti sulle loro attività;

b) effettua controlli in ordine al rispetto degli atti di cui ai commi 36 e 37;

c) irroga, salvo che il fatto costituisca reato, in caso di inosservanza dei propri provvedimenti o in caso di mancata ottemperanza da parte dei soggetti esercenti il servizio, alle richieste di informazioni o a quelle connesse all'effettuazione dei controlli, ovvero nel caso in cui le informazioni e i documenti acquisiti non siano veritieri, sanzioni amministrative pecuniarie non inferiori nel minimo a euro 2.500 e non superiori nel massimo a lire 300 miliardi; in caso di reiterazione delle violazioni ha la facoltà, qualora ciò non comprometta la fruibilità del servizio da parte degli utenti, di sospendere l'attività di impresa fino a 6 mesi ovvero proporre al Ministro competente la sospensione o la decadenza della concessione;

d) ordina al soggetto esercente il servizio la cessazione di comportamenti lesivi dei diritti degli utenti, imponendo, ai sensi del comma 12, lettera *g*), l'obbligo di corrispondere un indennizzo;

e) può adottare, nell'ambito della procedura di conciliazione o di arbitrato, provvedimenti temporanei diretti a garantire la continuità dell'erogazione del servizio ovvero a far cessare forme di abuso o di scorretto funzionamento da parte del soggetto esercente il servizio.

21. Il Governo, nell'ambito del documento di programmazione economico-finanziaria, indica alle Autorità il quadro di esigenze di sviluppo dei servizi di pubblica utilità che corrispondono agli interessi generali del Paese.

22. Le pubbliche amministrazioni e le imprese sono tenute a fornire alle Autorità, oltre a notizie e informazioni, la collaborazione per l'adempimento delle loro funzioni.

23. Le Autorità disciplinano, ai sensi del capo III della legge 7 agosto 1990, n. 241, con proprio regolamento, da adottare entro novanta giorni dall'avvenuta nomina, audizioni periodiche delle formazioni associative nelle quali i consumatori e gli utenti siano organizzati. Nel medesimo regolamento sono altresì disciplinati audizioni periodiche delle associazioni ambientaliste, delle associazioni sindacali delle imprese e dei lavoratori e lo svolgimento di rilevazioni sulla soddisfazione degli utenti e sull'efficacia dei servizi.

24. Entro sessanta giorni dalla data di entrata in vigore della presente legge, con uno o più regolamenti emanati ai sensi dell'articolo 17, comma 1, della legge 23 agosto 1988, n. 400, sono definiti:

a) le procedure relative alle attività svolte dalle Autorità idonee a garantire agli interessati la piena conoscenza degli atti istruttori, il contraddittorio, in forma scritta e orale, e la verbalizzazione;

b) i criteri, le condizioni, i termini e le modalità per l'esperimento di procedure di conciliazione o di arbitrato in contraddittorio presso le Autorità nei casi di controversie insorte tra utenti e soggetti esercenti il Servizio, prevedendo altresì i casi in cui tali procedure di conciliazione o di arbitrato possano essere rimesse in prima istanza alle commissioni arbitrali e conciliative istituite presso le camere di commercio, industria, artigianato e agricoltura. Fino alla scadenza del termine fissato per la presentazione delle istanze di conciliazione o di deferimento agli arbitri, sono sospesi i termini per il ricorso in sede giurisdizionale che, se proposto, è improcedibile. Il verbale di conciliazione o la decisione arbitrale costituiscono titolo esecutivo.

25. La tutela giurisdizionale davanti al giudice amministrativo è disciplinata dal codice del processo amministrativo.

26. La pubblicità di atti e procedimenti delle Autorità è assicurata anche attraverso un apposito bollettino pubblicato dalla Presidenza del Consiglio dei ministri.

27. Ciascuna Autorità ha autonomia organizzativa, contabile e amministrativa. Il bilancio preventivo e il rendiconto della gestione, soggetto al controllo della Corte dei conti, sono pubblicati nella Gazzetta Ufficiale.

28. Ciascuna Autorità, con propri regolamenti, definisce, entro trenta giorni dalla sua costituzione, le norme concernenti l'organizzazione interna e il funzionamento, la pianta organica del personale di ruolo, che non può eccedere le centoventi unità, l'ordinamento delle carriere, nonché, in base ai criteri fissati dal contratto collettivo di lavoro in vigore per l'Autorità garante della concorrenza e del mercato e tenuto conto delle specifiche esigenze funzionali e organizzative, il trattamento giuridico ed economico del personale. Alle Autorità non si applicano le disposizioni di cui al *d.lgs.* 3 febbraio 1993, n. 29, e successive modificazioni, fatto salvo quanto previsto dal comma 10 del presente articolo.

29. Il regolamento del personale di ruolo previsto nella pianta organica di ciascuna Autorità avviene mediante pubblico concorso, ad eccezione delle categorie per le quali sono previste assunzioni in base all'articolo 16 della legge 28 febbraio 1987, n. 56, e successive modificazioni. In sede di prima attuazione della presente legge ciascuna Autorità provvede mediante apposita selezione anche nell'ambito del personale dipendente da pubbliche amministrazioni in possesso delle competenze e dei requisiti di professionalità ed esperienza richiesti per l'espletamento delle singole funzioni e tale da garantire la massima neutralità e imparzialità comunque nella misura massima del 50 per cento dei posti previsti nella pianta organica.

30. Ciascuna autorità può assumere, in numero non superiore a sessanta unità, dipendenti con contratto a tempo determinato di durata non superiore a due anni nonché esperti e collaboratori esterni, in numero non superiore a dieci, per specifici obiettivi e contenuti professionali, con contratti a tempo determinato di durata non superiore a due anni che possono essere rinnovati per non più di due volte.

31. Il personale dipendente in servizio anche in forza di contratto a tempo determinato presso le Autorità non può assumere altro impiego o incarico né esercitare altra attività professionale, anche se a carattere occasionale. Esso, inoltre, non può avere interessi diretti o indiretti nelle imprese del settore. La violazione di tali divieti costituisce causa di decadenza dall'impiego ed è punita, ove il fatto non costituisca reato, con una sanzione amministrativa pecuniaria pari, nel minimo, a 5 milioni di lire, e, nel massimo, alla maggior somma tra 50 milioni di lire e l'importo del corrispettivo percepito.

32. Entro novanta giorni dalla data di entrata in vigore della presente legge, sono emanati, ai sensi dell'articolo 17, comma 2, della legge 23 agosto 1988, n. 400, uno o più regolamenti volti a trasferire le ulteriori competenze connesse a quelle attribuite alle Autorità dalla presente legge nonché a riorganizzare o a sopprimere gli uffici e a rivedere le piante organiche delle amministrazioni pubbliche interessate dalla applicazione della presente legge e cessano le competenze esercitate in materia dal Comitato interministeriale per la programmazione economica. A decorrere dalla data di entrata in vigore dei regolamenti di cui al presente comma sono abrogate le disposizioni legislative e regolamentari che disciplinano gli uffici soppressi riorganizzati. I regolamenti indicano le disposizioni abrogate ai sensi del precedente periodo.

33. Le Autorità, con riferimento agli atti e ai comportamenti delle imprese operanti nei settori sottoposti al loro controllo, segnalano all'Autorità garante della concorrenza e del mercato la sussistenza di ipotesi di violazione delle disposizioni della legge 10 ottobre 1990, n. 287.

34. Per le materie attinenti alla tutela della concorrenza, l'Autorità garante della concorrenza e del mercato esprime parere obbligatorio entro il termine di 30 giorni alle amministrazioni pubbliche competenti in ordine alla definizione delle concessioni, dei contratti di servizio e degli altri strumenti di regolazione dell'esercizio dei servizi nazionali.

35. Le concessioni rilasciate nei settori di cui al comma 1, la cui durata non può essere superiore ad anni quaranta, possono essere onerose, con le eccezioni previste dalla normativa vigente.

36. L'esercizio del servizio in concessione è disciplinato da convenzioni ed eventuali contratti di programma stipulati tra l'amministrazione concedente e il soggetto esercente il servizio, nei quali sono definiti, in particolare, l'indicazione degli obiettivi generali, degli scopi specifici e degli obblighi reciproci da perseguire nello svolgimento del servizio; le procedure di controllo e le sanzioni in caso di inadempimento; le modalità e le procedure di indennizzo automatico nonché le modalità di aggiornamento, revisione e rinnovo del contratto di programma o della convenzione.

37. Il soggetto esercente il servizio predispone un regolamento di servizio nel rispetto dei princìpi di cui alla presente legge e di quanto stabilito negli atti di cui al comma 36. Le determinazioni delle Autorità di cui al comma 12, lettera *h*), costituiscono modifica o integrazione del regolamento di servizio.

38. All'onere derivante dall'istituzione e dal funzionamento delle Autorità, determinato in lire 3 miliardi per il 1995 e in lire 20 miliardi, per ciascuna Autorità, a decorrere dal 1996, si provvede:

a) per il 1995, mediante corrispondente riduzione dello stanziamento iscritto, ai fini del bilancio triennale 1995-1997, al capitolo 6856 dello stato di previsione del Ministero del tesoro per l'anno 1995 all'uopo parzialmente utilizzando l'accantonamento relativo al Ministero dell'industria, del commercio e dell'artigianato;

[*b*) a decorrere dal 1996, mediante contributo di importo non superiore all'uno per mille dei ricavi dell'ultimo esercizio, versato dai soggetti esercenti il servizio stesso; il contributo è versato entro il 31 luglio di ogni anno nella misura e secondo le modalità stabilite con decreto del Ministro delle finanze emanato, di concerto con il Ministro del tesoro, entro trenta giorni dalla data di entrata in vigore della presente legge.]

[39. Il Ministro delle finanze è autorizzato ad adeguare il contributo a carico dei soggetti esercenti il servizio in relazione agli oneri atti a coprire le effettive spese di funzionamento di ciascuna Autorità.]

40. Le somme di cui al comma 38, lettera *b*), afferenti all'Autorità per le garanzie nelle comunicazioni e all'Autorità per l'energia elettrica e il gas sono versate direttamente ai bilanci dei predetti enti.

41. Il Ministro del tesoro è autorizzato ad apportare, con propri decreti, le occorrenti variazioni di bilancio.

(*) *Le parole* « e del reale costo di approvvigionamento della materia prima » *sono state inserite dall'art.* 18-bis *d.l.* 1° *marzo 2022, n. 17, conv., con modif., in l. 27 aprile 2022, n. 34.*

SEZIONE SETTIMA
IL RAPPORTO DI LAVORO ALLE DIPENDENZE DELLE AMMINISTRAZIONI PUBBLICHE

CAPO I
NORME GENERALI E PRIVATIZZAZIONE

91. Legge 20 maggio 1970, n. 300. — Norme sulla tutela della libertà e dignità dei lavoratori, della libertà sindacale e dell'attività sindacale nei luoghi di lavoro e norme sul collocamento.

Pubblicata nella Gazzetta Ufficiale n. 131 del 27 maggio 1970.

18 Tutela del lavoratore in caso di licenziamento illegittimo.

Il giudice, con la sentenza con la quale dichiara la nullità del licenziamento perché discriminatorio ai sensi dell'articolo 3 della legge 11 maggio 1990, n. 108, ovvero intimato in concomitanza col matrimonio ai sensi dell'articolo 35 del codice delle pari opportunità tra uomo e donna, di cui al decreto legislativo 11 aprile 2006, n. 198, o in violazione dei divieti di licenziamento di cui all'articolo 54, commi 1, 6, 7 e 9, del testo unico delle disposizioni legislative in materia di tutela e sostegno della maternità e della paternità, di cui al decreto legislativo 26 marzo 2001, n. 151, e successive modificazioni, ovvero perché riconducibile ad altri casi di nullità previsti dalla legge o determinato da un motivo illecito determinante ai sensi dell'articolo 1345 del codice civile, ordina al datore di lavoro, imprenditore o non imprenditore, la reintegrazione del lavoratore nel posto di lavoro, indipendentemente dal motivo formalmente addotto e quale che sia il numero dei dipendenti occupati dal datore di lavoro. La presente disposizione si applica anche ai dirigenti. A seguito dell'ordine di reintegrazione, il rapporto di lavoro si intende risolto quando il lavoratore non abbia ripreso servizio entro trenta giorni dall'invito del datore di lavoro, salvo il caso in cui abbia richiesto l'indennità di cui al terzo comma del presente articolo. Il regime di cui al presente articolo si applica anche al licenziamento dichiarato inefficace perché intimato in forma orale.

Il giudice, con la sentenza di cui al primo comma, condanna altresì il datore di lavoro al risarcimento del danno subito dal lavoratore per il licenziamento di cui sia stata accertata la nullità, stabilendo a tal fine un'indennità commisurata all'ultima retribuzione globale di fatto maturata dal giorno del licenziamento sino a quello dell'effettiva reintegrazione, dedotto quanto percepito, nel periodo di estromissione, per lo svolgimento di altre attività lavorative. In ogni caso la misura del risarcimento non potrà essere inferiore a cinque mensilità della retribuzione globale di fatto. Il datore di lavoro è condannato inoltre, per il medesimo periodo, al versamento dei contributi previdenziali e assistenziali.

Fermo restando il diritto al risarcimento del danno come previsto al secondo comma, al lavoratore è data la facoltà di chiedere al datore di lavoro, in sostituzione della reintegrazione nel posto di lavoro, un'indennità pari a quindici mensilità dell'ultima retribuzione globale di fatto, la cui richiesta determina la risoluzione del rapporto di lavoro, e che non è assoggettata a contribuzione previdenziale. La richiesta dell'indennità deve essere effettuata entro trenta giorni dalla comunicazione del deposito della sentenza, o dall'invito del datore di lavoro a riprendere servizio, se anteriore alla predetta comunicazione.

Il giudice, nelle ipotesi in cui accerta che non ricorrono gli estremi del giustificato motivo soggettivo o della giusta causa addotti dal datore di lavoro, per insussistenza del fatto contestato ovvero perché il fatto rientra tra le condotte punibili con una sanzione conservativa sulla base delle previsioni dei contratti collettivi ovvero dei codici disciplinari applicabili, annulla il licenziamento e condanna il datore di lavoro alla reintegrazione nel posto di lavoro di cui al primo comma e al pagamento di un'indennità risarcitoria commisurata all'ultima retribuzione globale di fatto dal giorno del licenziamento sino a quello dell'effettiva reintegrazione, dedotto quanto il lavoratore ha percepito, nel periodo di estromissione, per lo svolgimento di altre attività lavorative, nonché quanto avrebbe potuto percepire dedicandosi con diligenza alla ricerca di una nuova occupazione. In ogni caso la misura dell'indennità risarcitoria non può essere superiore a dodici mensilità della retribuzione globale di fatto. Il datore di lavoro è condannato, altresì, al versamento dei contributi previdenziali e assistenziali dal giorno del licenziamento fino a quello della effettiva reintegrazione, maggiorati degli interessi nella misura legale senza applicazione di sanzioni per omessa o ritardata contribuzione, per un importo pari al differenziale contributivo esistente tra la contribuzione che sarebbe stata maturata nel rapporto di lavoro risolto dall'illegittimo licenziamento e quella accreditata al lavoratore in conseguenza dello svolgimento di altre attività lavorative. In quest'ultimo caso, qualora i contributi afferiscano ad altra gestione previdenziale, essi sono imputati d'ufficio alla gestione corrispondente all'attività lavorativa svolta dal dipendente licenziato, con addebito dei relativi costi al datore di lavoro. A seguito dell'ordine di reintegrazione, il rapporto di lavoro si intende risolto quando il lavoratore non abbia ripreso servizio entro trenta giorni dall'invito del datore di lavoro, salvo il caso in cui abbia richiesto l'indennità sostitutiva della reintegrazione nel posto di lavoro ai sensi del terzo comma.

Il giudice, nelle altre ipotesi in cui accerta che non ricorrono gli estremi del giustificato motivo soggettivo o della giusta causa addotti dal datore di lavoro, dichiara risolto il rapporto di lavoro con effetto dalla data del licenziamento e condanna il datore di lavoro al pagamento di un'indennità risarcitoria onnicomprensiva determinata tra un minimo di dodici e un massimo di ventiquattro mensilità dell'ultima retribuzione globale di fatto, in relazione all'anzianità del lavoratore e tenuto conto del numero dei dipendenti occupati, delle dimensioni dell'attività economica, del comportamento e delle condizioni delle parti, con onere di specifica motivazione a tale riguardo.

Nell'ipotesi in cui il licenziamento sia dichiarato inefficace per violazione del requisito di motivazione di cui all'articolo 2, comma 2, della legge 15 luglio 1966, n. 604, e successive modificazioni, della procedura di cui all'articolo 7 della presente legge, o della procedura di cui all'articolo 7 della legge 15 luglio 1966, n. 604, e successive modificazioni, si applica il regime di cui al quinto comma, ma con attribuzione al lavoratore di un'indennità risarcitoria onnicomprensiva determinata, in relazione alla gravità della violazione formale o procedurale commessa dal datore di lavoro, tra un minimo di sei e un massimo di dodici mensilità dell'ultima retribuzione globale di fatto, con onere di specifica motivazione a tale riguardo, a meno che il giudice, sulla base della domanda del lavoratore, accerti che vi è anche un difetto di giustificazione del licenziamento, nel qual caso applica, in luogo di quelle previste dal presente comma, le tutele di cui ai commi quarto, quinto o settimo.

Il giudice applica la medesima disciplina di cui al quarto comma del presente articolo nell'ipotesi in cui accerti il difetto di giustificazione del licenziamento intimato, anche ai sensi degli articoli 4, comma 4, e 10, comma 3, della legge 12 marzo 1999, n. 68, per motivo oggettivo consistente nell'inidoneità fisica o psichica del lavoratore, ovvero che il licenziamento è stato intimato in violazione dell'articolo 2110, secondo comma, del codice civile. **Può altresì applicare la predetta disciplina nell'ipotesi in cui accerti la manifesta insussistenza del fatto posto a base del licenziamento per giustificato motivo oggettivo; nelle altre ipotesi in cui accerta che non ricorrono gli estremi del predetto giustificato motivo, il giudice applica la disciplina di cui al quinto comma** (*). In tale ultimo caso il giudice, ai fini della determinazione dell'indennità tra il minimo e il massimo previsti, tiene conto, oltre ai criteri di cui al quinto comma, delle iniziative assunte dal lavoratore per la ricerca di una nuova occupazione e del comportamento delle parti nell'ambito della procedura di cui all'articolo 7 della legge 15 luglio 1966, n. 604, e successive modificazioni. Qualora, nel corso del giudizio, sulla base della domanda formulata dal lavoratore, il licenziamento risulti determinato da ragioni discriminatorie o disciplinari, trovano applicazione le relative tutele previste dal presente articolo.

Le disposizioni dei commi dal quarto al settimo si applicano al datore di lavoro, imprenditore o non imprenditore, che in ciascuna sede, stabilimento, filiale, ufficio o reparto autonomo nel quale ha avuto luogo il licenziamento occupa alle sue dipendenze più di quindici lavoratori o più di cinque se si tratta di imprenditore agricolo, nonché al datore di lavoro, imprenditore o non imprenditore, che nell'ambito dello stesso comune occupa più di quindici dipendenti e all'impresa agricola che nel medesimo ambito territoriale occupa più di cinque dipendenti, anche se ciascuna unità produttiva, singolarmente considerata, non raggiunge tali limiti, e in ogni caso al datore di lavoro, imprenditore e non imprenditore, che occupa più di sessanta dipendenti.

Ai fini del computo del numero dei dipendenti di cui all'ottavo comma si tiene conto dei lavoratori assunti con contratto a tempo indeterminato parziale per la quota di orario effettivamente svolto, tenendo conto, a tale proposito, che il computo delle unità lavorative fa riferimento all'orario previsto dalla contrattazione collettiva del settore. Non si computano il coniuge e i parenti del datore di lavoro entro il secondo grado in linea diretta e in linea collaterale. Il computo dei limiti occupazionali di cui all'ottavo comma non incide su norme o istituti che prevedono agevolazioni finanziarie o creditizie.

Nell'ipotesi di revoca del licenziamento, purché effettuata entro il termine di quindici giorni dalla comunicazione al datore di lavoro dell'impugnazione del medesimo, il rapporto di lavoro si intende ripristinato senza soluzione di continuità, con diritto del lavoratore alla retribuzione maturata nel periodo precedente alla revoca, e non trovano applicazione i regimi sanzionatori previsti dal presente articolo.

Nell'ipotesi di licenziamento dei lavoratori di cui all'articolo 22, su istanza congiunta del lavoratore e del sindacato cui questi aderisce o conferisca mandato, il giudice, in ogni stato e grado del giudizio di merito, può disporre con ordinanza, quando ritenga irrilevanti o insufficienti gli elementi di prova forniti dal datore di lavoro, la reintegrazione del lavoratore nel posto di lavoro.

L'ordinanza di cui al comma precedente può essere impugnata con reclamo immediato al giudice medesimo che l'ha pronunciata. Si applicano le disposizioni dell'articolo 178, terzo, quarto, quinto e sesto comma del codice di procedura civile.

L'ordinanza può essere revocata con la sentenza che decide la causa.

Nell'ipotesi di licenziamento dei lavoratori di cui all'articolo 22, il datore di lavoro che non ottempera alla sentenza di cui al primo comma ovvero all'ordinanza di cui all'undicesimo comma, non impugnata o confermata dal giudice che l'ha pronunciata, è tenuto anche, per ogni giorno di ritardo, al pagamento a favore del Fondo adeguamento pensioni di una somma pari all'importo della retribuzione dovuta al lavoratore.

(*) *C. cost. 19 maggio 2022, n. 125, ha dichiarato* costituzionalmente illegittimo *il presente comma, come da ultimo modificato dall'art. 1, comma 42, lett.* b) *l. 28 giugno 2012, n. 92, limitatamente alla parola « manifesta ».*

Il periodo era stato precedentemente dichiarato costituzionalmente illegittimo *da C. cost. 1° aprile 2021, n. 59, nella parte in cui prevedeva che il giudice, quando accerti la manifesta insussistenza del fatto posto a base del licenziamento per giustificato motivo oggettivo, « può altresì applicare » — invece che « applica altresì » — la disciplina di cui al quarto comma.*

95. Decreto legislativo 30 marzo 2001, n. 165. — Norme generali sull'ordinamento del lavoro alle dipendenze delle amministrazioni pubbliche.

Pubblicato nella Gazzetta Ufficiale n. 106 del 9 maggio 2001, S.O.

6-ter Linee di indirizzo per la pianificazione dei fabbisogni di personale.

1. Con decreti di natura non regolamentare adottati dal Ministro per **[la semplificazione e]** (*) la pubblica amministrazione di concerto con il Ministro dell'economia e delle finanze, sono definite, nel rispetto degli equilibri di finanza pubblica, linee di indirizzo per orientare le amministrazioni pubbliche nella predisposizione dei rispettivi piani dei fabbisogni di personale ai sensi dell'articolo 6, comma 2, anche con riferimento a fabbisogni prioritari o emergenti **e alla definizione dei nuovi profili professionali individuati dalla contrattazione collettiva, con particolare riguardo all'insieme di conoscenze, competenze, capacità del personale da assumere anche per sostenere la transizione digitale ed ecologica della pubblica amministrazione** (*).

2. Le linee di indirizzo di cui al comma 1 sono definite anche sulla base delle informazioni rese disponibili dal sistema informativo del personale del Ministero dell'economia e delle finanze - Dipartimento della Ragioneria generale dello Stato, di cui all'articolo 60.

3. Con riguardo alle regioni, agli enti regionali, al sistema sanitario nazionale e agli enti locali, i decreti di cui al comma 1 sono adottati previa intesa in sede di Conferenza unificata di cui all'articolo 8, comma 6, della legge 5 giugno 2003, n. 131. Con riguardo alle aziende e agli enti del Servizio sanitario nazionale, i decreti di cui al comma 1 sono adottati di concerto anche con il Ministro della salute.

4. Le modalità di acquisizione dei dati del personale di cui all'articolo 60 sono a tal fine implementate per consentire l'acquisizione delle informazioni riguardanti le professioni e relative competenze professionali, nonché i dati correlati ai fabbisogni.

5. Ciascuna amministrazione pubblica comunica secondo le modalità definite dall'articolo 60 le predette informazioni e i relativi aggiornamenti annuali che vengono resi tempestivamente disponibili al Dipartimento della funzione pubblica. La comunicazione dei contenuti dei piani è effettuata entro trenta giorni dalla loro adozione e, in assenza di tale comunicazione, è fatto divieto alle amministrazioni di procedere alle assunzioni.

6. Qualora, sulla base del monitoraggio effettuato dal Ministero dell'economia e delle finanze di intesa con il Dipartimento della funzione pubblica attraverso il sistema informativo di cui al comma 2, con riferimento alle amministrazioni dello Stato, si rilevino incrementi di spesa correlati alle politiche assunzionali tali da compromettere gli obiettivi e gli equilibri di finanza pubblica, il Ministro per la semplificazione e la pubblica amministrazione, con decreto di natura non regolamentare, di concerto con il Ministro dell'economia e delle finanze, adotta le necessarie misure correttive delle linee di indirizzo di cui al comma 1. Con riguardo alle regioni, agli enti regionali, al sistema sanitario nazionale ed agli enti locali, le misure correttive sono adottate con le modalità di cui al comma 3.

(*) *Le parole* « la semplificazione e » *sono state soppresse, e le parole da* « e alla definizione dei nuovi profili professionali » *a* « della pubblica amministrazione » *sono state sostituite alle parole* « di nuove figure e competenze professionali » *dall'art. 1, comma 1, d.l. 30 aprile 2022, n. 36, in corso di conversione in legge. Ai sensi del comma 2 del citato art. 1 d.l. n. 36, in fase di prima applicazione delle disposizioni di cui al presente articolo, come modificato dal suddetto decreto, « le linee di indirizzo sono emanate entro il 30 giugno 2022 ».*

30 Passaggio diretto di personale tra amministrazioni diverse.

(Art. 33 del d.ls. n. 29 del 1993, come sostituito prima dall'art. 13 del d.ls. n. 470 del 1993 e poi dall'art. 18 del d.ls. n. 80 del 1998 e successivamente modificato dall'art. 20, comma 2 della legge n. 488 del 1999).

1. Le amministrazioni possono ricoprire posti vacanti in organico mediante passaggio diretto di dipen-

denti di cui all'articolo 2, comma 2, appartenenti a una qualifica corrispondente e in servizio presso altre amministrazioni, che facciano domanda di trasferimento [, previo assenso dell'amministrazione di appartenenza]. È richiesto il previo assenso dell'amministrazione di appartenenza nel caso in cui si tratti di posizioni dichiarate motivatamente infungibili dall'amministrazione cedente o, di personale assunto da meno di tre anni o qualora la mobilità determini una carenza di organico superiore al 20 per cento nella qualifica corrispondente a quella del richiedente. È fatta salva la possibilità di differire, per motivate esigenze organizzative, il passaggio diretto del dipendente fino ad un massimo di sessanta giorni dalla ricezione dell'istanza di passaggio diretto ad altra amministrazione. Le disposizioni di cui ai periodi secondo e terzo non si applicano al personale delle aziende e degli enti del servizio sanitario nazionale e degli enti locali con un numero di dipendenti a tempo indeterminato non superiore a 100, per i quali è comunque richiesto il previo assenso dell'amministrazione di appartenenza. Al personale della scuola continuano ad applicarsi le disposizioni vigenti in materia. Le amministrazioni, fissando preventivamente i requisiti e le competenze professionali richieste, pubblicano sul proprio sito istituzionale, per un periodo pari almeno a trenta giorni, un bando in cui sono indicati i posti che intendono ricoprire attraverso passaggio diretto di personale di altre amministrazioni, con indicazione dei requisiti da possedere. In via sperimentale e fino all'introduzione di nuove procedure per la determinazione dei fabbisogni standard di personale delle amministrazioni pubbliche, per il trasferimento tra le sedi centrali di differenti ministeri, agenzie ed enti pubblici non economici nazionali non è richiesto l'assenso dell'amministrazione di appartenenza, la quale dispone il trasferimento entro due mesi dalla richiesta dell'amministrazione di destinazione, fatti salvi i termini per il preavviso e a condizione che l'amministrazione di destinazione abbia una percentuale di posti vacanti superiore all'amministrazione di appartenenza. **[Per agevolare le procedure di mobilità la Presidenza del Consiglio dei Ministri - Dipartimento della funzione pubblica istituisce un portale finalizzato all'incontro tra la domanda e l'offerta di mobilità]** (*).

1.1. [Le disposizioni di cui al comma 1 non si applicano agli enti locali con un numero di dipendenti a tempo indeterminato non superiore a 100]. Per gli enti locali con un numero di dipendenti compreso tra 101 e 250, la percentuale di cui al comma 1 è stabilita al 5 per cento; per gli enti locali con un numero di dipendenti non superiore a 500, la predetta percentuale è fissata al 10 per cento. La percentuale di cui al comma 1 è da considerare all'esito della mobilità e riferita alla dotazione organica dell'ente.

1-*bis*. L'amministrazione di destinazione provvede alla riqualificazione dei dipendenti la cui domanda di trasferimento è accolta, eventualmente avvalendosi, ove sia necessario predisporre percorsi specifici o settoriali di formazione, della Scuola nazionale dell'amministrazione. All'attuazione del presente comma si provvede utilizzando le risorse umane, strumentali e finanziarie disponibili a legislazione vigente e, comunque, senza nuovi o maggiori oneri per la finanza pubblica.

1-*ter*. La dipendente vittima di violenza di genere inserita in specifici percorsi di protezione, debitamente certificati dai servizi sociali del comune di residenza, può presentare domanda di trasferimento ad altra amministrazione pubblica ubicata in un comune diverso da quello di residenza, previa comunicazione all'amministrazione di appartenenza. Entro quindici giorni dalla suddetta comunicazione l'amministrazione di appartenenza dispone il trasferimento presso l'amministrazione indicata dalla dipendente, ove vi siano posti vacanti corrispondenti alla sua qualifica professionale.

1-*quater*. A decorrere dal 1° luglio 2022, ai fini di cui al comma 1, e in ogni caso di avvio di procedure di mobilità, le amministrazioni provvedono a pubblicare il relativo avviso in una apposita sezione del Portale unico del reclutamento di cui all'articolo 35-*ter*. Il personale interessato a partecipare alle predette procedure invia la propria candidatura, per qualsiasi posizione disponibile, previa registrazione nel Portale corredata dal proprio curriculum vitae esclusivamente in formato digitale. Dalla presente disposizione non derivano nuovi o maggiori oneri a carico della finanza pubblica (**).

1-*quinquies*. Per il personale non dirigenziale delle amministrazioni di cui all'articolo 1, comma 2, delle autorità amministrative indipendenti e dei soggetti di cui all'articolo 70, comma 4, i comandi o distacchi, sono consentiti esclusivamente nel limite del 25 per cento dei posti non coperti all'esito delle procedure di mobilità di cui al presente articolo. La disposizione di cui al primo periodo non si applica ai comandi o distacchi obbligatori, previsti da disposizioni di legge, ivi inclusi quelli relativi agli uffici di diretta collaborazione, nonché a quelli relativi alla partecipazione ad organi, comunque denominati, istituiti da disposizioni legislative o regolamentari che prevedono la partecipazione di personale di amministrazioni diverse, nonché ai comandi presso le sedi territoriali dei ministeri, o presso le Unioni di comuni per i Comuni che ne fanno parte (**).

2. Nell'ambito dei rapporti di lavoro di cui all'articolo 2, comma 2, i dipendenti possono essere trasferiti all'interno della stessa amministrazione o, previo accordo tra le amministrazioni interessate, in altra amministrazione, in sedi collocate nel territorio dello stesso comune ovvero a distanza non superiore a cinquanta chilometri dalla sede cui sono adibiti. Ai fini del presente comma non si applica il terzo periodo del primo comma dell'articolo 2103 del codice civile. Con decreto del Ministro per la semplificazione e la pubblica amministrazione, previa consultazione con le confederazioni sindacali rappresentative e previa intesa, ove necessario, in sede di conferenza unificata di cui all'articolo 8 del decreto legislativo 28 agosto 1997, n. 281, possono essere fissati criteri per realizzare i processi di cui al presente comma, anche con passaggi diretti di personale tra amministrazioni senza preventivo accordo, per garantire l'esercizio delle funzioni istituzionali da parte delle amministrazioni che pre-

sentano carenze di organico. Le disposizioni di cui al presente comma si applicano ai dipendenti con figli di età inferiore a tre anni, che hanno diritto al congedo parentale, e ai soggetti di cui all'articolo 33, comma 3, della legge 5 febbraio 1992, n. 104, e successive modificazioni, con il consenso degli stessi alla prestazione della propria attività lavorativa in un'altra sede.

2.1. Nei casi di cui ai commi 1 e 2 per i quali sia necessario un trasferimento di risorse, si applica il comma 2.3.

2.2. I contratti collettivi nazionali possono integrare le procedure e i criteri generali per l'attuazione di quanto previsto dai commi 1 e 2. Sono nulli gli accordi, gli atti o le clausole dei contratti collettivi in contrasto con le disposizioni di cui ai commi 1 e 2.

2.3. Al fine di favorire i processi di cui ai commi 1 e 2, è istituito, nello stato di previsione del Ministero dell'economia e delle finanze, un fondo destinato al miglioramento dell'allocazione del personale presso le pubbliche amministrazioni, con una dotazione di 15 milioni di euro per l'anno 2014 e di 30 milioni di euro a decorrere dall'anno 2015, da attribuire alle amministrazioni destinatarie dei predetti processi. Al fondo confluiscono, altresì, le risorse corrispondenti al cinquanta per cento del trattamento economico spettante al personale trasferito mediante versamento all'entrata dello Stato da parte dell'amministrazione cedente e corrispondente riassegnazione al fondo ovvero mediante contestuale riduzione dei trasferimenti statali all'amministrazione cedente. I criteri di utilizzo e le modalità di gestione delle risorse del fondo sono stabiliti con decreto del Presidente del Consiglio dei Ministri, di concerto con il Ministro dell'economia e delle finanze. In sede di prima applicazione, nell'assegnazione delle risorse vengono prioritariamente valutate le richieste finalizzate all'ottimale funzionamento degli uffici giudiziari che presentino rilevanti carenze di personale. Le risorse sono assegnate alle amministrazioni di destinazione sino al momento di effettiva permanenza in servizio del personale e conseguentemente alla piena applicazione della riforma delle province di cui alla legge 7 aprile 2014, n. 56 oggetto delle procedure di cui ai commi 1 e 2.

2.4. Agli oneri derivanti dall'attuazione del comma 2.3, pari a 15 milioni di euro per l'anno 2014 e a 30 milioni di euro a decorrere dall'anno 2015, si provvede, quanto a 6 milioni di euro per l'anno 2014 e a 9 milioni di euro a decorrere dal 2015 mediante corrispondente riduzione dell'autorizzazione di spesa di cui all'articolo 3, comma 97, della legge 24 dicembre 2007, n. 244, quanto a 9 milioni di euro a decorrere dal 2014 mediante corrispondente riduzione dell'autorizzazione di spesa di cui all'articolo 1, comma 14, del decreto-legge del 3 ottobre 2006, n. 262 convertito con modificazioni, dalla legge 24 novembre 2006, n. 286 e quanto a 12 milioni di euro a decorrere dal 2015 mediante corrispondente riduzione dell'autorizzazione di spesa di cui all'articolo 1, comma 527, della legge 27 dicembre 2006, n. 296. A decorrere dall'anno 2015, il fondo di cui al comma 2.3 può essere rideterminato ai sensi dell'articolo 11, comma 3, lettera *d*), della legge 31 dicembre 2009, n. 196. Il Ministro dell'economia e delle finanze è autorizzato ad apportare con propri decreti le occorrenti variazioni di bilancio per l'attuazione del presente articolo.

2-*bis*. Le amministrazioni, prima di procedere all'espletamento di procedure concorsuali, finalizzate alla copertura di posti vacanti in organico, devono attivare le procedure di mobilità di cui al comma 1, provvedendo, in via prioritaria, all'immissione in ruolo dei dipendenti, provenienti da altre amministrazioni, in posizione di comando o di fuori ruolo, appartenenti alla stessa area funzionale, che facciano domanda di trasferimento nei ruoli delle amministrazioni in cui prestano servizio. Il trasferimento è disposto, nei limiti dei posti vacanti, con inquadramento nell'area funzionale e posizione economica corrispondente a quella posseduta presso le amministrazioni di provenienza; il trasferimento può essere disposto anche se la vacanza sia presente in area diversa da quella di inquadramento assicurando la necessaria neutralità finanziaria.

2-*ter*. L'immissione in ruolo di cui al comma 2-*bis*, limitatamente alla Presidenza del Consiglio dei Ministri e al Ministero degli affari esteri, in ragione della specifica professionalità richiesta ai propri dipendenti, avviene previa valutazione comparativa dei titoli di servizio e di studio, posseduti dai dipendenti comandati o fuori ruolo al momento della presentazione della domanda di trasferimento, nei limiti dei posti effettivamente disponibili.

2-*quater*. La Presidenza del Consiglio dei Ministri, per fronteggiare le situazioni di emergenza in atto, in ragione della specifica professionalità richiesta ai propri dipendenti può procedere alla riserva di posti da destinare al personale assunto con ordinanza per le esigenze della Protezione civile e del servizio civile, nell'ambito delle procedure concorsuali di cui all'articolo 3, comma 59, della legge 24 dicembre 2003, n. 350, e all'articolo 1, comma 95, della legge 30 dicembre 2004, n. 311.

2-*quinques*. Salvo diversa previsione, a seguito dell'iscrizione nel ruolo dell'amministrazione di destinazione, al dipendente trasferito per mobilità si applica esclusivamente il trattamento giuridico ed economico, compreso quello accessorio, previsto nei contratti collettivi vigenti nel comparto della stessa amministrazione.

2-*sexies*. Le pubbliche amministrazioni, per motivate esigenze organizzative, risultanti dai documenti di programmazione previsti all'articolo 6, possono utilizzare in assegnazione temporanea, con le modalità previste dai rispettivi ordinamenti, personale di altre amministrazioni per un periodo non superiore a tre anni, fermo restando quanto già previsto da norme speciali sulla materia, nonché il regime di spesa eventualmente previsto da tali norme e dal presente decreto.

(*) *Periodo soppresso dall'art. 6, comma 1, lett.* a) *d.l. 30 aprile 2022, n. 36, in corso di conversione in legge, a decorrere dal 1° luglio 2022. V. anche quanto disposto dai commi 2 e 3 del citato art. 6 d.l. n. 36.*

(**) *Comma inserito dall'art. 6, comma 1, lett.* b) *d.l. n. 36, cit. V. anche quanto disposto dai commi 2 e 3 del citato art. 6 d.l. n. 36.*

32 Scambio di funzionari appartenenti a Paesi diversi e temporaneo servizio all'estero. (Art. 33-*bis* del d.ls. n. 29 del 1993, aggiunto dall'art. 11 del d.ls. n. 387 del 1998).

1. Le amministrazioni pubbliche favoriscono e incentivano le esperienze del proprio personale presso le istituzioni europee, le organizzazioni internazionali nonché gli Stati membri dell'Unione europea, gli Stati candidati all'adesione all'Unione e gli altri Stati con i quali l'Italia intrattiene rapporti di collaborazione, ai sensi della lettera *c*), al fine di favorire lo scambio internazionale di esperienze amministrative e di rafforzare il collegamento tra le amministrazioni di provenienza e quelle di destinazione. I dipendenti delle amministrazioni pubbliche possono essere destinati a prestare temporaneamente servizio presso:

a) il Parlamento europeo, il Consiglio dell'Unione europea, la Commissione europea, le altre istituzioni e gli altri organi dell'Unione europea, incluse le agenzie, prioritariamente in qualità di esperti nazionali distaccati;

b) le organizzazioni e gli enti internazionali ai quali l'Italia aderisce;

c) le amministrazioni pubbliche degli Stati membri dell'Unione europea, degli Stati candidati all'adesione all'Unione e di altri Stati con i quali l'Italia intrattiene rapporti di collaborazione, a seguito di appositi accordi di reciprocità stipulati tra le amministrazioni interessate, d'intesa con il Ministero degli affari esteri e con la Presidenza del Consiglio dei Ministri - Dipartimento della funzione pubblica.

2. Ai fini di cui al comma 1, la Presidenza del Consiglio dei Ministri - Dipartimenti della funzione pubblica e per le politiche europee e il Ministero degli affari esteri, d'intesa tra loro:

a) coordinano la costituzione di una banca dati di potenziali candidati qualificati dal punto di vista delle competenze in materia europea o internazionale e delle conoscenze linguistiche;

b) definiscono, d'intesa con le amministrazioni interessate, le aree di impiego prioritarie del personale da distaccare, con specifico riguardo agli esperti nazionali presso le istituzioni dell'Unione europea;

c) promuovono la sensibilizzazione dei centri decisionali, le informazioni relative ai posti vacanti nelle istituzioni internazionali e dell'Unione europea e la formazione del personale, con specifico riguardo agli esperti nazionali presso le istituzioni dell'Unione.

3. Il trattamento economico degli esperti nazionali distaccati può essere a carico delle amministrazioni di provenienza, di quelle di destinazione o essere suddiviso tra esse, ovvero essere rimborsato in tutto o in parte allo Stato italiano dall'Unione europea o da un'organizzazione o ente internazionale.

3-*bis*. Le pubbliche amministrazioni, nei casi in cui al proprio personale impiegato come esperti nazionali distaccati presso l'Unione europea non sono corrisposte dalle istituzioni, organi o agenzie europei interessati, sulla base di intese con gli stessi, le indennità di soggiorno, comunque denominate, previste dalla disciplina dell'Unione europea, possono corrispondere al predetto personale, per il periodo di effettiva assegnazione come esperti nazionali distaccati, una indennità forfettaria e omnicomprensiva, non pensionabile, destinata a sostenere le spese di soggiorno, di entità non superiore a quelle corrisposte dall'Unione europea per le medesime posizioni. A tal fine è autorizzata sullo stato di previsione del Ministero degli esteri e della cooperazione internazionale la spesa di 400.000 euro per l'anno 2022 e di 1.000.000 di euro a decorrere dall'anno 2023 che costituisce il limite di spesa per l'erogazione della indennità di cui al presente comma (*).

4. Il personale che presta servizio temporaneo all'estero resta a tutti gli effetti dipendente dell'amministrazione di appartenenza. L'esperienza maturata all'estero costituisce titolo preferenziale per l'accesso a posizioni economiche superiori o a progressioni orizzontali e verticali di carriera all'interno dell'amministrazione pubblica.

(*) *Comma aggiunto dall'art. 6, comma 5 d.l. 30 aprile 2022, n. 36, in corso di conversione in legge.*

34-*ter* (*) **Anagrafe dei dipendenti della pubblica amministrazione.**

1. Per il completo raggiungimento dei traguardi e degli obiettivi relativi alla missione M1C1: "Digitalizzazione, innovazione e sicurezza nella PA", del Piano nazionale di ripresa e resilienza, e per il completamento del fascicolo elettronico del dipendente è avviato, presso il Dipartimento della funzione pubblica della Presidenza del Consiglio dei ministri, il censimento anagrafico permanente dei dipendenti pubblici, avvalendosi della base di dati del personale della pubblica amministrazione del Ministero dell'economia e delle finanze, strumentale all'erogazione dei servizi di cui all'articolo 11, comma 9, del decreto-legge 6 luglio 2011, n. 98, convertito, con modificazioni, dalla legge 15 luglio 2011, n. 111, ed ampliata in attuazione del Piano Triennale per l'informatica nella pubblica amministrazione 2017-2019, nel rispetto delle norme del regolamento (UE) 2016/679 del Parlamento europeo e del Consiglio, del 27 aprile 2016, e del decreto legislativo 30 giugno 2003, n. 196. Con decreto del Ministro per la pubblica amministrazione e del Ministro dell'economia e delle finanze, di concerto con il Ministro per l'innovazione tecnologica e la transizione digitale, da adottare entro trenta giorni dalla data di entrata in vigore della presente disposizione, previa intesa in sede di Conferenza unificata di cui all'articolo 8 del decreto legislativo 28 agosto 1997, n. 281, sono disciplinate le modalità di funzionamento e di comunicazione dei dati da parte delle amministrazioni pubbliche di cui all'articolo 1, comma 2, del presente decreto e degli enti pubblici economici. Alle attività derivanti dal presente articolo il Dipartimento della funzione pubblica provvede con le risorse umane, strumentali e finanziarie disponibili a legislazione vigente.

(*) *Articolo inserito dall'art. 35 d.l. 1° marzo 2022, n. 17, conv., con modif., in l. 27 aprile 2022, n. 34.*

35-*ter* (*) Portale unico del reclutamento.

1. L'assunzione a tempo determinato e indeterminato nelle amministrazioni pubbliche centrali di cui all'articolo 1, comma 2, e nelle autorità amministrative indipendenti, avviene mediante concorsi pubblici orientati alla massima partecipazione ai quali si accede mediante registrazione nel Portale unico del reclutamento, di cui all'articolo 3, comma 7, della legge 19 giugno 2019, n. 56, di seguito "Portale", disponibile all'indirizzo www.InPA.gov.it, sviluppato dal Dipartimento della funzione pubblica della Presidenza del Consiglio dei ministri, che ne cura la gestione.

2. All'atto della registrazione al Portale l'interessato compila il proprio curriculum vitae, completo di tutte le generalità anagrafiche ivi richieste, con valore di dichiarazione sostitutiva di certificazione ai sensi dell'articolo 46 del decreto del Presidente della Repubblica 28 dicembre 2000, n. 445, indicando un indirizzo PEC a lui intestato al quale intende ricevere ogni comunicazione relativa alla procedura cui intende partecipare, ivi inclusa quella relativa all'eventuale assunzione in servizio, unitamente ad un recapito telefonico. La registrazione al Portale è gratuita e può essere realizzata esclusivamente mediante i sistemi di identificazione di cui all'articolo 64, commi 2-*quater* e 2-*nonies*, del decreto legislativo 7 marzo 2005, n. 82. L'iscrizione al Portale comporta il consenso al trattamento dei dati personali per le finalità e con le modalità di cui al regolamento (UE) n. 2016/679 del Parlamento europeo e del Consiglio del 27 aprile 2016 e del decreto legislativo 30 giugno 2003, n. 196. Non si tiene conto delle iscrizioni che non contengono tutte le indicazioni circa il possesso dei requisiti richiesti per la registrazione nel Portale o richieste dai bandi di concorso.

3. Le informazioni necessarie per l'iscrizione al Portale, le modalità di accesso e di utilizzo dello stesso da parte delle amministrazioni di cui al comma 1, e quelle per la pubblicazione dei bandi di concorso sono definite entro il 31 ottobre 2022 con protocolli adottati d'intesa tra il Dipartimento della funzione pubblica della Presidenza del Consiglio dei ministri e ciascuna amministrazione. Per i reclutamenti delle amministrazioni di cui all'articolo 3, i protocolli tengono conto delle specificità dei rispettivi ordinamenti, inclusa quella di cui all'articolo 19 della legge 4 novembre 2010, n. 183.

4. Il Portale è esteso a Regioni ed enti locali per le rispettive selezioni di personale. Le modalità di utilizzo da parte di Regioni ed enti locali sono definite, entro il 31 ottobre 2022, con decreto del Ministro della pubblica amministrazione, adottato previa intesa in Conferenza unificata di cui all'articolo 8 del decreto legislativo 28 agosto 1997, n. 281.

5. I bandi per il reclutamento e per la mobilità del personale pubblico sono pubblicati sul Portale secondo lo schema predisposto dal Dipartimento della funzione pubblica. Il Portale garantisce l'acquisizione della documentazione relativa a tali procedure da parte delle amministrazioni pubbliche in formato aperto e organizza la pubblicazione in modo accessibile e ricercabile secondo parametri utili ai cittadini che intendono partecipare a tali procedure.

6. All'attuazione delle disposizioni del presente articolo si provvede nell'ambito delle risorse umane, finanziarie e strumentali disponibili a legislazione vigente e, comunque, senza nuovi o maggiori oneri per la finanza pubblica.

(*) *Articolo inserito dall'art. 2, comma 1, d.l. 30 aprile 2022, n. 36, in corso di conversione in legge.*

35-*quater* (*) Procedimento per l'assunzione del personale non dirigenziale.

1. I concorsi per l'assunzione del personale non dirigenziale delle amministrazioni di cui all'articolo 1, comma 2, ivi inclusi quelli indetti dalla Commissione per l'attuazione del progetto di riqualificazione delle pubbliche amministrazioni (RIPAM) di cui all'articolo 35, comma 5, prevedono:

a) l'espletamento di almeno una prova scritta, anche a contenuto teorico-pratico, e di una prova orale, comprendente l'accertamento della conoscenza di almeno una lingua straniera. Le prove di esame sono finalizzate ad accertare il possesso delle competenze, intese come insieme delle conoscenze e delle capacità tecniche o manageriali, che devono essere specificate nel bando e definite in maniera coerente con la natura dell'impiego per il profilo richiesto. Il numero delle prove d'esame e le relative modalità di svolgimento e correzione devono contemperare l'ampiezza e profondità della valutazione delle competenze definite nel bando con l'esigenza di assicurare tempi rapidi e certi di svolgimento del concorso orientati ai principi espressi nel comma 2;

b) l'utilizzo di strumenti informatici e digitali e, facoltativamente, lo svolgimento in videoconferenza della prova orale, garantendo comunque l'adozione di soluzioni tecniche che ne assicurino la pubblicità, l'identificazione dei partecipanti, la sicurezza delle comunicazioni e la loro tracciabilità, nel rispetto della normativa in materia di protezione dei dati personali e nel limite delle pertinenti risorse disponibili a legislazione vigente;

c) che le prove di esame possano essere precedute da forme di preselezione con test predisposti anche da imprese e soggetti specializzati in selezione di personale, nei limiti delle risorse disponibili a legislazione vigente, e possono riguardare l'accertamento delle conoscenze o il possesso delle competenze di cui alla lettera a, indicate nel bando;

d) che i contenuti di ciascuna prova siano disciplinati dalle singole amministrazioni responsabili dello svolgimento delle procedure di cui al presente articolo, le quali adottano la tipologia selettiva più conferente con la tipologia dei posti messi a concorso, prevedendo che per l'assunzione di profili specializzati, oltre alle competenze, siano valutate le esperienze lavorative pregresse e pertinenti. Le predette amministrazioni possono prevedere che nella predisposizione delle prove le commissioni siano integrate da esperti in valutazione delle competenze e selezione del personale, senza nuovi o maggiori oneri a carico della finanza pubblica;

e) per i profili qualificati dalle amministrazioni, in sede di bando, ad elevata specializzazione tecnica, una fase di valutazione dei titoli legalmente riconosciuti e strettamente correlati alla natura e alle caratteristiche delle posizioni bandite, ai fini dell'ammissione a successive fasi concorsuali;

f) che i titoli e l'eventuale esperienza professionale, inclusi i titoli di servizio, possano concorrere, in misura non superiore a un terzo, alla formazione del punteggio finale.

2. Le procedure di reclutamento di cui al comma 1 si svolgono con modalità che ne garantiscano l'imparzialità, l'efficienza, l'efficacia e la celerità di espletamento, che assicurino l'integrità delle prove, la sicurezza e la tracciabilità delle comunicazioni, ricorrendo all'utilizzo di sistemi digitali diretti anche a realizzare forme di preselezione ed a selezioni decentrate, anche non contestuali, in relazione a specifiche esigenze o per scelta organizzativa dell'amministrazione procedente. Nelle selezioni non contestuali le amministrazioni assicurano comunque la trasparenza e l'omogeneità delle prove somministrate in modo da garantire il medesimo grado di selettività tra tutti i partecipanti.

3. Le commissioni esaminatrici dei concorsi possono essere suddivise in sottocommissioni, con l'integrazione di un numero di componenti pari a quello delle commissioni originarie e di un segretario aggiunto. Per ciascuna sottocommissione è nominato un presidente. La commissione definisce in una seduta plenaria preparatoria procedure e criteri di valutazione omogenei e vincolanti per tutte le sottocommissioni. Tali procedure e criteri di valutazione sono pubblicati nel sito internet dell'amministrazione procedente contestualmente alla graduatoria finale. All'attuazione del presente comma le amministrazioni provvedono nei limiti delle risorse disponibili a legislazione vigente.

(*) *Articolo inserito dall'art. 2, comma 1, d.l. 30 aprile 2022, n. 36, in corso di conversione in legge.*

53 Incompatibilità, cumulo di impieghi e incarichi.

(Art. 58 del d.ls. n. 29 del 1993, come modificato prima dall'art. 2 del decreto legge n. 358 del 1993, convertito dalla legge n. 448 del 1993, poi dall'art. 1 del decreto legge n. 361 del 1995, convertito con modificazioni dalla legge n. 437 del 1995, e, infine, dall'art. 26 del d.ls. n. 80 del 1998, nonché dall'art. 16 del d.ls. n. 387 del 1998).

1. Resta ferma per tutti i dipendenti pubblici la disciplina delle incompatibilità dettata dagli articoli 60 e seguenti del testo unico approvato con decreto del Presidente della Repubblica 10 gennaio 1957, n. 3, salva la deroga prevista dall'articolo 23-*bis* del presente decreto, nonché, per i rapporti di lavoro a tempo parziale, dall'articolo 6, comma 2, del decreto del Presidente del Consiglio dei ministri 17 marzo 1989, n. 117 e dall'articolo 1, commi 57 e seguenti della legge 23 dicembre 1996, n. 662. Restano ferme altresì le disposizioni di cui agli articoli 267, comma 1, 273, 274, 508 nonché 676 del decreto legislativo 16 aprile 1994, n. 297, all'articolo 9, commi 1 e 2, della legge 23 dicembre 1992, n. 498, all'articolo 4, comma 7, della legge 30 dicembre 1991, n. 412, ed ogni altra successiva modificazione ed integrazione della relativa disciplina.

1-*bis*. Non possono essere conferiti incarichi di direzione di strutture deputate alla gestione del personale a soggetti che rivestano o abbiano rivestito negli ultimi due anni cariche in partiti politici o in organizzazioni sindacali o che abbiano avuto negli ultimi due anni rapporti continuativi di collaborazione o di consulenza con le predette organizzazioni.

2. Le pubbliche amministrazioni non possono conferire ai dipendenti incarichi, non compresi nei compiti e doveri di ufficio, che non siano espressamente previsti o disciplinati da legge o altre fonti normative, o che non siano espressamente autorizzati.

3. Ai fini previsti dal comma 2, con appositi regolamenti, da emanarsi ai sensi dell'articolo 17, comma 2, della legge 23 agosto 1988, n. 400, sono individuati gli incarichi consentiti e quelli vietati ai magistrati ordinari, amministrativi, contabili e militari, nonché agli avvocati e procuratori dello Stato, sentiti, per le diverse magistrature, i rispettivi istituti.

3-*bis*. Ai fini previsti dal comma 2, con appositi regolamenti emanati su proposta del Ministro per la pubblica amministrazione e la semplificazione, di concerto con i Ministri interessati, ai sensi dell'articolo 17, comma 2, della legge 23 agosto 1988, n. 400, e successive modificazioni, sono individuati, secondo criteri differenziati in rapporto alle diverse qualifiche e ruoli professionali, gli incarichi vietati ai dipendenti delle amministrazioni pubbliche di cui all'articolo 1, comma 2.

4. Nel caso in cui i regolamenti di cui al comma 3 non siano emanati, l'attribuzione degli incarichi è consentita nei soli casi espressamente previsti dalla legge o da altre fonti normative.

5. In ogni caso, il conferimento operato direttamente dall'amministrazione, nonché l'autorizzazione all'esercizio di incarichi che provengano da amministrazione pubblica diversa da quella di appartenenza, ovvero da società o persone fisiche, che svolgano attività d'impresa o commerciale, sono disposti dai rispettivi organi competenti secondo criteri oggettivi e predeterminati, che tengano conto della specifica professionalità, tali da escludere casi di incompatibilità, sia di diritto che di fatto, nell'interesse del buon andamento della pubblica amministrazione o situazioni di conflitto, anche potenziale, di interessi, che pregiudichino l'esercizio imparziale delle funzioni attribuite al dipendente.

6. I commi da 7 a 13 del presente articolo si applicano ai dipendenti delle amministrazioni pubbliche di cui all'articolo 1, comma 2, compresi quelli di cui all'articolo 3, con esclusione dei dipendenti con rapporto di lavoro a tempo parziale con prestazione lavorativa non superiore al cinquanta per cento di quella a tempo pieno, dei docenti universitari a tempo definito e delle altre categorie di dipendenti pubblici ai quali è consentito da disposizioni speciali lo svolgimento di attività libero-professionali. Sono nulli tutti gli atti e provvedimenti comunque denominati, regolamentari e amministrativi, adottati dalle amministrazioni di appartenenza in contrasto con il presente comma. Gli incarichi retribuiti, di cui ai commi seguenti, sono tutti

gli incarichi, anche occasionali, non compresi nei compiti e doveri di ufficio, per i quali è previsto, sotto qualsiasi forma, un compenso. Sono esclusi i compensi e le prestazioni derivanti:

a) dalla collaborazione a giornali, riviste, enciclopedie e simili;

b) dalla utilizzazione economica da parte dell'autore o inventore di opere dell'ingegno e di invenzioni industriali;

c) dalla partecipazione a convegni e seminari;

d) da incarichi per i quali è corrisposto solo il rimborso delle spese documentate;

e) da incarichi per lo svolgimento dei quali il dipendente è posto in posizione di aspettativa, di comando o di fuori ruolo;

f) da incarichi conferiti dalle organizzazioni sindacali a dipendenti presso le stesse distaccati o in aspettativa non retribuita.

f-bis) da attività di formazione diretta ai dipendenti della pubblica amministrazione nonché di docenza e di ricerca scientifica.

7. I dipendenti pubblici non possono svolgere incarichi retribuiti che non siano stati conferiti o previamente autorizzati dall'amministrazione di appartenenza. Ai fini dell'autorizzazione, l'amministrazione verifica l'insussistenza di situazioni, anche potenziali, di conflitto di interessi. Con riferimento ai professori universitari a tempo pieno, gli statuti o i regolamenti degli atenei disciplinano i criteri e le procedure per il rilascio dell'autorizzazione nei casi previsti dal presente decreto. In caso di inosservanza del divieto, salve le più gravi sanzioni e ferma restando la responsabilità disciplinare, il compenso dovuto per le prestazioni eventualmente svolte deve essere versato, a cura dell'erogante o, in difetto, del percettore, nel conto dell'entrata del bilancio dell'amministrazione di appartenenza del dipendente per essere destinato ad incremento del fondo di produttività o di fondi equivalenti.

7-*bis*. L'omissione del versamento del compenso da parte del dipendente pubblico indebito percettore costituisce ipotesi di responsabilità erariale soggetta alla giurisdizione della Corte dei conti.

8. Le pubbliche amministrazioni non possono conferire incarichi retribuiti a dipendenti di altre amministrazioni pubbliche senza la previa autorizzazione dell'amministrazione di appartenenza dei dipendenti stessi. Salve le più gravi sanzioni, il conferimento dei predetti incarichi, senza la previa autorizzazione, costituisce in ogni caso infrazione disciplinare per il funzionario responsabile del procedimento; il relativo provvedimento è nullo di diritto. In tal caso l'importo previsto come corrispettivo dell'incarico, ove gravi su fondi in disponibilità dell'amministrazione conferente, è trasferito all'amministrazione di appartenenza del dipendente ad incremento del fondo di produttività o di fondi equivalenti.

9. Gli enti pubblici economici e i soggetti privati non possono conferire incarichi retribuiti a dipendenti pubblici senza la previa autorizzazione dell'amministrazione di appartenenza dei dipendenti stessi. Ai fini dell'autorizzazione, l'amministrazione verifica l'insussistenza di situazioni, anche potenziali, di conflitto di interessi. In caso di inosservanza si applica la disposizione dell'articolo 6, comma 1, del decreto legge 28 marzo 1997, n. 79, convertito, con modificazioni, dalla legge 28 maggio 1997, n. 140, e successive modificazioni ed integrazioni. All'accertamento delle violazioni e all'irrogazione delle sanzioni provvede il Ministero delle finanze, avvalendosi della Guardia di finanza, secondo le disposizioni della legge 24 novembre 1981, n. 689, e successive modificazioni ed integrazioni. Le somme riscosse sono acquisite alle entrate del Ministero delle finanze.

10. L'autorizzazione, di cui ai commi precedenti, deve essere richiesta all'amministrazione di appartenenza del dipendente dai soggetti pubblici o privati, che intendono conferire l'incarico; può, altresì, essere richiesta dal dipendente interessato. L'amministrazione di appartenenza deve pronunciarsi sulla richiesta di autorizzazione entro trenta giorni dalla ricezione della richiesta stessa. Per il personale che presta comunque servizio presso amministrazioni pubbliche diverse da quelle di appartenenza, l'autorizzazione è subordinata all'intesa tra le due amministrazioni. In tal caso il termine per provvedere è per l'amministrazione di appartenenza di 45 giorni e si prescinde dall'intesa se l'amministrazione presso la quale il dipendente presta servizio non si pronunzia entro 10 giorni dalla ricezione della richiesta di intesa da parte dell'amministrazione di appartenenza. Decorso il termine per provvedere, l'autorizzazione, se richiesta per incarichi da conferirsi da amministrazioni pubbliche, si intende accordata; in ogni altro caso, si intende definitivamente negata (*).

11. Entro quindici giorni dall'erogazione del compenso per gli incarichi di cui al comma 6, i soggetti pubblici o privati comunicano all'amministrazione di appartenenza l'ammontare dei compensi erogati ai dipendenti pubblici.

12. Le amministrazioni pubbliche che conferiscono o autorizzano incarichi, anche a titolo gratuito, ai propri dipendenti comunicano in via telematica, nel termine di quindici giorni, al Dipartimento della funzione pubblica gli incarichi conferiti o autorizzati ai dipendenti stessi, con l'indicazione dell'oggetto dell'incarico e del compenso lordo, ove previsto.

13. Le amministrazioni di appartenenza sono tenute a comunicare tempestivamente al Dipartimento della funzione pubblica, in via telematica [o su apposito supporto magnetico], per ciascuno dei propri dipendenti e distintamente per ogni incarico conferito o autorizzato, i compensi [, relativi all'anno precedente], da esse erogati o della cui erogazione abbiano avuto comunicazione dai soggetti di cui al comma 11.

14. Al fine della verifica dell'applicazione delle norme di cui all'articolo 1, commi 123 e 127, della legge 23 dicembre 1996, n. 662, e successive modificazioni e integrazioni, le amministrazioni pubbliche sono tenute a comunicare al Dipartimento della funzione pubblica, in via telematica, tempestivamente e comunque nei termini previsti dal decreto legislativo 14 marzo 2013, n. 33, i dati di cui agli articoli 15 e 18 del medesimo decreto legislativo n. 33 del 2013, relativi a tutti gli incarichi conferiti o autorizzati a qualsiasi titolo. Le amministrazioni rendono noti, mediante inserimento

nelle proprie banche dati accessibili al pubblico per via telematica, gli elenchi dei propri consulenti indicando l'oggetto, la durata e il compenso dell'incarico nonché l'attestazione dell'avvenuta verifica dell'insussistenza di situazioni, anche potenziali, di conflitto di interessi. Le informazioni relative a consulenze e incarichi comunicate dalle amministrazioni al Dipartimento della funzione pubblica, nonché le informazioni pubblicate dalle stesse nelle proprie banche dati accessibili al pubblico per via telematica ai sensi del presente articolo, sono trasmesse e pubblicate in tabelle riassuntive rese liberamente scaricabili in un formato digitale standard aperto che consenta di analizzare e rielaborare, anche a fini statistici, i dati informatici. Entro il 31 dicembre di ciascun anno il Dipartimento della funzione pubblica trasmette alla Corte dei conti l'elenco delle amministrazioni che hanno omesso di trasmettere e pubblicare, in tutto o in parte, le informazioni di cui al terzo periodo del presente comma in formato digitale standard aperto. Entro il 31 dicembre di ciascun anno il Dipartimento della funzione pubblica trasmette alla Corte dei conti l'elenco delle amministrazioni che hanno omesso di effettuare la comunicazione, avente ad oggetto l'elenco dei collaboratori esterni e dei soggetti cui sono stati affidati incarichi di consulenza.

15. Le amministrazioni che omettono gli adempimenti di cui ai commi da 11 a 14 non possono conferire nuovi incarichi fino a quando non adempiono. I soggetti di cui al comma 9 che omettono le comunicazioni di cui al comma 11 incorrono nella sanzione di cui allo stesso comma 9.

16. Il Dipartimento della funzione pubblica, entro il 31 dicembre di ciascun anno, riferisce al Parlamento sui dati raccolti, adotta le relative misure di pubblicità e trasparenza e formula proposte per il contenimento della spesa per gli incarichi e per la razionalizzazione dei criteri di attribuzione degli incarichi stessi.

16-*bis*. La Presidenza del Consiglio dei Ministri - Dipartimento della funzione pubblica può disporre verifiche del rispetto delle disposizioni del presente articolo e dell'articolo 1, commi 56 e seguenti, della legge 23 dicembre 1996, n. 662, per il tramite dell'Ispettorato per la funzione pubblica. A tale fine quest'ultimo opera d'intesa con i Servizi ispettivi di finanza pubblica del Dipartimento della Ragioneria generale dello Stato.

16-*ter*. I dipendenti che, negli ultimi tre anni di servizio, hanno esercitato poteri autoritativi o negoziali per conto delle pubbliche amministrazioni di cui all'articolo 1, comma 2, non possono svolgere, nei tre anni successivi alla cessazione del rapporto di pubblico impiego, attività lavorativa o professionale presso i soggetti privati destinatari dell'attività della pubblica amministrazione svolta attraverso i medesimi poteri. I contratti conclusi e gli incarichi conferiti in violazione di quanto previsto dal presente comma sono nulli ed è fatto divieto ai soggetti privati che li hanno conclusi o conferiti di contrattare con le pubbliche amministrazioni per i successivi tre anni con obbligo di restituzione dei compensi eventualmente percepiti e accertati ad essi riferiti.

(*) *Ai sensi dell'art. 2, comma 7, d.l. 30 aprile 2022, n. 36, in corso di conversione in legge, i termini di cui al presente comma, relativi all'autorizzazione a rivestire l'incarico di commissario nelle procedure concorsuali di cui al presente articolo, sono rideterminati, rispettivamente, in dieci e quindici giorni.*

54 (*) Codice di comportamento. (Art. 58-*bis* del d.ls. n. 29 del 1993, aggiunto dall'art. 26 del d.ls. n. 546 del 1993 e successivamente sostituito dall'art. 27 del d.ls. n. 80 del 1998).

1. Il Governo definisce un codice di comportamento dei dipendenti delle pubbliche amministrazioni al fine di assicurare la qualità dei servizi, la prevenzione dei fenomeni di corruzione, il rispetto dei doveri costituzionali di diligenza, lealtà, imparzialità e servizio esclusivo alla cura dell'interesse pubblico. Il codice contiene una specifica sezione dedicata ai doveri dei dirigenti, articolati in relazione alle funzioni attribuite, e comunque prevede per tutti i dipendenti pubblici il divieto di chiedere o di accettare, a qualsiasi titolo, compensi, regali o altre utilità, in connessione con l'espletamento delle proprie funzioni o dei compiti affidati, fatti salvi i regali d'uso, purché di modico valore e nei limiti delle normali relazioni di cortesia.

1-*bis*. Il codice contiene, altresì, una sezione dedicata al corretto utilizzo delle tecnologie informatiche e dei mezzi di informazione e social media da parte dei dipendenti pubblici, anche al fine di tutelare l'immagine della pubblica amministrazione (**).

2. Il codice, approvato con decreto del Presidente della Repubblica, previa deliberazione del Consiglio dei ministri, su proposta del Ministro per la pubblica amministrazione e la semplificazione, previa intesa in sede di Conferenza unificata, è pubblicato nella Gazzetta Ufficiale e consegnato al dipendente, che lo sottoscrive all'atto dell'assunzione.

3. La violazione dei doveri contenuti nel codice di comportamento, compresi quelli relativi all'attuazione del Piano di prevenzione della corruzione, è fonte di responsabilità disciplinare. La violazione dei doveri è altresì rilevante ai fini della responsabilità civile, amministrativa e contabile ogniqualvolta le stesse responsabilità siano collegate alla violazione di doveri, obblighi, leggi o regolamenti. Violazioni gravi o reiterate del codice comportano l'applicazione della sanzione di cui all'articolo 55-*quater*, comma 1.

4. Per ciascuna magistratura e per l'Avvocatura dello Stato, gli organi delle associazioni di categoria adottano un codice etico a cui devono aderire gli appartenenti alla magistratura interessata. In caso di inerzia, il codice è adottato dall'organo di autogoverno.

5. Ciascuna pubblica amministrazione definisce, con procedura aperta alla partecipazione e previo parere obbligatorio del proprio organismo indipendente di valutazione, un proprio codice di comportamento che integra e specifica il codice di comportamento di cui al comma 1. Al codice di comportamento di cui al presente comma si applicano le disposizioni del comma 3. A tali fini, la Commissione per la valutazione, la trasparenza e l'integrità delle amministrazioni pubbliche (CIVIT) definisce criteri, linee guida e modelli uniformi per singoli settori o tipologie di amministrazione.

6. Sull'applicazione dei codici di cui al presente articolo vigilano i dirigenti responsabili di ciascuna strut-

tura, le strutture di controllo interno e gli uffici di disciplina.

7. Le pubbliche amministrazioni verificano annualmente lo stato di applicazione dei codici e organizzano attività di formazione del personale per la conoscenza e la corretta applicazione degli stessi. **Le pubbliche amministrazioni prevedono lo svolgimento di un ciclo formativo la cui durata e intensità sono proporzionate al grado di responsabilità e nei limiti delle risorse finanziarie disponibili a legislazione vigente, sui temi dell'etica pubblica e sul comportamento etico** (***).

(*) *Ai sensi dell'art. 4, comma 2, d.l. 30 aprile 2022, n. 36, in corso di conversione in legge, il codice di comportamento di cui al presente articolo è aggiornato entro il 31 dicembre 2022.*

(**) *Comma inserito dall'art. 4, comma 1, lett.* a), *d.l. n. 36, cit.*

(***) *Periodo aggiunto dall'art. 4, comma 1, lett.* b), *d.l. n. 36, cit.*

96. Decreto legislativo 27 ottobre 2009, n. 150. — Attuazione della legge 4 marzo 2009, n. 15, in materia di ottimizzazione della produttività del lavoro pubblico e di efficienza e trasparenza delle pubbliche amministrazioni.

Pubblicato nella Gazzetta Ufficiale n. 254 del 31 ottobre 2009, S.O. n. 197.

14-*bis* Elenco, durata e requisiti dei componenti degli OIV.

1. Il Dipartimento della funzione pubblica tiene e aggiorna l'Elenco nazionale dei componenti degli Organismi indipendenti di valutazione, secondo le modalità indicate nel decreto adottato ai sensi dell'articolo 19, comma 10, del decreto-legge n. 90 del 2014.

2. La nomina dell'organismo indipendente di valutazione è effettuata dall'organo di indirizzo politico-amministrativo, tra gli iscritti all'elenco di cui al comma 1, previa procedura selettiva pubblica **avvalendosi del Portale del reclutamento di cui all'articolo 3, comma 7, della legge 19 giugno 2019, n. 56** (*).

3. La durata dell'incarico di componente dell'Organismo indipendente di valutazione è di tre anni, rinnovabile una sola volta presso la stessa amministrazione, previa procedura selettiva pubblica.

4. L'iscrizione all'Elenco nazionale dei componenti degli Organismi indipendenti di valutazione avviene sulla base di criteri selettivi che favoriscono il merito e le conoscenze specialistiche, nel rispetto di requisiti generali, di integrità e di competenza individuati ai sensi del comma 1.

5. Con le modalità di cui al comma 1, sono stabiliti gli obblighi di aggiornamento professionale e formazione continua posti a carico degli iscritti all'elenco nazionale dei componenti degli organismi indipendenti di valutazione.

6. Le nomine e i rinnovi dei componenti degli Organismi indipendenti di valutazione sono nulli in caso di inosservanza delle modalità e dei requisiti stabiliti dall'articolo 14 e dal presente articolo. Il Dipartimento della funzione pubblica segnala alle amministrazioni interessate l'inosservanza delle predette disposizioni.

(*) *Le parole* « avvalendosi del Portale del reclutamento di cui all'articolo 3, comma 7, della legge 19 giugno 2019, n. 56 » *sono state aggiunte dall'art. 2, comma 5, d.l. 30 aprile 2022, n. 36, in corso di conversione in legge.*

SEZIONE OTTAVA
BENI PUBBLICI

123. Decreto legge 5 ottobre 1993, n. 400, convertito, con modificazioni in legge 4 dicembre 1993, n. 494. — Disposizioni per la determinazione dei canoni relativi a concessioni demaniali marittime.

Pubblicato nella Gazzetta Ufficiale n. 234 del 5 ottobre 1993; la legge di conversione è stata pubblicata nella Gazzetta Ufficiale n. 285 del 4 dicembre 1993.

03

1. I canoni annui per concessioni rilasciate o rinnovate con finalità turistico-ricreative di aree, pertinenze demaniali marittime e specchi acquei per i quali si applicano le disposizioni relative alle utilizzazioni del demanio marittimo sono determinati nel rispetto dei seguenti criteri:

a) classificazione, a decorrere dal 1° gennaio 2007, delle aree, manufatti, pertinenze e specchi acquei nelle seguenti categorie:

1) categoria A: aree, manufatti, pertinenze e specchi acquei, o parti di essi, concessi per utilizzazioni ad uso pubblico ad alta valenza turistica;

2) categoria B: aree, manufatti, pertinenze e specchi acquei, o parti di essi, concessi per utilizzazione ad uso pubblico a normale valenza turistica. L'accertamento dei requisiti di alta e normale valenza turistica è riservato alle regioni competenti per territorio con proprio provvedimento. Nelle more dell'emanazione di detto provvedimento la categoria di riferimento è da intendersi la B. Una quota pari al 10 per cento delle maggiori

entrate annue rispetto alle previsioni di bilancio derivanti dall'utilizzo delle aree, pertinenze e specchi acquei inseriti nella categoria A è devoluta alle regioni competenti per territorio;

b) misura del canone annuo determinata come segue:

1) per le concessioni demaniali marittime aventi ad oggetto aree e specchi acquei, per gli anni 2004, 2005 e 2006 si applicano le misure unitarie vigenti alla data di entrata in vigore della presente legge e non operano le disposizioni maggiorative di cui ai commi 21, 22 e 23 dell'articolo 32 del decreto-legge 30 settembre 2003, n. 269, convertito, con modificazioni, dalla legge 24 novembre 2003, n. 326, e successive modificazioni; a decorrere dal 1° gennaio 2007, si applicano i seguenti importi aggiornati degli indici ISTAT maturati alla stessa data:

1.1) area scoperta: euro 1,86 al metro quadrato per la categoria A; euro 0,93 al metro quadrato per la categoria B;

1.2) area occupata con impianti di facile rimozione: euro 3,10 al metro quadrato per la categoria A; euro 1,55 al metro quadrato per la categoria B;

1.3) area occupata con impianti di difficile rimozione: euro 4,13 al metro quadrato per la categoria A; euro 2,65 al metro quadrato per la categoria B;

1.4) euro 0,72 per ogni metro quadrato di mare territoriale per specchi acquei o delimitati da opere che riguardano i porti così come definite dall'articolo 5 del testo unico di cui al regio decreto 2 aprile 1885, n. 3095, e comunque entro 100 metri dalla costa;

1.5) euro 0,52 per gli specchi acquei compresi tra 100 e 300 metri dalla costa;

1.6) euro 0,41 per gli specchi acquei oltre 300 metri dalla costa;

1.7) euro 0,21 per gli specchi acquei utilizzati per il posizionamento di campi boa per l'ancoraggio delle navi al di fuori degli specchi acquei di cui al numero 1.3);

2) per le concessioni comprensive di pertinenze demaniali marittime si applicano, a decorrere dal 1° gennaio 2007, i seguenti criteri:

2.1) per le pertinenze destinate ad attività commerciali, terziario-direzionali e di produzione di beni e servizi, il canone è determinato ai sensi del punto 1.3) (*);

2.2) per le aree ricomprese nella concessione, per gli anni 2004, 2005 e 2006 si applicano le misure vigenti alla data di entrata in vigore della presente legge e non operano le disposizioni maggiorative di cui ai commi 21, 22 e 23 dell'articolo 32 del decreto-legge 30 settembre 2003, n. 269, convertito, con modificazioni, dalla legge 24 novembre 2003, n. 326, e successive modificazioni; a decorrere dal 1° gennaio 2007, si applicano quelle di cui alla lettera *b*), numero 1);

c) riduzione dei canoni di cui alla lettera *b*) nella misura del 50 per cento:

1) in presenza di eventi dannosi di eccezionale gravità che comportino una minore utilizzazione dei beni oggetto della concessione, previo accertamento da parte delle competenti autorità marittime di zona;

2) nel caso di concessioni demaniali marittime assentite alle società sportive dilettantistiche senza scopo di lucro affiliate alle Federazioni sportive nazionali con l'esclusione dei manufatti pertinenziali adibiti ad attività commerciali;

d) riduzione dei canoni di cui alla lettera *b*) nella misura del 90 per cento per le concessioni indicate al secondo comma dell'articolo 39 del codice della navigazione e all'articolo 37 del regolamento per l'esecuzione del codice della navigazione, di cui al decreto del Presidente della Repubblica 15 febbraio 1952, n. 328;

e) obbligo per i titolari delle concessioni di consentire il libero e gratuito accesso e transito, per il raggiungimento della battigia antistante l'area ricompresa nella concessione, anche al fine di balneazione;

f) riduzione, per le imprese turistico-ricettive all'aria aperta, dei valori inerenti le superfici del 25 per cento.

2. Alla determinazione dei canoni annui delle concessioni di cui all'art. 48 del testo unico delle leggi sulla pesca, approvato con regio decreto 8 ottobre 1931, n. 1604 e successive modificazioni, nonché di quelli relativi ai cantieri navali di cui all'art. 2 del regio decreto-legge 25 febbraio 1924, n. 456, convertito dalla legge 22 dicembre 1927, n. 2535 e successive modificazioni, e di quelli comunque concernenti attività di costruzione, manutenzione, riparazione e demolizione di mezzi di trasporto aerei e navali, si provvede, a decorrere dal 1° gennaio 1994, con decreto del Ministro della marina mercantile, adottato di concerto con i Ministri del tesoro e delle finanze.

3. Le misure dei canoni di cui al comma 1, lettera *b*), si applicano, a decorrere dal 1° gennaio 2007, anche alle concessioni dei beni del demanio marittimo e di zone del mare territoriale aventi ad oggetto la realizzazione e la gestione di strutture dedicate alla nautica da diporto.

4. I canoni annui relativi alle concessioni demaniali marittime, anche pluriennali, devono essere rapportati alla effettiva utilizzazione del bene oggetto della concessione se l'utilizzazione è inferiore all'anno, purché non sussistano strutture che permangono oltre la durata della concessione stessa.

4-*bis*. Le concessioni di cui al presente articolo possono avere durata superiore a sei anni e comunque non superiore a venti anni in ragione dell'entità e della rilevanza economica delle opere da realizzare e sulla base dei piani di utilizzazione delle aree del demanio marittimo predisposti dalle regioni. Le disposizioni del presente comma non si applicano alle concessioni rilasciate nell'ambito delle rispettive circoscrizioni territoriali dalle autorità portuali di cui alla legge 28 gennaio 1994, n. 84.

(*) *Punto così sostituito dall'art. 100, comma 2, d.l. 14 agosto 2020, n. 104, conv., con modif., in l. 13 ottobre 2020, n. 126. Il testo del punto era il seguente:* « 2.1) per le pertinenze destinate ad attività commerciali, terziario-direzionali e di produzione di beni e servizi, il canone è determinato moltiplicando la superficie complessiva del manufatto per la media dei valori mensili unitari minimi e massimi indicati dall'Osservatorio del mercato immobiliare per la zona di riferimento. L'importo ottenuto è moltiplicato per un coefficiente pari a 6,5. Il canone annuo così determinato è ulteriormente ridotto delle seguenti percentuali, da applicare per scaglioni progressivi di superficie del manufatto: fino a 200 metri quadrati, 0 per cento; oltre 200 metri quadrati e fino a 500 metri quadrati, 20 per cento; oltre 500 metri quadrati e fino a 1.000 metri quadrati, 40 per cento; oltre 1.000 metri quadrati, 60 per cento. Qualora i valori dell'Osservatorio del mercato immobiliare non siano disponibili, si fa riferimento a quelli del più vicino comune costiero rispetto al manufatto nell'ambito territoriale della medesima regione ».

Successivamente, C. cost. 1° marzo 2022, n. 46, ha dichiarato non fondate, nei sensi di cui in motivazione, le questioni di legittimità costituzionale dell'art. 100, comma 2, d.l. n. 104, cit., « promosse dalla Regione autonoma Friuli-Venezia Giulia, in riferimento agli artt. 3, 81, 117, terzo e quarto comma, e 119 Cost., agli artt. 4 e 48 dello statuto reg. Friuli-Venezia Giulia, nonché al principio di leale collaborazione di cui agli artt. 5 e 120 Cost., con il ricorso indicato in epigrafe ».

PARTE TERZA
L'ATTIVITÀ

SEZIONE PRIMA
PRINCIPI GENERALI DELL'ATTIVITÀ AMMINISTRATIVA

CAPO IV
ACCESSO AI DOCUMENTI AMMINISTRATIVI, TRASPARENZA, PUBBLICITÀ E INFORMAZIONE

24. Decreto legislativo 24 febbraio 1998, n. 58. — Testo unico delle disposizioni in materia di intermediazione finanziaria, ai sensi degli articoli 8 e 21 della legge 6 febbraio 1996, n. 52.

Pubblicato nella Gazzetta Ufficiale 26 marzo, n. 71, S.O. n. 52.

4 Collaborazione tra autorità e segreto d'ufficio.

1. La Banca d'Italia, la Consob, la COVIP e l'IVASS collaborano tra loro, anche mediante scambio di informazioni, al fine di agevolare le rispettive funzioni. Dette autorità non possono reciprocamente opporsi il segreto d'ufficio.

2. La Banca d'Italia e la Consob collaborano, anche mediante scambio di informazioni, con le autorità e i comitati che compongono il SEVIF e con la Banca Centrale Europea (BCE) al fine di agevolare le rispettive funzioni. Nei casi e nei modi stabiliti dalla normativa europea adempiono agli obblighi di comunicazione e di cooperazione nei confronti di tali soggetti e delle altre autorità e istituzioni indicate dalle disposizioni dell'Unione europea.

2-*bis*. Ai fini indicati al comma 2, la Consob e la Banca d'Italia possono concludere con le autorità competenti degli Stati membri dell'Unione europea, con l'AESFEM e la BCE accordi di collaborazione, che possono prevedere la delega reciproca di compiti di vigilanza. La Consob e la Banca d'Italia possono ricorrere all'AESFEM e all'ABE per la risoluzione delle controversie con le autorità di vigilanza degli altri Stati membri in situazioni transfrontaliere.

2-*ter*. La Consob è il punto di contatto per la ricezione delle richieste di informazioni provenienti da autorità competenti di Stati membri dell'Unione europea in materia di servizi e attività di investimento svolti da soggetti abilitati, di sedi di negoziazione e di **APA o ARM** (*). La Consob interessa la Banca d'Italia per gli aspetti di competenza di questa ultima. La Banca d'Italia trasmette le informazioni contestualmente all'autorità competente dello Stato membro dell'Unione europea che le ha richieste e alla Consob.

3. [...] la Banca d'Italia e la Consob possono cooperare, anche mediante scambio di informazioni, con le autorità competenti degli Stati extracomunitari.

4. Le informazioni ricevute dalla Banca d'Italia e dalla Consob ai sensi dei commi 1, 2 e 3 non possono essere trasmesse a terzi né ad altre autorità italiane, ivi incluso il Ministro dell'economia e delle finanze, senza il consenso dell'autorità che le ha fornite.

5. La Banca d'Italia e la Consob possono scambiare informazioni:

a) con autorità amministrative e giudiziarie nell'ambito di procedimenti di liquidazione o di fallimento, in Italia o all'estero, relativi a soggetti abilitati;

b) con gli organismi preposti all'amministrazione dei sistemi di indennizzo;

c) con le controparti centrali e i depositari centrali.

d) con i gestori delle sedi di negoziazione, al fine di garantire il regolare funzionamento delle sedi da essi gestite.

5-*bis*. Lo scambio di informazioni con autorità di Paesi extracomunitari è subordinato all'esistenza di norme in materia di segreto di ufficio.

6. Le informazioni indicate nel comma 5, lett. *b*), *c*) e *d*), possono essere rivelate a terzi con il consenso del soggetto che le ha fornite. Si può prescindere dal consenso se le informazioni siano fornite in ottemperanza a obblighi di cooperazione e collaborazione internazionale.

7. La Banca d'Italia e la Consob possono esercitare i poteri a esse assegnati dall'ordinamento anche ai fini della cooperazione con altre autorità e su richiesta delle medesime. Le autorità competenti di Stati comunitari, o extracomunitari possono chiedere alla Banca d'Italia e alla Consob di effettuare per loro conto, secondo le norme previste nel presente decreto, un'indagine sul territorio dello Stato, nonché di eseguire, per loro conto, notifiche sul territorio dello Stato ine-

renti ai provvedimenti da esse adottati. Le predette autorità possono chiedere che venga consentito ad alcuni membri del loro personale di accompagnare il personale della Banca d'Italia e della Consob durante l'espletamento dell'indagine.

8. Restano ferme le norme che disciplinano il segreto d'ufficio sulle notizie, i dati e le informazioni in possesso della Banca d'Italia.

9. Al fine di agevolare l'esercizio della vigilanza su base consolidata nei confronti di gruppi operanti in più Stati comunitari la Banca d'Italia, nel rispetto delle condizioni previste dalle disposizioni dell'Unione europea e sulla base di accordi con le autorità competenti, definisce forme di collaborazione e coordinamento, istituisce collegi di supervisori e partecipa ai collegi istituiti da altre autorità. In tale ambito, la Banca d'Italia può concordare specifiche ripartizioni di compiti e deleghe di funzioni.

9-*bis*. La Banca d'Italia, se nell'esercizio della vigilanza consolidata verifica una situazione di emergenza, inclusa una situazione descritta all'articolo 18 del regolamento (UE) n. 1093/2010, o un'evoluzione negativa sui mercati, che possa compromettere la liquidità del mercato e la stabilità del sistema finanziario in uno Stato membro dell'Unione europea in cui opera il gruppo individuato ai sensi dell'articolo 11, informa tempestivamente l'ABE, il CERS e le pertinenti autorità competenti, tra cui la Consob, e comunica tutte le informazioni essenziali allo svolgimento dei loro compiti.

10. Tutte le notizie, le informazioni e i dati in possesso della Consob in ragione della sua attività di vigilanza sono coperti dal segreto d'ufficio anche nei confronti delle pubbliche amministrazioni, a eccezione del Ministro dell'economia e delle finanze. Sono fatti salvi i casi previsti dalla legge per le indagini relative a violazioni sanzionate penalmente.

11. I dipendenti della Consob, nell'esercizio delle funzioni di vigilanza, sono pubblici ufficiali e hanno l'obbligo di riferire esclusivamente alla Commissione tutte le irregolarità constatate, anche quando integrino ipotesi di reato.

12. I dipendenti e coloro che a qualunque titolo lavorano o hanno lavorato per la Consob, nonché i consulenti e gli esperti dei quali la stessa si avvale o si è avvalsa, sono vincolati dal segreto d'ufficio.

13. Le pubbliche amministrazioni e gli enti pubblici forniscono dati, notizie e documenti e ogni ulteriore collaborazione richiesta dalla Consob, in conformità delle leggi disciplinanti i rispettivi ordinamenti.

13-*bis*. Ai fini della cooperazione, mediante scambio di informazioni, con le autorità competenti di Stati membri dell'Unione europea e con l'AESFEM, la Consob e la Banca d'Italia stabiliscono con il Ministero della giustizia, anche sulla base di un protocollo d'intesa, le modalità di acquisizione delle informazioni relative alle sanzioni penali applicate dall'Autorità giudiziaria, per i reati di cui all'art. 2638 del codice civile e agli artt. 166, 167, 168, 169, 170-*bis* e 173-*bis*, per la successiva comunicazione all'AESFEM, ai sensi dell'art. 195-*ter*, comma 1-*bis*.

13-*ter*. Per i medesimi fini di cui al comma 13-*bis* e fermo restando il divieto di cui all'art. 329 del c.p.p., la Consob e la Banca d'Italia possono richiedere informazioni all'autorità giudiziaria procedente in ordine alle indagini e ai procedimenti penali per i reati previsti dal comma 13-*bis*.

(*) *Le parole* « APA o ARM » *sono state sostituite alle parole* « servizi di comunicazione dati » *dall'art. 50, comma 2, lett. c), d.l. 17 maggio 2022, n. 50, in corso di conversione in legge.*

SEZIONE SECONDA DOCUMENTAZIONE AMMINISTRATIVA, TRASFORMAZIONE DIGITALE E INNOVAZIONE TECNOLOGICA

CAPO II
TRASFORMAZIONE DIGITALE E INNOVAZIONE TECNOLOGICA

30. Decreto legislativo 7 marzo 2005, n. 82. — Codice dell'amministrazione digitale.

Pubblicato nella Gazzetta Ufficiale n. 112 del 16 maggio 2005, S.O.

64-*ter* Sistema di gestione deleghe.

1. È istituito il Sistema di gestione deleghe (SGD), affidato alla responsabilità della struttura della Presidenza del Consiglio dei ministri competente per l'innovazione tecnologica e la transizione digitale.

2. Il SGD consente a chiunque di delegare l'accesso a uno o più servizi a un soggetto titolare dell'identità digitale di cui all'articolo 64, comma 2-*quater*, con livello di sicurezza almeno significativo. La presentazione della delega avviene mediante una delle modalità previste dall'articolo 65, comma 1, ovvero presso gli sportelli di uno dei soggetti di cui all'articolo 2, comma 2, presenti sul territorio. Con il decreto di cui al comma 7 sono disciplinate le modalità di acquisizione della delega al SGD.

3. A seguito dell'acquisizione della delega al SGD, è generato un attributo qualificato associato all'identità digitale del delegato, secondo le modalità stabilite dall'AgID con Linee guida. Tale attributo può essere uti-

lizzato anche per l'erogazione di servizi in modalità analogica.

4. I soggetti di cui all'articolo 2, comma 2, sono tenuti ad accreditarsi al SGD.

5. Per la realizzazione, gestione e manutenzione del SGD e per l'erogazione del servizio, la struttura della Presidenza del Consiglio dei ministri competente per l'innovazione tecnologica e la transizione digitale si avvale dell'Istituto Poligrafico e Zecca dello Stato S.p.A. I rapporti tra la struttura di cui al precedente periodo e l'Istituto Poligrafico e Zecca dello Stato S.p.A. sono regolati, anche ai sensi dell'articolo 28 del regolamento (UE) 2016/679 del Parlamento Europeo e del Consiglio del 27 aprile 2016, con apposita convenzione.

6. La struttura della Presidenza del Consiglio dei ministri competente per l'innovazione tecnologica e la transizione digitale è il titolare del trattamento dei dati personali, ferme restando, ai sensi dell'articolo 28 del regolamento (UE) 2016/679, le specifiche responsabilità spettanti all'Istituto Poligrafico e Zecca dello Stato S.p.A. e, nel caso previsto dal comma 2, ai soggetti di cui all'articolo 2, comma 2.

7. Fermo restando quanto previsto dal decreto di cui all'articolo 64, comma 2-*sexies*, relativamente alle modalità di accreditamento dei gestori di attributi qualificati, con decreto del Presidente del Consiglio dei ministri, adottato di concerto con il Ministro dell'interno, sentiti l'AgID, il Garante per la protezione dei dati personali e la Conferenza unificata di cui all'articolo 8 del decreto legislativo 28 agosto 1997, n. 281, sono definiti le caratteristiche tecniche, l'architettura generale, i requisiti di sicurezza, le modalità di acquisizione della delega e di funzionamento del SGD **nonché le modalità di adozione di un manuale operativo contenente le specifiche tecniche di funzionamento del SGD e di attuazione del decreto** (*). Con il medesimo decreto, inoltre, sono individuate le modalità di adesione al sistema nonché le tipologie di dati oggetto di trattamento, le categorie di interessati e, in generale, le modalità e procedure per assicurare il rispetto dell'articolo 5 del regolamento (UE) 2016/679.

8. All'onere derivante dall'attuazione della presente disposizione si provvede con le risorse disponibili a legislazione vigente.

(*) *Le parole* « nonché le modalità di adozione di un manuale operativo contenente le specifiche tecniche di funzionamento del SGD e di attuazione del decreto » *sono state inserite dall'art. 32, comma 1, lett.* b) *d.l. 30 aprile 2022, n. 36, in corso di conversione in legge.*

SEZIONE TERZA
CONTRATTI E OBBLIGAZIONI

CAPO I
CONTRATTI PUBBLICI

44. Decreto legislativo 18 aprile 2016, n. 50. — Codice dei contratti pubblici.

Pubblicato nella Gazzetta Ufficiale n. 91 del 19 aprile 2016, S.O. n. 10.

93 Garanzie per la partecipazione alla procedura.

1. L'offerta è corredata da una garanzia fideiussoria, denominata "garanzia provvisoria" pari al 2 percento del prezzo base indicato nel bando o nell'invito, sotto forma di cauzione o di fideiussione, a scelta dell'offerente. Al fine di rendere l'importo della garanzia proporzionato e adeguato alla natura delle prestazioni oggetto del contratto e al grado di rischio ad esso connesso, la stazione appaltante può motivatamente ridurre l'importo della cauzione sino all'1 per cento ovvero incrementarlo sino al 4 per cento. Nel caso di procedure di gara realizzate in forma aggregata da centrali di committenza, l'importo della garanzia è fissato nel bando o nell'invito nella misura massima del 2 per cento del prezzo base. In caso di partecipazione alla gara di un raggruppamento temporaneo di imprese, la garanzia fideiussoria deve riguardare tutte le imprese del raggruppamento medesimo. Nei casi di cui all'articolo 36, comma 2, lettera *a*), è facoltà della stazione appaltante non richiedere le garanzie di cui al presente articolo.

2. Fermo restando il limite all'utilizzo del contante di cui all'articolo 49, comma 1, del decreto legislativo 21 novembre 2007, n. 231, la cauzione può essere costituita, a scelta dell'offerente, in contanti, con bonifico, in assegni circolari o in titoli del debito pubblico garantiti dallo Stato al corso del giorno del deposito, presso una sezione di tesoreria provinciale o presso le aziende autorizzate, a titolo di pegno a favore dell'amministrazione aggiudicatrice. Si applica il comma 8 e, quanto allo svincolo, il comma 9.

3. La garanzia fideiussoria di cui al comma 1 a scelta dell'appaltatore può essere rilasciata da imprese bancarie o assicurative che rispondano ai requisiti di solvibilità previsti dalle leggi che ne disciplinano le rispettive attività o rilasciata dagli intermediari finanziari iscritti nell'albo di cui all'articolo 106 del decreto legislativo 1 settembre 1993, n. 385, che svolgono in via esclusiva o prevalente attività di rilascio di garanzie e che sono sottoposti a revisione contabile da parte di una società di revisione iscritta nell'albo previsto dall'articolo 161 del decreto legislativo 24 febbraio 1998, n. 58 e che abbiano i requisiti minimi di solvibilità richiesti dalla vigente normativa bancaria assicurativa.

4. La garanzia deve prevedere espressamente la rinuncia al beneficio della preventiva escussione del debitore principale, la rinuncia all'eccezione di cui all'articolo 1957, secondo comma, del codice civile, nonché l'operatività della garanzia medesima entro quindici giorni, a semplice richiesta scritta della stazione appaltante.

5. La garanzia deve avere efficacia per almeno centottanta giorni dalla data di presentazione dell'offerta. Il bando o l'invito possono richiedere una garanzia con termine di validità maggiore o minore, in relazione alla durata presumibile del procedimento, e possono altresì prescrivere che l'offerta sia corredata dall'impegno del garante a rinnovare la garanzia, su richiesta della stazione appaltante nel corso della procedura, per la durata indicata nel bando, nel caso in cui al momento della sua scadenza non sia ancora intervenuta l'aggiudicazione.

6. La garanzia copre la mancata sottoscrizione del contratto dopo l'aggiudicazione dovuta ad ogni fatto riconducibile all'affidatario o all'adozione di informazione antimafia interdittiva emessa ai sensi degli articoli 84 e 91 del decreto legislativo 6 settembre 2011, n.159; la garanzia è svincolata automaticamente al momento della sottoscrizione del contratto.

7. L'importo della garanzia, e del suo eventuale rinnovo, è ridotto del 50 per cento per gli operatori economici ai quali venga rilasciata, da organismi accreditati, ai sensi delle norme europee della serie UNI CEI EN 45000 e della serie UNI CEI EN ISO/IEC 17000, la certificazione del sistema di qualità conforme alle norme europee della serie UNI CEI ISO9000. Si applica la riduzione del 50 per cento, non cumulabile con quella di cui al primo periodo, anche nei confronti delle microimprese, piccole e medie imprese e dei raggruppamenti di operatori economici o consorzi ordinari costituiti esclusivamente da microimprese, piccole e medie imprese. Nei contratti relativi a lavori, servizi o forniture, l'importo della garanzia e del suo eventuale rinnovo è ridotto del 30 per cento, anche cumulabile con la riduzione di cui al primo periodo, per gli operatori economici in possesso di registrazione al sistema comunitario di ecogestione e audit (EMAS), ai sensi del regolamento (CE) n. 1221/2009 del Parlamento europeo e del Consiglio, del 25 novembre 2009, o del 20 per cento per gli operatori in possesso di certificazione ambientale ai sensi della norma UNI ENISO14001. Nei contratti relativi a servizi o forniture, l'importo della garanzia e del suo eventuale rinnovo è ridotto del 20 percento, anche cumulabile con la riduzione di cui ai periodi primo e secondo, per gli operatori economici in possesso, in relazione ai beni o servizi che costituiscano almeno il 50 per cento del valore dei beni e servizi oggetto del contratto stesso, del marchio di qualità ecologica dell'Unione europea (Ecolabel UE) ai sensi del regolamento (CE) n. 66/2010 del Parlamento europeo e del Consiglio, del 25 novembre 2009. Nei contratti relativi a lavori, servizi o forniture, l'importo della garanzia e del suo eventuale rinnovo è ridotto del 15 per cento, anche cumulabile con la riduzione di cui ai periodi primo, secondo, terzo e quarto per gli operatori economici che sviluppano un inventario di gas ad effetto serra ai sensi della norma UNI EN ISO 14064-1 o un'impronta climatica (carbon footprint) di prodotto ai sensi della norma UNI ISO/TS 14067. Per fruire delle riduzioni di cui al presente comma, l'operatore economico segnala, in sede di offerta, il possesso dei relativi requisiti e lo documenta nei modi prescritti dalle norme vigenti. Nei contratti di servizi e forniture, l'importo della garanzia e del suo eventuale rinnovo è ridotto del 30 per cento, non cumulabile con le riduzioni di cui ai periodi precedenti, per gli operatori economici in possesso del *rating* di legalità e *rating* di impresa o della attestazione del modello organizzativo, ai sensi del **decreto legislativo n. 231 del 2001, o in possesso di certificazione della parità di genere di cui all'articolo 46-*bis* del decreto legislativo 11 aprile 2006, n. 198,** (*) o di certificazione social accountability 8000, o di certificazione del sistema di gestione a tutela della sicurezza e della salute dei lavoratori, o di certificazione OHSAS 18001, o di certificazione UNI CEI EN ISO 50001 riguardante il sistema di gestione dell'energia o UNI CEI 11352 riguardante la certificazione di operatività in qualità di ESC (Energy Service Company) per l'offerta qualitativa dei servizi energetici e per gli operatori economici in possesso della certificazione ISO 27001 riguardante il sistema di gestione della sicurezza delle informazioni. In caso di cumulo delle riduzioni, la riduzione successiva deve essere calcolata sull'importo che risulta dalla riduzione precedente.

8. L'offerta è altresì corredata, a pena di esclusione, dall'impegno di un fideiussore, anche diverso da quello che ha rilasciato la garanzia provvisoria, a rilasciare la garanzia fideiussoria per l'esecuzione del contratto, di cui agli articoli 103 e 104, qualora l'offerente risultasse affidatario. Il presente comma non si applica alle microimprese, piccole e medie imprese e ai raggruppamenti temporanei o consorzi ordinari costituiti esclusivamente da microimprese, piccole e medie imprese.

8-*bis*. Le garanzie fideiussorie devono essere conformi allo schema tipo di cui all'articolo 103, comma 9.

9. La stazione appaltante, nell'atto con cui comunica l'aggiudicazione ai non aggiudicatari, provvede contestualmente, nei loro confronti, allo svincolo della garanzia di cui al comma 1, tempestivamente e comunque entro un termine non superiore a trenta giorni dall'aggiudicazione, anche quando non sia ancora scaduto il termine di efficacia della garanzia.

10. Il presente articolo non si applica agli appalti di servizi aventi a oggetto la redazione della progettazione e del piano di sicurezza e coordinamento e ai compiti di supporto alle attività del responsabile unico del procedimento.

(*) *Le parole* « decreto legislativo n. 231 del 2001, o in possesso di certificazione della parità di genere di cui all'articolo 46-*bis* del decreto legislativo 11 aprile 2006, n. 198, » *sono state sostituite alle parole* « decreto legislativo n. 231/2001 » *dall'art. 34, comma 1, lett.* a) *d.l. 30 aprile 2022, n. 36, in corso di conversione in legge.*

95 Criteri di aggiudicazione dell'appalto.

1. I criteri di aggiudicazione non conferiscono alla stazione appaltante un potere di scelta illimitata dell'offerta. Essi garantiscono la possibilità di una concorrenza effettiva e sono accompagnati da specifiche che consentono l'efficace verifica delle informazioni forni-

te dagli offerenti al fine di valutare il grado di soddisfacimento dei criteri di aggiudicazione delle offerte. Le stazioni appaltanti verificano l'accuratezza delle informazioni e delle prove fornite dagli offerenti.

2. Fatte salve le disposizioni legislative, regolamentari o amministrative relative al prezzo di determinate forniture o alla remunerazione di servizi specifici, le stazioni appaltanti, nel rispetto dei principi di trasparenza, di non discriminazione e di parità di trattamento, procedono all'aggiudicazione degli appalti e all'affidamento dei concorsi di progettazione e dei concorsi di idee, sulla base del criterio dell'offerta economicamente più vantaggiosa individuata sulla base del miglior rapporto qualità/prezzo o sulla base dell'elemento prezzo o del costo, seguendo un criterio di comparazione costo/efficacia quale il costo del ciclo di vita, conformemente all'articolo 96.

3. Sono aggiudicati esclusivamente sulla base del criterio dell'offerta economicamente più vantaggiosa individuata sulla base del miglior rapporto qualità/prezzo:

a) i contratti relativi ai servizi sociali e di ristorazione ospedaliera, assistenziale e scolastica, nonché ai servizi ad alta intensità di manodopera, come definiti all'articolo 50, comma 1, fatti salvi gli affidamenti ai sensi dell'articolo 36, comma 2, lettera *a*);

b) i contratti relativi all'affidamento dei servizi di ingegneria e architettura e degli altri servizi di natura tecnica e intellettuale di importo pari o superiore a 40.000 euro;

b-bis) i contratti di servizi e le forniture di importo pari o superiore a 40.000 euro caratterizzati da notevole contenuto tecnologico o che hanno un carattere innovativo;

4. Può essere utilizzato il criterio del minor prezzo:

a) [...];

b) per i servizi e le forniture con caratteristiche standardizzate o le cui condizioni sono definite dal mercato, fatta eccezione per i servizi ad alta intensità di manodopera di cui al comma 3, lettera *a*);

c) [...].

5. Le stazioni appaltanti che dispongono l'aggiudicazione ai sensi del comma 4 ne danno adeguata motivazione e indicano nel bando di gara il criterio applicato per selezionare la migliore offerta.

6. I documenti di gara stabiliscono i criteri di aggiudicazione dell'offerta, pertinenti alla natura, all'oggetto e alle caratteristiche del contratto. In particolare, l'offerta economicamente più vantaggiosa individuata sulla base del miglior rapporto qualità/prezzo, è valutata sulla base di criteri oggettivi, quali gli aspetti qualitativi, ambientali o sociali, connessi all'oggetto dell'appalto. Nell'ambito di tali criteri possono rientrare:

a) la qualità, che comprende pregio tecnico, caratteristiche estetiche e funzionali, accessibilità per le persone con disabilità, progettazione adeguata per tutti gli utenti, certificazioni e attestazioni in materia di sicurezza e salute dei lavoratori, quali OSHAS 18001, caratteristiche sociali, ambientali, contenimento dei consumi energetici e delle risorse ambientali dell'opera o del prodotto, caratteristiche innovative, commercializzazione e relative condizioni;

b) il possesso di un marchio di qualità ecologica dell'Unione europea (Ecolabel UE) in relazione ai beni o servizi oggetto del contratto, in misura pari o superiore al 30 per cento del valore delle forniture o prestazioni oggetto del contratto stesso;

c) il costo di utilizzazione e manutenzione avuto anche riguardo ai consumi di energia e delle risorse naturali, alle emissioni inquinanti e ai costi complessivi, inclusi quelli esterni e di mitigazione degli impatti dei cambiamenti climatici, riferiti all'intero ciclo di vita dell'opera, bene o servizio, con l'obiettivo strategico di un uso più efficiente delle risorse e di un'economia circolare che promuova ambiente e occupazione;

d) la compensazione delle emissioni di gas ad effetto serra associate alle attività dell'azienda calcolate secondo i metodi stabiliti in base alla raccomandazione n. 2013/179/UE della Commissione del 9 aprile 2013, relativa all'uso di metodologie comuni per misurare e comunicare le prestazioni ambientali nel corso del ciclo di vita dei prodotti e delle organizzazioni;

e) l'organizzazione, le qualifiche e l'esperienza del personale effettivamente utilizzato nell'appalto, qualora la qualità del personale incaricato possa avere un'influenza significativa sul livello dell'esecuzione dell'appalto;

f) il servizio successivo alla vendita e assistenza tecnica;

g) le condizioni di consegna quali la data di consegna, il processo di consegna e il termine di consegna o di esecuzione.

7. L'elemento relativo al costo, anche nei casi di cui alle disposizioni richiamate al comma 2, può assumere la forma di un prezzo o costo fisso sulla base del quale gli operatori economici competeranno solo in base a criteri qualitativi.

8. I documenti di gara ovvero, in caso di dialogo competitivo, il bando o il documento descrittivo elencano i criteri di valutazione e la ponderazione relativa attribuita a ciascuno di essi, anche prevedendo una forcella in cui lo scarto tra il minimo e il massimo deve essere adeguato. Per ciascun criterio di valutazione prescelto possono essere previsti, ove necessario, subcriteri e sub-pesi o sub-punteggi.

9. Le stazioni appaltanti, quando ritengono la ponderazione di cui al comma 8 non possibile per ragioni oggettive, indicano nel bando di gara e nel capitolato d'oneri o, in caso di dialogo competitivo, nel bando o nel documento descrittivo, l'ordine decrescente di importanza dei criteri. Per attuare la ponderazione o comunque attribuire il punteggio a ciascun elemento dell'offerta, le amministrazioni aggiudicatrici utilizzano metodologie tali da consentire di individuare con un unico parametro numerico finale l'offerta più vantaggiosa.

10. Nell'offerta economica l'operatore deve indicare i propri costi della manodopera e gli oneri aziendali concernenti l'adempimento delle disposizioni in materia di salute e sicurezza sui luoghi di lavoro ad esclusione delle forniture senza posa in opera, dei servizi di natura intellettuale e degli affidamenti ai sensi dell'articolo 36, comma 2, lettera *a*). Le stazioni appaltanti, relativamente ai costi della manodopera, prima del-

l'aggiudicazione procedono a verificare il rispetto di quanto previsto all'articolo 97, comma 5, lettera *d*).

10-*bis*. La stazione appaltante, al fine di assicurare l'effettiva individuazione del miglior rapporto qualità/prezzo, valorizza gli elementi qualitativi dell'offerta e individua criteri tali da garantire un confronto concorrenziale effettivo sui profili tecnici. A tal fine la stazione appaltante stabilisce un tetto massimo per il punteggio economico entro il limite del 30 per cento.

11. I criteri di aggiudicazione sono considerati connessi all'oggetto dell'appalto ove riguardino lavori, forniture o servizi da fornire nell'ambito di tale appalto sotto qualsiasi aspetto e in qualsiasi fase del loro ciclo di vita, compresi fattori coinvolti nel processo specifico di produzione, fornitura o scambio di questi lavori, forniture o servizi o in un processo specifico per una fase successiva del loro ciclo di vita, anche se questi fattori non sono parte del loro contenuto sostanziale.

12. Le stazioni appaltanti possono decidere di non procedere all'aggiudicazione se nessuna offerta risulti conveniente o idonea in relazione all'oggetto del contratto. Tale facoltà è indicata espressamente nel bando di gara o nella lettera di invito.

13. Compatibilmente con il diritto dell'Unione europea e con i principi di parità di trattamento, non discriminazione, trasparenza e proporzionalità, le amministrazioni aggiudicatrici indicano nel bando di gara, nell'avviso o nell'invito i criteri premiali che intendono applicare alla valutazione dell'offerta in relazione al maggiore rating di legalità e di impresa, alla valutazione dell'impatto generato di cui all'articolo 1, comma 382, lettera *b*), della legge 28 dicembre 2015, n. 208, anche qualora l'offerente sia un soggetto diverso dalle società benefit, nonché per agevolare la partecipazione delle micro, piccole e medie imprese, dei giovani professionisti e delle imprese di nuova costituzione alle procedure di affidamento. Indicano altresì il maggiore punteggio relativo all'offerta concernente beni, lavori o servizi che presentano un minore impatto sulla salute e sull'ambiente, ivi compresi i beni o i prodotti da filiera corta o a chilometro zero **e l'adozione di politiche tese al raggiungimento della parità di genere comprovata dal possesso di certificazione della parità di genere di cui all'articolo 46-*bis* del decreto legislativo 11 aprile 2006, n. 198** (*).

14. Per quanto concerne i criteri di aggiudicazione, nei casi di adozione del miglior rapporto qualità prezzo, si applicano altresì le seguenti disposizioni:

a) le stazioni appaltanti possono autorizzare o esigere la presentazione di varianti da parte degli offerenti. Esse indicano nel bando di gara ovvero, se un avviso di preinformazione è utilizzato come mezzo di indizione di una gara, nell'invito a confermare interesse se autorizzano o richiedono le varianti; in mancanza di questa indicazione, le varianti non sono autorizzate. Le varianti sono comunque collegate all'oggetto dell'appalto;

b) le stazioni appaltanti che autorizzano o richiedono le varianti menzionano nei documenti di gara i requisiti minimi che le varianti devono rispettare, nonché le modalità specifiche per la loro presentazione, in particolare se le varianti possono essere presentate solo ove sia stata presentata anche un'offerta, che è diversa da una variante. Esse garantiscono anche che i criteri di aggiudicazione scelti possano essere applicati alle varianti che rispettano tali requisiti minimi e alle offerte conformi che non sono varianti;

c) solo le varianti che rispondono ai requisiti minimi prescritti dalle amministrazioni aggiudicatrici sono prese in considerazione;

d) nelle procedure di aggiudicazione degli appalti pubblici di forniture o di servizi, le amministrazioni aggiudicatrici che abbiano autorizzato o richiesto varianti non possono escludere una variante per il solo fatto che, se accolta, configurerebbe, rispettivamente, o un appalto di servizi anziché un appalto pubblico di forniture o un appalto di forniture anziché un appalto pubblico di servizi.

14-*bis*. In caso di appalti aggiudicati con il criterio di cui al comma 3, le stazioni appaltanti non possono attribuire alcun punteggio per l'offerta di opere aggiuntive rispetto a quanto previsto nel progetto esecutivo a base d'asta.

15. Ogni variazione che intervenga, anche in conseguenza di una pronuncia giurisdizionale, successivamente alla fase di ammissione, regolarizzazione o esclusione delle offerte non rileva ai fini del calcolo di medie nella procedura, né per l'individuazione della soglia di anomalia delle offerte.

(*) *Le parole da* « e l'adozione di politiche » *a* « decreto legislativo 11 aprile 2006, n. 198 » *sono state aggiunte dall'art. 34, comma 1, lett.* b) *d.l. 30 aprile 2022, n. 36, in corso di conversione in legge.*

SEZIONE QUARTA
SERVIZI PUBBLICI

CAPO I
NORME GENERALI

57. Legge 14 novembre 1995, n. 481. — Norme per la concorrenza e la regolazione dei servizi di pubblica utilità. Istituzione delle Autorità di regolazione dei servizi di pubblica utilità.

Pubblicata nella Gazzetta Ufficiale n. 270 del 18 novembre 1995, S.O. n. 136.

2 Istituzione delle Autorità per i servizi di pubblica utilità.

1. Sono istituite le Autorità di regolazione di servizi di pubblica utilità, competenti, rispettivamente, per l'energia elettrica, il gas ed il sistema idrico [e il gas] e per le telecomunicazioni. Tenuto conto del quadro complessivo del sistema delle comunicazioni, all'Autorità per le telecomunicazioni potranno essere attribuite competenze su altri aspetti di tale sistema.

2. Le disposizioni del presente articolo costituiscono princìpi generali cui si ispira la normativa relativa alle Autorità.

[3. Al fine di consentire una equilibrata distribuzione sul territorio italiano degli organismi pubblici che svolgono funzioni di carattere nazionale, più Autorità per i servizi pubblici non possono avere sede nella medesima città.]

4. La disciplina e la composizione di ciascuna Autorità sono definite da normative particolari che tengono conto delle specificità di ciascun settore sulla base dei princìpi generali del presente articolo. La presente legge disciplina nell'articolo 3 il settore dell'energia elettrica e del gas. Gli altri settori saranno disciplinati con appositi provvedimenti legislativi.

5. Le Autorità operano in piena autonomia e con indipendenza di giudizio e di valutazione; esse sono preposte alla regolazione e al controllo del settore di propria competenza. Per i settori dell'energia elettrica e del gas, al fine di tutelare i clienti finali e di garantire mercati effettivamente concorrenziali, le competenze ricomprendono tutte le attività della relativa filiera.

6. Le Autorità, in quanto autorità nazionali competenti per la regolazione e il controllo, svolgono attività consultiva e di segnalazione al Governo nelle materie di propria competenza anche ai fini della definizione, del recepimento e della attuazione della normativa comunitaria.

7. Ciascuna Autorità è organo collegiale costituito dal presidente e da due membri, nominati con decreto del Presidente della Repubblica, previa deliberazione del Consiglio dei Ministri su proposta del Ministro competente. Le designazioni effettuate dal Governo sono previamente sottoposte al parere delle competenti Commissioni parlamentari. In nessun caso le nomine possono essere effettuate in mancanza del parere favorevole espresso dalle predette Commissioni a maggioranza dei due terzi dei componenti. Le medesime Commissioni possono procedere all'audizione delle persone designate. In sede di prima attuazione della presente legge le Commissioni parlamentari si pronunciano entro trenta giorni dalla richiesta del parere; decorso tale termine il parere viene espresso a maggioranza assoluta.

8. I componenti di ciascuna Autorità sono scelti fra persone dotate di alta e riconosciuta professionalità e competenza nel settore; durano in carica sette anni e non possono essere confermati. A pena di decadenza essi non possono esercitare, direttamente o indirettamente, alcuna attività professionale o di consulenza, essere amministratori o dipendenti di soggetti pubblici o privati né ricoprire altri uffici pubblici di qualsiasi natura, ivi compresi gli incarichi elettivi o di rappresentanza nei partiti politici né avere interessi diretti o indiretti nelle imprese operanti nel settore di competenza della medesima Autorità. I dipendenti delle amministrazioni pubbliche sono collocati fuori ruolo per l'intera durata dell'incarico.

9. Per almeno due anni dalla cessazione dell'incarico i componenti e i dirigenti delle Autorità non possono intrattenere, direttamente o indirettamente, rapporti di collaborazione, di consulenza o di impiego con le imprese operanti nel settore di competenza; la violazione di tale divieto è punita, salvo che il fatto costituisca reato, con una sanzione pecuniaria pari, nel minimo, alla maggiore somma tra 50 milioni di lire e l'importo del corrispettivo percepito e, nel massimo alla maggiore somma tra 500 milioni di lire e l'importo del corrispettivo percepito. All'imprenditore che abbia violato tale divieto si applica la sanzione amministrativa pecuniaria pari allo 0,5 per cento del fatturato e, comunque, non inferiore a 300 milioni di lire e non superiore a 200 miliardi di lire, e, nei casi più gravi o quando il comportamento illecito sia stato reiterato, la revoca dell'atto concessivo o autorizzativo. I valori di tali sanzione sono rivalutati secondo il tasso di variazione annuo dei prezzi al consumo per le famiglie di operai e impiegati rilevato dall'ISTAT. Le disposizioni del presente comma non si applicano ai dirigenti che negli ultimi quattro anni di servizio sono stati responsabili esclusivamente di uffici dì supporto.

10. I componenti e i funzionari delle Autorità, nell'esercizio delle funzioni, sono pubblici ufficiali e sono tenuti al segreto d'ufficio. Fatta salva la riserva all'organo collegiale di adottare i provvedimenti nelle materie di cui al comma 12, per garantire la responsabilità e l'autonomia nello svolgimento delle procedure istruttorie, ai sensi della legge 7 agosto 1990, n. 241, e successive modificazioni, e del decreto legislativo 3 febbraio 1993, n. 29, e successive modificazioni, si applicano i princìpi riguardanti l'individuazione e le funzioni del responsabile del procedimento, nonché quelli relativi alla distinzione tra funzioni di indirizzo e controllo, attribuite agli organi di vertice, e quelli concernenti le funzioni di gestione attribuite ai dirigenti.

11. Le indennità spettanti ai componenti le Autorità sono determinate con decreto del Presidente del Consiglio dei ministri, su proposta del Ministro del tesoro.

12. Ciascuna Autorità nel perseguire le finalità di cui all'articolo 1 svolge le seguenti funzioni:

a) formula osservazioni e proposte da trasmettere al Governo e al Parlamento sui servizi da assoggettare a regime di concessione o di autorizzazione e sulle relative forme di mercato, nei limiti delle leggi esistenti, proponendo al Governo le modifiche normative e regolamentari necessarie in relazione alle dinamiche tecnologiche, alle condizioni di mercato ed all'evoluzione delle normative comunitarie;

b) propone ai Ministri competenti gli schemi per il rinnovo nonché per eventuali variazioni dei singoli atti di concessione o di autorizzazione, delle convenzioni e dei contratti di programma;

c) controlla che le condizioni e le modalità di accesso per i soggetti esercenti i servizi, comunque stabilite, siano attuate nel rispetto dei princìpi della concorrenza e della trasparenza, anche in riferimento alle singole voci di costo, anche al fine di prevedere l'obbligo di prestare il servizio in condizioni di eguaglianza in modo che tutte le ragionevoli esigenze degli utenti siano soddisfatte, ivi comprese quelle degli anziani e dei disabili, garantendo altresì il rispetto: dell'ambiente, la sicurezza degli impianti e la salute degli addetti;

d) propone la modifica delle clausole delle concessioni e delle convenzioni, ivi comprese quelle relative all'esercizio in esclusiva, delle autorizzazioni, dei contratti di programma in essere e delle condizioni di svolgimento dei servizi, ove ciò sia richiesto dall'andamento del mercato o dalle ragionevoli esigenze degli utenti, definendo altresì le condizioni tecnico-economiche di accesso e di interconnessione alle reti, ove previsti dalla normativa vigente;

e) stabilisce e aggiorna, in relazione all'andamento del mercato **e del reale costo di approvvigionamento della materia prima** (*), la tariffa base, i parametri e gli altri elementi di riferimento per determinare le tariffe di cui ai commi 17,18 e 19, nonché le modalità per il recupero dei costi eventualmente sostenuti nell'interesse generale in modo da assicurare la qualità, l'efficienza del servizio e l'adeguata diffusione del medesimo sul territorio nazionale, nonché la realizzazione degli obiettivi generali di carattere sociale, di tutela ambientale e di uso efficiente delle risorse di cui al comma 1 dell'articolo 1, tenendo separato dalla tariffa qualsiasi tributo od onere improprio; verifica la conformità ai criteri di cui alla presente lettera delle proposte di aggiornamento delle tariffe annualmente presentate e si pronuncia, sentiti eventualmente i soggetti esercenti il servizio, entro novanta giorni dal ricevimento della proposta; qualora la pronuncia non intervenga entro tale termine, le tariffe si intendono verificate positivamente;

f) emana le direttive per la separazione contabile e amministrativa e verifica i costi delle singole prestazioni per assicurare, tra l'altro, la loro corretta disaggregazione e imputazione per funzione svolta, per area geografica e per categoria di utenza evidenziando separatamente gli oneri conseguenti alla fornitura del servizio universale definito dalla convenzione, provvedendo quindi al confronto tra essi e i costi analoghi in altri Paesi, assicurando la pubblicizzazione dei dati;

g) controlla lo svolgimento dei servizi con poteri di ispezione, di accesso, di acquisizione della documentazione e delle notizie utili, determinando altresì i casi di indennizzo automatico da parte del soggetto esercente il servizio nei confronti dell'utente ove il medesimo soggetto non rispetti le clausole contrattuali o eroghi il servizio con livelli qualitativi inferiori a quelli stabiliti nel regolamento di servizio di cui al comma 37, nel contratto di programma ovvero ai sensi della lettera *h*);

h) emana le direttive concernenti la produzione e l'erogazione dei servizi da parte dei soggetti esercenti i servizi medesimi, definendo in particolare i livelli generali di qualità riferiti al complesso delle prestazioni e i livelli specifici di qualità riferiti alla singola prestazione da garantire all'utente, sentiti i soggetti esercenti il servizio e i rappresentanti degli utenti e dei consumatori, eventualmente differenziandoli per settore e tipo di prestazione; tali determinazioni producono gli effetti di cui al comma 37;

i) assicura la più ampia pubblicità delle condizioni dei servizi; studia l'evoluzione del settore e dei singoli servizi, anche per modificare condizioni tecniche, giuridiche ed economiche relative allo svolgimento o all'erogazione dei medesimi; promuove iniziative volte a migliorare le modalità di erogazione dei servizi; presenta annualmente al Parlamento e al Presidente del Consiglio dei ministri una relazione sullo stato dei servizi e sull'attività svolta;

l) pubblicizza e diffonde la conoscenza delle condizioni di svolgimento dei servizi al fine di garantire la massima trasparenza, la concorrenzialità dell'offerta e la possibilità di migliori scelte da parte degli utenti intermedi o finali;

m) valuta reclami, istanze e segnalazioni presentate dagli utenti o dai consumatori, singoli o associati, in ordine al rispetto dei livelli qualitativi e tariffari da parte dei soggetti esercenti il servizio nei confronti dei quali interviene imponendo, ove opportuno, modifiche alle modalità di esercizio degli stessi ovvero procedendo alla revisione del regolamento di servizio di cui al comma 37;

n) verifica la congruità delle misure adottate dai soggetti esercenti il servizio al fine di assicurare la parità di trattamento tra gli utenti, garantire la continuità della prestazione dei servizi, verificare periodicamente la qualità e l'efficacia delle prestazioni all'uopo acquisendo anche la valutazione degli utenti, garantire ogni informazione circa le modalità di prestazione dei servizi e i relativi livelli qualitativi, consentire a utenti e consumatori il più agevole accesso agli uffici aperti al pubblico, ridurre il numero degli adempimenti richiesti agli utenti semplificando le procedure per l'erogazione del servizio, assicurare la sollecita risposta a reclami, istanze e segnalazioni nel rispetto dei livelli qualitativi e tariffari;

o) propone al Ministro competente la sospensione o la decadenza della concessione per i casi in cui tali provvedimenti siano consentiti dall'ordinamento;

p) controlla che ciascun soggetto esercente il servizio adotti, in base alla direttiva sui princìpi dell'erogazione dei servizi pubblici del Presidente del Consiglio dei ministri del 27 gennaio 1994, pubblicata nella Gazzetta Ufficiale n. 43 del 22 febbraio 1994, una carta di servizio pubblico con indicazione di standards dei singoli servizi e ne verifica il rispetto.

13. Il Ministro competente, se respinge le proposte di cui alle lettere *b*) *d*) e *o*) del comma 12, chiede all'Autorità una nuova proposta e indica esplicitamente i princìpi e i criteri previsti dalla presente legge ai quali attenersi. Il Ministro competente, qualora non intenda accogliere la seconda proposta dell'Autorità, propone al Presidente del Consiglio dei ministri di decidere, previa deliberazione del Consiglio dei ministri, in difformità esclusivamente per gravi e rilevanti motivi di utilità generale.

14. A ciascuna Autorità sono trasferite tutte le funzioni amministrative esercitate da organi statali e da altri enti e amministrazioni pubblici, anche a ordinamento autonomo, relative alle sue attribuzioni. Fino alla data di entrata in vigore dei regolamenti di cui al

comma 28, il Ministro competente continua comunque ad esercitare le funzioni in precedenza ad esso attribuite dalla normativa vigente. Sono fatte salve le funzioni di indirizzo nel settore spettanti al Governo e le attribuzioni riservate alle autonomie locali.

15. Nelle province autonome di Trento e di Bolzano si applicano gli articoli 12 e 13 del testo unico approvato con decreto del Presidente della Repubblica 31 agosto 1972, n. 670, e le relative norme di attuazione contenute nel decreto del Presidente della Repubblica 22 marzo 1974, n. 381, e nel decreto del Presidente della Repubblica 26 marzo 1977, n. 235.

16. Nella regione Valle d'Aosta si applicano le norme contenute negli articoli 7, 8, 9 e 10 dello statuto speciale, approvato con legge costituzionale 26 febbraio 1948, n. 4.

17. Ai fini della presente legge si intendono per tariffe i prezzi massimi unitari dei servizi al netto delle imposte.

18. Salvo quanto previsto dall'articolo 3 e unitamente ad altri criteri di analisi e valutazioni, i parametri di cui al comma 12, lettera *e*), che l'Autorità fissa per la determinazione della tariffa con il metodo del price-cap, inteso come limite massimo della variazione di prezzo vincolata per un periodo pluriennale, sono i seguenti:

a) tasso di variazione medio annuo riferito ai dodici mesi precedenti dei prezzi al consumo per le famiglie di operai e impiegati rilevato dall'ISTAT;

b) obiettivo di variazione del tasso annuale di produttività, prefissato per un periodo almeno triennale.

19. Ai fini di cui al comma 18 si fa altresì riferimento ai seguenti elementi:

a) recupero di qualità del servizio rispetto a standards prefissati per un periodo almeno triennale;

b) costi derivanti da eventi imprevedibili ed eccezionali, da mutamenti del quadro normativo o dalla variazione degli obblighi relativi al servizio universale;

c) costi derivanti dall'adozione di interventi volti al controllo e alla gestione della domanda attraverso l'uso efficiente delle risorse.

20. Per lo svolgimento delle proprie funzioni, ciascuna Autorità:

a) richiede, ai soggetti esercenti il servizio, informazioni e documenti sulle loro attività;

b) effettua controlli in ordine al rispetto degli atti di cui ai commi 36 e 37;

c) irroga, salvo che il fatto costituisca reato, in caso di inosservanza dei propri provvedimenti o in caso di mancata ottemperanza da parte dei soggetti esercenti il servizio, alle richieste di informazioni o a quelle connesse all'effettuazione dei controlli, ovvero nel caso in cui le informazioni e i documenti acquisiti non siano veritieri, sanzioni amministrative pecuniarie non inferiori nel minimo a euro 2.500 e non superiori nel massimo a lire 300 miliardi; in caso di reiterazione delle violazioni ha la facoltà, qualora ciò non comprometta la fruibilità del servizio da parte degli utenti, di sospendere l'attività di impresa fino a 6 mesi ovvero proporre al Ministro competente la sospensione o la decadenza della concessione;

d) ordina al soggetto esercente il servizio la cessazione di comportamenti lesivi dei diritti degli utenti, imponendo, ai sensi del comma 12, lettera *g*), l'obbligo di corrispondere un indennizzo;

e) può adottare, nell'ambito della procedura di conciliazione o di arbitrato, provvedimenti temporanei diretti a garantire la continuità dell'erogazione del servizio ovvero a far cessare forme di abuso o di scorretto funzionamento da parte del soggetto esercente il servizio.

21. Il Governo, nell'ambito del documento di programmazione economico-finanziaria, indica alle Autorità il quadro di esigenze di sviluppo dei servizi di pubblica utilità che corrispondono agli interessi generali del Paese.

22. Le pubbliche amministrazioni e le imprese sono tenute a fornire alle Autorità, oltre a notizie e informazioni, la collaborazione per l'adempimento delle loro funzioni.

23. Le Autorità disciplinano, ai sensi del capo III della legge 7 agosto 1990, n. 241, con proprio regolamento, da adottare entro novanta giorni dall'avvenuta nomina, audizioni periodiche delle formazioni associative nelle quali i consumatori e gli utenti siano organizzati. Nel medesimo regolamento sono altresì disciplinati audizioni periodiche delle associazioni ambientaliste, delle associazioni sindacali delle imprese e dei lavoratori e lo svolgimento di rilevazioni sulla soddisfazione degli utenti e sull'efficacia dei servizi.

24. Entro sessanta giorni dalla data di entrata in vigore della presente legge, con uno o più regolamenti emanati ai sensi dell'articolo 17, comma 1, della legge 23 agosto 1988, n.400, sono definiti:

a) le procedure relative alle attività svolte dalle Autorità idonee a garantire agli interessati la piena conoscenza degli atti istruttori, il contraddittorio, in forma scritta e orale, e la verbalizzazione;

b) i criteri, le condizioni, i termini e le modalità per l'esperimento di procedure di conciliazione o di arbitrato in contraddittorio presso le Autorità nei casi di controversie insorte tra utenti e soggetti esercenti il servizio, prevedendo altresì i casi in cui tali procedure di conciliazione o di arbitrato possano essere rimesse in prima istanza alle commissioni arbitrali e conciliative istituite presso le camere di commercio, industria, artigianato e agricoltura. Fino alla scadenza del termine fissato per la presentazione delle istanze di conciliazione o di deferimento agli arbitri, sono sospesi i termini per il ricorso in sede giurisdizionale che, se proposto, è improcedibile. Il verbale di conciliazione o la decisione arbitrale costituiscono titolo esecutivo.

b) i criteri, le condizioni, i termini e le modalità per l'esperimento di procedure di conciliazione o di arbitrato in contraddittorio presso le Autorità nei casi di controversie insorte tra utenti e soggetti esercenti il Servizio, prevedendo altresì i casi in cui tali procedure di conciliazione o di arbitrato possano essere rimesse in prima istanza alle commissioni arbitrali e conciliative istituite presso le camere di commercio, industria, artigianato e agricoltura, ai sensi dell'articolo 2, comma 4, lettera *a*), della legge 29 dicembre 1993, n. 580. Fino alla scadenza del termine fissato per la presentazione delle istanze di conciliazione o di deferimento agli arbitri, sono sospesi i termini per il ricorso in sede giurisdizionale che, se proposto, è improcedibile. Il verbale di conciliazione o la decisione arbitrale costituiscono titolo esecutivo.

25. La tutela giurisdizionale davanti al giudice amministrativo è disciplinata dal codice del processo amministrativo.

26. La pubblicità di atti e procedimenti delle Autorità è assicurata anche attraverso un apposito bollettino pubblicato dalla Presidenza del Consiglio dei ministri.

27. Ciascuna Autorità ha autonomia organizzativa, contabile e amministrativa. Il bilancio preventivo e il rendiconto della gestione, soggetto al controllo della Corte dei conti, sono pubblicati nella Gazzetta Ufficiale.

28. Ciascuna Autorità, con propri regolamenti, definisce, entro trenta giorni dalla sua costituzione, le norme concernenti l'organizzazione interna e il funzionamento, la pianta organica del personale di ruolo, che non può eccedere le centoventi unità, l'ordinamento delle carriere, nonché, in base ai criteri fissati dal contratto collettivo di lavoro in vigore per l'Autorità garante della concorrenza e del mercato e tenuto conto delle specifiche esigenze funzionali e organizzative, il trattamento giuridico ed economico del personale. Alle Autorità non si applicano le disposizioni di cui al d.lgs. 3 febbraio 1993, n. 29, e successive modificazioni, fatto salvo quanto previsto dal comma 10 del presente articolo.

29. Il regolamento del personale di ruolo previsto nella pianta organica di ciascuna Autorità avviene mediante pubblico concorso, ad eccezione delle categorie per le quali sono previste assunzioni in base all'articolo 16 della legge 28 febbraio 1987, n. 56, e successive modificazioni. In sede di prima attuazione della presente legge ciascuna Autorità provvede mediante apposita selezione anche nell'ambito del personale dipendente da pubbliche amministrazioni in possesso delle competenze e dei requisiti di professionalità ed esperienza richiesti per l'espletamento delle singole funzioni e tale da garantire la massima neutralità e imparzialità comunque nella misura massima del 50 per cento dei posti previsti nella pianta organica.

30. Ciascuna autorità può assumere, in numero non superiore a sessanta unità, dipendenti con contratto a tempo determinato di durata non superiore a due anni nonché esperti e collaboratori esterni, in numero non superiore a dieci, per specifici obiettivi e contenuti professionali, con contratti a tempo determinato di durata non superiore a due anni che possono essere rinnovati per non più di due volte.

31. Il personale dipendente in servizio anche in forza di contratto a tempo determinato presso le Autorità non può assumere altro impiego o incarico né esercitare altra attività professionale, anche se a carattere occasionale. Esso, inoltre, non può avere interessi diretti o indiretti nelle imprese del settore. La violazione di tali divieti costituisce causa di decadenza dall'impiego ed è punita, ove il fatto non costituisca reato, con una sanzione amministrativa pecuniaria pari, nel minimo, a 5 milioni di lire, e, nel massimo, alla maggior somma tra 50 milioni di lire e l'importo del corrispettivo percepito.

32. Entro novanta giorni dalla data di entrata in vigore della presente legge, sono emanati, ai sensi dell'articolo 17, comma 2, della legge 23 agosto 1988, n. 400, uno o più regolamenti volti a trasferire le ulteriori competenze connesse a quelle attribuite alle Autorità dalla presente legge nonché a riorganizzare o a sopprimere gli uffici e a rivedere le piante organiche delle amministrazioni pubbliche interessate dalla applicazione della presente legge e cessano le competenze esercitate in materia dal Comitato interministeriale per la programmazione economica. A decorrere dalla data di entrata in vigore dei regolamenti di cui al presente comma sono abrogate le disposizioni legislative e regolamentari che disciplinano gli uffici soppressi riorganizzati. I regolamenti indicano le disposizioni abrogate ai sensi del precedente periodo.

33. Le Autorità, con riferimento agli atti e ai comportamenti delle imprese operanti nei settori sottoposti al loro controllo, segnalano all'Autorità garante della concorrenza e del mercato la sussistenza di ipotesi di violazione delle disposizioni della legge 10 ottobre 1990, n. 287.

34. Per le materie attinenti alla tutela della concorrenza, l'Autorità garante della concorrenza e del mercato esprime parere obbligatorio entro il termine di 30 giorni alle amministrazioni pubbliche competenti in ordine alla definizione delle concessioni, dei contratti di servizio e degli altri strumenti di regolazione dell'esercizio dei servizi nazionali.

35. Le concessioni rilasciate nei settori di cui al comma 1, la cui durata non può essere superiore ad anni quaranta, possono essere onerose, con le eccezioni previste dalla normativa vigente.

36. L'esercizio del servizio in concessione è disciplinato da convenzioni ed eventuali contratti di programma stipulati tra l'amministrazione concedente e il soggetto esercente il servizio, nei quali sono definiti, in particolare, l'indicazione degli obiettivi generali, degli scopi specifici e degli obblighi reciproci da perseguire nello svolgimento del servizio; le procedure di controllo e le sanzioni in caso di inadempimento; le modalità e le procedure di indennizzo automatico nonché le modalità di aggiornamento, revisione e rinnovo del contratto di programma o della convenzione.

37. Il soggetto esercente il servizio predispone un regolamento di servizio nel rispetto dei princìpi di cui alla presente legge e di quanto stabilito negli atti di cui al comma 36. Le determinazioni delle Autorità di cui al comma 12, lettera *h*), costituiscono modifica o integrazione del regolamento di servizio.

38. All'onere derivante dall'istituzione e dal funzionamento delle Autorità, determinato in lire 3 miliardi per il 1995 e in lire 20 miliardi, per ciascuna Autorità, a decorrere dal 1996, si provvede:

a) per il 1995, mediante corrispondente riduzione dello stanziamento iscritto, ai fini del bilancio triennale 1995-1997, al capitolo 6856 dello stato di previsione del Ministero del tesoro per l'anno 1995 all'uopo parzialmente utilizzando l'accantonamento relativo al Ministero dell'industria, del commercio e dell'artigianato;

[*b*) a decorrere dal 1996, mediante contributo di importo non superiore all'uno per mille dei ricavi dell'ultimo esercizio, versato dai soggetti esercenti il servizio stesso; il contributo è versato entro il 31 luglio di ogni anno nella misura e secondo le modalità stabilite con decreto del Ministro delle finanze emanato, di concerto con il Ministro del tesoro, entro trenta giorni dalla data di entrata in vigore della presente legge].

[39. Il Ministro delle finanze è autorizzato ad adeguare il contributo a carico dei soggetti esercenti il servizio in relazione agli oneri atti a coprire le effettive spese di funzionamento di ciascuna Autorità.]

40. Le somme di cui al comma 38, lettera *b*), afferenti all'Autorità per le garanzie nelle comunicazioni e all'Autorità per l'energia elettrica e il gas sono versate direttamente ai bilanci dei predetti enti.

41. Il Ministro del tesoro è autorizzato ad apportare, con propri decreti, le occorrenti variazioni di bilancio.

(*) *Le parole* « e del reale costo di approvvigionamento della materia prima » *sono state inserite dall'art.* 18-bis *d.l. 1° marzo 2022, n. 17, conv., con modif., in l. 27 aprile 2022, n. 34.*

SEZIONE QUINTA
I CONTROLLI

CAPO I
CONTROLLI INTERNI

74. Decreto legislativo 18 agosto 2000, n. 267. — Testo unico delle leggi sull'ordinamento degli enti locali.

Pubblicato nella Gazzetta Ufficiale n. 227 del 28 settembre 2000, S.O. n. 162/L.

196 Controllo di gestione.

1. Al fine di garantire la realizzazione degli obiettivi programmati, la corretta ed economica gestione delle risorse pubbliche, l'imparzialità ed il buon andamento della pubblica amministrazione e la trasparenza dell'azione amministrativa, gli enti locali**, ad esclusione dei comuni con popolazione fino a 5.000 abitanti,** (*) applicano il controllo di gestione secondo le modalità stabilite dal presente titolo, dai propri statuti e regolamenti di contabilità.

2. Il controllo di gestione è la procedura diretta a verificare lo stato di attuazione degli obiettivi programmati e, attraverso l'analisi delle risorse acquisite e della comparazione tra i costi e la quantità dei servizi offerti, la funzionalità dell'organizzazione dell'ente, l'efficacia, l'efficienza ed il livello di economicità nell'attività di realizzazione dei predetti obiettivi.

(*) *Le parole* « , ad esclusione dei comuni con popolazione fino a 5.000 abitanti, » *sono state inserite dall'art. 2 l. 12 aprile 2022, n. 35.*

97. Legge 30 dicembre 2021, n. 234. — Bilancio di previsione dello Stato per l'anno finanziario 2022 e bilancio pluriennale per il triennio 2022-2024.

Pubblicato nella Gazzetta Ufficiale n. 310 del 31 dicembre 2021.

11 421. Al fine di assicurare gli interventi funzionali alle celebrazioni del Giubileo della Chiesa cattolica per il 2025 nella città di Roma **e l'attuazione degli interventi relativi alla Misura di cui al comma 420** (*), è nominato, con decreto del Presidente della Repubblica, [ai sensi dell'articolo 11 della legge 23 agosto 1988, n. 400,] un Commissario straordinario del [Governo]. Il Commissario resta in carica fino al 31 dicembre 2026. Il Presidente del Consiglio dei ministri, d'intesa con il Commissario, può nominare uno o più subcommissari. Per gli oneri correlati alla gestione commissariale è autorizzata la spesa di 500.000 euro per ciascuno degli anni dal 2022 al 2026 (**).

422. Il Commissario straordinario di cui al comma 421 predispone, sulla base degli indirizzi e del piano di cui all'articolo 1, comma 645, della legge 30 dicembre 2020, n. 178, e nei limiti delle risorse disponibili a legislazione vigente a tale scopo destinate, la proposta di programma dettagliato degli interventi connessi alle celebrazioni del Giubileo della Chiesa cattolica per il 2025, da approvare con decreto del Presidente del Consiglio dei ministri, sentito il Ministro dell'economia e delle finanze. **La proposta di programma include gli interventi relativi alla Misura di cui al comma 420, individuati in accordo con il Ministro del turismo, il quale può delegare il Commissario straordinario alla stipula di specifici accordi con i soggetti attuatori** (***).

423. Il programma dettagliato ripartisce i finanziamenti tra gli interventi che sono identificati con il codice unico di progetto (CUP). **Per ogni intervento il programma dettagliato individua il cronoprogramma procedurale, il soggetto attuatore e la percentuale dell'importo complessivo lordo dei lavori che in sede di redazione o rielaborazione del quadro economico di ogni singolo intervento deve essere riconosciuta alla società "Giubileo 2025" di cui al**

comma 427. L'ammontare di tale percentuale è determinato in ragione della complessità e delle tipologie di servizi affidati alla società "Giubileo 2025" e non può essere superiore al 2 per cento dell'importo complessivo lordo dei lavori ovvero alla percentuale prevista dalla normativa applicabile tenuto conto delle risorse utilizzate a copertura dei suddetti interventi (****). Il programma dettagliato deve altresì individuare per ciascun intervento il costo complessivo a carico delle risorse di cui al comma 420 o delle eventuali risorse già disponibili a legislazione vigente, ivi comprese le risorse del PNRR e del Piano complementare. Il decreto di cui al comma 422 individua inoltre le modalità di revoca in caso di mancata alimentazione dei sistemi di monitoraggio o di mancato rispetto del cronoprogramma procedurale.

424. Gli interventi del programma dettagliato aventi natura di investimento sono monitorati, a cura del soggetto titolare del CUP, tramite i sistemi informativi del Dipartimento della Ragioneria generale dello Stato. Per tali investimenti le informazioni relative al comma 423 sono desunte da detti sistemi.

425. Ai fini dell'esercizio dei compiti di cui al comma 421, il Commissario straordinario, limitatamente agli interventi urgenti di particolare criticità, può operare a mezzo di ordinanza, in deroga a ogni disposizione di legge diversa da quella penale, fatto salvo il rispetto delle disposizioni del codice delle leggi antimafia e delle misure di prevenzione, di cui al decreto legislativo 6 settembre 2011, n. 159, delle disposizioni del codice dei beni culturali e del paesaggio, di cui al decreto legislativo 22 gennaio 2004, n. 42, nonché dei vincoli inderogabili derivanti dall'appartenenza all'Unione europea. Le ordinanze adottate dal Commissario straordinario sono immediatamente efficaci e sono pubblicate nella Gazzetta Ufficiale.

426. Il Commissario straordinario coordina la realizzazione di interventi ricompresi nel programma dettagliato di cui al comma 422, nonché di quelli funzionali all'accoglienza e alle celebrazioni del Giubileo della Chiesa cattolica per il 2025 avvalendosi della società di cui al comma 427, **tenendo conto, in relazione agli interventi relativi alla Misura di cui al comma 420, dell'obbligo di rispettare gli obiettivi intermedi e gli obiettivi finali stabiliti dal Piano nazionale di ripresa e resilienza** (*****).

427. Al fine di assicurare la realizzazione dei lavori e delle opere indicati nel programma dettagliato degli interventi, nonché la realizzazione degli interventi funzionali all'accoglienza e alle celebrazioni del Giubileo della Chiesa cattolica per il 2025, è costituita una società interamente controllata dal Ministero dell'economia e delle finanze denominata « Giubileo 2025 », che agisce anche in qualità di soggetto attuatore e di stazione appaltante per la realizzazione degli interventi e l'approvvigionamento dei beni e dei servizi utili ad assicurare l'accoglienza e la funzionalità del Giubileo. **In relazione agli interventi relativi alla Misura di cui al comma 420, la società "Giubileo 2025" agisce in qualità di stazione appaltante e le funzioni di soggetto attuatore sono svolte dagli enti individuati nel Piano nazionale di ripresa e resilienza** (******). Alla società « Giubileo 2025 » non si applicano le disposizioni previste dal testo unico di cui al decreto legislativo 19 agosto 2016, n. 175, e dall'articolo 23-*bis* del decreto-legge 6 dicembre 2011, n. 201, convertito, con modificazioni, dalla legge 22 dicembre 2011, n. 214. Le società direttamente o indirettamente partecipate dal Ministero dell'economia e delle finanze possono acquisire partecipazioni nella società « Giubileo 2025 », anche mediante aumenti di capitale, ai sensi della normativa vigente.

428. Con decreto del Presidente del Consiglio dei ministri, su proposta del Ministro dell'economia e delle finanze, sono definiti l'atto costitutivo e lo statuto sociale della società « Giubileo 2025 », sono nominati gli organi sociali per il primo periodo di durata in carica, è indicato il contributo annuale per il servizio svolto e sono stabilite le remunerazioni degli stessi organi ai sensi dell'articolo 2389, primo comma, del codice civile nonché sono definiti i criteri, in riferimento al mercato, per la remunerazione degli amministratori investiti di particolari cariche da parte del consiglio di amministrazione ai sensi dell'articolo 2389, terzo comma, del codice civile.

429. La società « Giubileo 2025 » cura le attività di progettazione e di affidamento nonché la realizzazione degli interventi, delle forniture e dei servizi. A tale scopo, la società può avvalersi, previa stipula di apposite convenzioni, delle strutture e degli uffici tecnici e amministrativi della regione Lazio, del comune di Roma Capitale, dell'Agenzia del demanio, dei provveditorati interregionali per le opere pubbliche, nonché dei concessionari di servizi pubblici. La predetta società può altresì, nei limiti delle risorse disponibili, stipulare, anche in deroga alla disciplina del codice dei contratti pubblici, di cui al decreto legislativo 18 aprile 2016, n. 50, a eccezione delle norme che costituiscono attuazione delle disposizioni delle direttive 2014/24/UE del Parlamento europeo e del Consiglio, del 26 febbraio 2014, e 2014/25/UE del Parlamento europeo e del Consiglio, del 26 febbraio 2014, apposite convenzioni, anche a titolo oneroso, con società direttamente o indirettamente partecipate dallo Stato, da Roma Capitale o dalla regione Lazio ai fini dell'assistenza tecnica, operativa e gestionale.

430. La società « Giubileo 2025 » può affidare incarichi di progettazione, servizi di architettura e ingegneria ed altri servizi tecnici finalizzati alla realizzazione degli interventi di cui al programma dettagliato, applicando le procedure di cui all'articolo 1 del decreto-legge 16 luglio 2020, n. 76, convertito, con modificazioni, dalla legge 11 settembre 2020, n. 120. Per le eventuali attività di rielaborazione e approvazione di progetti non ancora aggiudicati si applicano le procedure acceleratorie previste dall'articolo 4, comma 2, del decreto-legge 18 aprile 2019, n. 32, convertito, con modificazioni, dalla legge 14 giugno 2019, n. 55.

431. Il Ministero dell'economia e delle finanze è autorizzato a partecipare al capitale sociale della società « Giubileo 2025 » per un importo di 5 milioni di euro per l'anno 2022.

432. Per l'attuazione dei commi 427, 428, 429 e 430 è autorizzata la spesa di 1 milione di euro per ciascuno degli anni dal 2022 al 2026.

433. Per l'esercizio di poteri di indirizzo e impulso in relazione alle attività e agli interventi connessi alle celebrazioni del Giubileo della Chiesa cattolica per il 2025 è istituita la Cabina di coordinamento.

434. La Cabina di coordinamento è un organo collegiale, presieduto dal Presidente del Consiglio dei ministri o da un Ministro o da un Sottosegretario di Stato alla Presidenza del Consiglio dei ministri all'uopo delegato, ed è composto dal Commissario straordinario, dal Sindaco del comune di Roma Capitale, dal Presidente della regione Lazio, da uno dei soggetti di vertice della società « Giubileo 2025 », dal prefetto di Roma, dal Capo del Dipartimento della protezione civile, dal presidente del Consiglio dei lavori pubblici e da un rappresentante della Santa Sede. **Per gli interventi relativi alla Misura di cui al comma 420, la composizione della Cabina di coordinamento è integrata dal Ministro del turismo** (*******).

435. Per le attività di natura istruttoria, alle riunioni della Cabina di coordinamento possono essere invitati, in dipendenza della tematica affrontata, soggetti pubblici ed esperti, anche provenienti dal settore privato, con comprovata esperienza e competenze nello specifico settore di riferimento, nonché rappresentanti dei soggetti attuatori. Ai predetti soggetti ed esperti non sono corrisposti compensi, gettoni di presenza, rimborsi di spese o altri emolumenti comunque denominati per la partecipazione alle riunioni della Cabina di coordinamento.

436. La Cabina di coordinamento, sulla base del monitoraggio svolto ai sensi del comma 424, verifica il grado di attuazione degli interventi, anche al fine di informare il Tavolo istituzionale di cui all'articolo 1, comma 645, della legge 30 dicembre 2020, n. 178.

437. In caso di mancata adozione di atti e provvedimenti necessari all'avvio degli interventi, ovvero di ritardo, inerzia o difformità nell'esecuzione dei progetti del programma dettagliato di cui al comma 422, nonché qualora sia messo a rischio, anche in via prospettica, il rispetto del cronoprogramma, il Commissario straordinario, informata la Cabina di coordinamento, assegna al soggetto responsabile del mancato rispetto dei termini un termine per provvedere non superiore a trenta giorni. In caso di perdurante inerzia, il Commissario straordinario, sentita la Cabina di coordinamento, individua l'amministrazione, l'ente, l'organo o l'ufficio, ovvero in alternativa nomina uno o più commissari ad acta, ai quali attribuisce, in via sostitutiva, il potere di adottare gli atti o provvedimenti necessari, ovvero di provvedere all'esecuzione dei progetti e degli interventi, anche avvalendosi di società di cui all'articolo 2 del testo unico di cui al decreto legislativo 19 agosto 2016, n. 175, o di altre amministrazioni pubbliche.

438. Qualora il mancato rispetto degli impegni di cui al comma 437 sia ascrivibile alle regioni o agli enti locali interessati, **nonché, ai soggetti attuatori degli interventi relativi alla Misura di cui al comma 420,** (********) il Presidente del Consiglio dei ministri, su proposta del Commissario straordinario, assegna al soggetto attuatore interessato un termine per provvedere non superiore a trenta giorni. In caso di perdurante inerzia, su proposta del Presidente del Consiglio dei ministri, sentita la Cabina di coordinamento, il Consiglio dei ministri individua l'amministrazione, l'ente, l'organo o l'ufficio, ovvero in alternativa nomina uno o più commissari ad acta, ai quali attribuisce, in via sostitutiva, il potere di adottare gli atti o provvedimenti necessari ovvero di provvedere all'esecuzione dei progetti, anche avvalendosi di società di cui all'articolo 2 del testo unico di cui al decreto legislativo 19 agosto 2016, n. 175, o di altre amministrazioni specificatamente indicate.

439. In caso di dissenso, diniego, opposizione o altro atto equivalente proveniente da un organo di un ente territoriale interessato che, secondo la legislazione vigente, sia idoneo a precludere, in tutto o in parte, la realizzazione di un intervento rientrante nel programma dettagliato e qualora un meccanismo di superamento del dissenso non sia già previsto dalle vigenti disposizioni, il Commissario straordinario propone al Presidente del Consiglio dei ministri le opportune iniziative ai fini dell'esercizio dei poteri sostitutivi di cui agli articoli 117, quinto comma, e 120, secondo comma, della Costituzione, ai sensi delle disposizioni vigenti in materia.

440. Per la nomina dei commissari ad acta di cui ai commi 437 e 438 nonché per la definizione dei relativi compensi, si applicano le procedure e le modalità applicative previste dall'articolo 15, commi da 1 a 3, del decreto-legge 6 luglio 2011, n. 98, convertito, con modificazioni, dalla legge 15 luglio 2011, n. 111. Gli eventuali oneri derivanti dalla nomina di commissari ad acta sono a carico dei soggetti inadempienti sostituiti.

441. Fermo quanto previsto dalle convenzioni di cui al comma 429, le funzioni di rendicontazione degli interventi previsti dal programma dettagliato sono di competenza della società « Giubileo 2025 » che riferisce semestralmente alla Cabina di coordinamento sulla propria attività e segnala eventuali anomalie e scostamenti rispetto ai termini fissati nel cronoprogramma di realizzazione degli interventi di cui al comma 423, anche ai fini dell'aggiornamento del piano previsto dall'articolo 1, comma 645, della citata legge n. 178 del 2020. **Per gli interventi relativi alla Misura di cui al comma 420, il Commissario straordinario, tenuto conto degli obiettivi intermedi e degli obiettivi finali stabiliti dal Piano nazionale di ripresa e resilienza, riferisce al Ministero del turismo ai fini dell'esercizio delle funzioni di controllo di cui all'articolo 8 del decreto-legge 31 maggio 2021, n. 77, convertito, con modificazioni, dalla legge 29 luglio 2021, n. 108** (*********).

442. Per gli interventi previsti dal programma dettagliato di cui al comma 422, le risorse di cui al comma 420, ferme restando le finalità ivi previste, sono trasferite su apposito conto di tesoreria intestato alla società « Giubileo 2025 », che provvede all'eventuale successivo trasferimento ai soggetti attuatori diversi dalla medesima società. A tal fine, le predette somme possono essere eventualmente versate all'entrata del bilancio dello Stato per la successiva riassegnazione ai pertinenti stati di previsione della spesa. Le risorse relative agli interventi finanziati a carico del PNRR e del Piano complementare possono essere trasferite sul conto di tesoreria di cui al presente comma, previa

convenzione tra la società « Giubileo 2025 » e l'amministrazione titolare dell'intervento.

443. La società « Giubileo 2025 » predispone e aggiorna, mediante le informazioni desunte dai sistemi informativi del Dipartimento della Ragioneria generale dello Stato, il cronoprogramma dei pagamenti degli interventi in base al quale i soggetti attuatori, ciascuno per la parte di propria competenza, assumono gli impegni pluriennali di spesa. Conseguentemente, nei limiti delle risorse impegnate in bilancio, la società può avviare le procedure di affidamento dei contratti anche nelle more del trasferimento delle risorse. I provvedimenti di natura regolatoria, ad esclusione di quelli di natura gestionale, adottati dal Commissario straordinario sono sottoposti al controllo preventivo della Corte dei conti e pubblicati nella Gazzetta Ufficiale. Si applica l'articolo 3, comma 1-*bis*, della legge 14 gennaio 1994, n. 20. I termini di cui all'articolo 27, comma 1, della legge 24 novembre 2000, n. 340, sono dimezzati. In ogni caso, durante lo svolgimento della fase del controllo, l'organo emanante può, con motivazione espressa, dichiarare i predetti provvedimenti provvisoriamente efficaci, esecutori ed esecutivi, a norma degli articoli 21-*bis*, 21-*ter* e 21-*quater* della legge 7 agosto 1990, n. 241.

(*) *Le parole* « e l'attuazione degli interventi relativi alla Misura di cui al comma 420 » *sono state inserite dell'art. 40, comma 2, lett.* b), *d.l. 30 aprile 2022, n. 36, in corso di conversione in legge.*

(**) *Ai sensi dell'art. 40, comma 1, d.l. n. 36, cit., « ai fini della realizzazione degli investimenti in materia di "Caput Mundi - Next Generation EU per grandi eventi turistici" di cui alla misura M1C3-35-Investimento 4.3 del Piano nazionale di ripresa e resilienza, il Ministro del turismo può avvalersi del Commissario Straordinario del Governo » di cui al presente comma, « delegandolo alla stipula degli accordi con i soggetti attuatori e alla conseguente fase attuativa del programma ».*

(***) *Periodo aggiunto dall'art. 40, comma 2, lett.* c), *d.l. n. 36, cit.*

(****) *I periodi secondo e terzo del presente comma sono stati sostituiti all'originario secondo periodo dall'art. 13, comma 6, d.l. 17 maggio 2022, n. 50, in corso di conversione in legge. Il testo del secondo periodo era il seguente:* « Per ogni intervento il programma dettagliato individua il cronoprogramma procedurale ».

(*****) *Le parole da* « , tenendo conto, » *a* « di ripresa e resilienza » *sono state inserite dall'art. 40, comma 2, lett.* d), *d.l. n. 36, cit.*

(******) *Periodo inserito dall'art. 40, comma 2, lett.* e), *d.l. n. 36, cit.*

(*******) *Periodo aggiunto dall'art. 40, comma 2, lett.* f), *d.l. n. 36, cit.*

(********) *Le parole* « nonché, ai soggetti attuatori degli interventi relativi alla Misura di cui al comma 420, » *sono state inserite dall'art. 40, comma 2, lett.* g), *d.l. n. 36, cit.*

(*********) *Periodo aggiunto dall'art. 40, comma 2, lett.* h), *d.l. n. 36, cit.*

PARTE QUINTA
I SETTORI

SEZIONE PRIMA
CONCORRENZA

9. Decreto legislativo 8 novembre 2021, n. 198. — Attuazione della direttiva (UE) 2019/633 del Parlamento europeo e del Consiglio, del 17 aprile 2019, in materia di pratiche commerciali sleali nei rapporti tra imprese nella filiera agricola e alimentare nonché dell'articolo 7 della legge 22 aprile 2021, n. 53, in materia di commercializzazione dei prodotti agricoli e alimentari.

Pubblicata nella Gazzetta ufficiale n. 285 del 30 novembre 2021, S.O. n. 41

2 Definizioni.

1. Ai fini del presente decreto si intende per:

a) « accordo quadro »: il contratto quadro, l'accordo quadro o il contratto di base, conclusi anche a livello di centrali di acquisto, aventi ad oggetto la disciplina dei conseguenti contratti di cessione dei prodotti agricoli e alimentari, tra cui le condizioni di compravendita, le caratteristiche dei prodotti, il listino prezzi, le prestazioni di servizi e le loro eventuali rideterminazioni. È fatta salva la definizione di contratto quadro di cui all'articolo 1, comma 1, lettera f) del decreto legislativo 27 maggio 2005, n. 102;

b) « acquirente »: qualsiasi persona fisica o giuridica, indipendentemente dal luogo di stabilimento di tale persona, o qualsiasi autorità pubblica ricompresa nell'Unione europea che acquista prodotti agricoli e alimentari; il termine « acquirente » può includere un gruppo di tali persone fisiche e giuridiche;

c) « autorità pubblica »: autorità nazionale, regionale o locale, organismo di diritto pubblico o associazione costituita da una o più di tali autorità o da uno o più di tali organismi di diritto pubblico;

d) « consumatore »: la persona fisica che acquista i prodotti agricoli o alimentari per scopi estranei alla propria attività imprenditoriale o professionale eventualmente svolta;

e) « contratti di cessione »: i contratti che hanno ad oggetto la cessione di prodotti agricoli ed alimentari, ad eccezione di quelli conclusi con il consumatore, delle cessioni con contestuale consegna e pagamento del prezzo pattuito, nonché dei conferimenti di prodotti agricoli ed alimentari da parte di imprenditori agricoli e ittici a cooperative di cui essi sono soci o ad organizzazioni di produttori, ai sensi del decreto legislativo 27 maggio 2005, n. 102, di cui essi sono soci;

f) « contratto di cessione con consegna pattuita su base periodica »: un accordo quadro, come definito alla lettera a), ovvero un contratto di fornitura con prestazioni periodiche o continuative;

g) « Direttiva »: la direttiva (UE) 2019/633 del Parlamento europeo e del Consiglio del 17 aprile 2019;

h) « fatturato »: l'ammontare dei ricavi, come definiti all'articolo 85, comma 1 del decreto del Presidente della Repubblica 22 dicembre 1986, n. 917, recante Testo unico delle imposte sui redditi (TUIR), o dei compensi derivanti dall'esercizio di arti o professioni, di cui all'articolo 54, comma 1 del medesimo TUIR;

i) « fornitore »: qualsiasi produttore agricolo o persona fisica o giuridica che vende prodotti agricoli e alimentari, ivi incluso un gruppo di tali produttori agricoli o un gruppo di tali persone fisiche e giuridiche, come le organizzazioni di produttori, le società cooperative, le organizzazioni di fornitori e le associazioni di tali organizzazioni;

j) « ICQRF »: Dipartimento dell'Ispettorato Centrale della tutela della Qualità e Repressione Frodi dei prodotti agroalimentari del Ministero delle politiche agricole, alimentari e forestali;

k) « interessi legali di mora »: interessi di mora ad un tasso che è pari al tasso di riferimento, come definito alla lettera o);

l) « prodotti agricoli e alimentari »: i prodotti elencati nell'allegato I del Trattato sul funzionamento dell'Unione europea e i prodotti non elencati in tale allegato, ma trasformati per uso alimentare a partire dai prodotti elencati in tale allegato;

m) « prodotti agricoli e alimentari deperibili »: i prodotti agricoli e alimentari che per loro natura o nella fase della loro trasformazione potrebbero diventare inadatti alla vendita entro 30 giorni dalla raccolta, produzione o trasformazione. **Sono altresì considerati deperibili i prodotti a base di carne che presentino una tra le seguenti caratteristiche fisico-chimiche: a w superiore a 0,95 e pH superiore a 5,2 oppure a w superiore a 0,91 oppure pH uguale o superiore a 4,5** (*);

n) « saggio degli interessi »: il tasso complessivo degli interessi da applicare all'importo dovuto, al netto delle maggiorazioni di legge;

o) « tasso di riferimento »: il tasso di interesse, come definito dalla vigente normativa nazionale di recepimento delle direttive comunitarie in materia di lotta contro i ritardi di pagamento nelle transazioni commerciali, applicabile come di seguito indicato:

1) per il primo semestre dell'anno in questione è quello in vigore al 1° gennaio di quell'anno;

2) per il secondo semestre dell'anno in questione è quello in vigore al 1° luglio di quell'anno.

(*) *Le parole da* « . Sono altresì considerati » *a* « o superiore a 4,5 » *sono state aggiunte dall'art. 19-*ter*, comma 1, d.l. 21 marzo 2022, n. 21, conv., con modif., in l. 20 maggio 2022, n. 51.*

4 Pratiche commerciali sleali vietate.

1. Nelle relazioni commerciali tra operatori economici, ivi compresi i contratti di cessione, sono vietate le seguenti pratiche commerciali sleali:

a) nei contratti di cessione con consegna pattuita su base periodica:

1) il versamento del corrispettivo, da parte dell'acquirente di prodotti agricoli e alimentari deperibili, dopo oltre trenta giorni dal termine del periodo di consegna convenuto in cui le consegne sono state effettuate, che in ogni caso non può essere superiore a un mese, oppure dopo oltre trenta giorni dalla data in cui è stabilito l'importo da corrispondere per il periodo di consegna in questione, a seconda di quale delle due date sia successiva;

2) il versamento del corrispettivo, da parte dell'acquirente di prodotti agricoli e alimentari non deperibili, dopo oltre sessanta giorni dal termine del periodo di consegna convenuto in cui le consegne sono state effettuate, che in ogni caso non può essere superiore a un mese, oppure dopo oltre sessanta giorni dalla data in cui è stabilito l'importo da corrispondere per il periodo di consegna in questione, a seconda di quale delle due date sia successiva;

b) nei contratti di cessione con consegna pattuita su base non periodica:

1) il versamento del corrispettivo, da parte dell'acquirente di prodotti agricoli e alimentari deperibili, dopo oltre trenta giorni dalla data di consegna oppure dopo oltre trenta giorni dalla data in cui è stabilito l'importo da corrispondere, a seconda di quale delle due date sia successiva;

2) il versamento del corrispettivo, da parte dell'acquirente di prodotti agricoli e alimentari non deperibili, dopo oltre sessanta giorni dalla data di consegna oppure dopo oltre sessanta giorni dalla data in cui è stabilito l'importo da corrispondere, a seconda di quale delle due date sia successiva;

c) l'annullamento, da parte dell'acquirente, di ordini di prodotti agricoli e alimentari deperibili con un preavviso inferiore a 30 giorni. Con regolamento del Ministro delle politiche agricole, alimentari e forestali, da adottare ai sensi dell'articolo 17, comma 3 della legge 23 agosto 1988, n. 400 entro 90 giorni dall'entrata in vigore del presente decreto, sono individuati i casi particolari nonché i settori nei quali le parti di un contratto di cessione possono stabilire termini di preavviso inferiori a 30 giorni;

d) la modifica unilaterale, da parte dell'acquirente o del fornitore, delle condizioni di un contratto di cessione di prodotti agricoli e alimentari relative alla frequenza, al metodo, al luogo, ai tempi o al volume della fornitura o della consegna dei prodotti, alle norme di qualità, ai termini di pagamento o ai prezzi oppure relative alla prestazione di servizi accessori rispetto alla cessione dei prodotti;

e) la richiesta al fornitore, da parte dell'acquirente, di pagamenti che non sono connessi alla vendita dei prodotti agricoli e alimentari;

f) l'inserimento, da parte dell'acquirente, di clausole contrattuali che obbligano il fornitore a farsi carico dei costi per il deterioramento o la perdita di prodotti agricoli e alimentari che si verifichino presso i locali dell'acquirente o comunque dopo che tali prodotti siano stati consegnati, purché tale deterioramento o perdita non siano stati causati da negligenza o colpa del fornitore;

g) il rifiuto, da parte dell'acquirente o del fornitore, di confermare per iscritto le condizioni di un contratto di cessione in essere tra l'acquirente medesimo ed il fornitore per il quale quest'ultimo abbia richiesto una conferma scritta, salvo che il contratto di cessione riguardi prodotti che devono essere consegnati da un socio alla propria organizzazione di produttori o ad una cooperativa della quale sia socio e sempreché lo statuto o la disciplina interna di tali enti contengano disposizioni aventi effetti analoghi alle disposizioni di un contratto di cessione di cui al presente decreto;

h) l'acquisizione, l'utilizzo o la divulgazione illecita, da parte dell'acquirente o da parte di soggetti facenti parte della medesima centrale o del medesimo gruppo d'acquisto dell'acquirente, di segreti commerciali del fornitore, ai sensi del decreto legislativo 11 maggio 2018, n. 63 di attuazione della direttiva (UE) 2016/943 del Parlamento europeo e del Consiglio dell'8 giugno 2016, o qualsiasi altra informazione commerciale sensibile del fornitore;

i) la minaccia di mettere in atto o la messa in atto, da parte dell'acquirente, di ritorsioni commerciali nei confronti del fornitore quando quest'ultimo esercita i diritti contrattuali e legali di cui gode, anche qualora consistano nella presentazione di una denuncia all'Autorità di contrasto, come individuata ai sensi del presente decreto, o nella cooperazione con essa nell'ambito di un'indagine;

j) la richiesta al fornitore, da parte dell'acquirente, del risarcimento del costo sostenuto per esaminare i reclami dei clienti relativi alla vendita dei prodotti del fornitore, benché non risultino negligenze o colpe da parte di quest'ultimo.

2. Fermo restando il diritto del fornitore di avvalersi dei rimedi previsti in caso di ritardo nei pagamenti ai sensi del decreto legislativo 9 ottobre 2002, n. 231, in caso di mancato rispetto dei termini di pagamento di cui al comma 1, lettere a) e b), sono dovuti al creditore gli interessi legali di mora che decorrono automaticamente dal giorno successivo alla scadenza del termine. In questi casi il saggio degli interessi è maggiorato di ulteriori quattro punti percentuali ed è inderogabile. Per i contratti di cui al comma 1, lettere a) e b), in cui il debitore è una pubblica amministrazione del settore scolastico e sanitario, è fatto salvo quanto previsto dall'articolo 4, comma 4, del decreto legislativo n. 231 del 2002.

3. Il divieto di cui al comma 1, lettera a), non si applica ai pagamenti:

a) effettuati da un acquirente a un fornitore quando tali pagamenti siano effettuati nel quadro di programmi di distribuzione di prodotti ortofrutticoli e di latte destinati alle scuole ai sensi dell'articolo 23 del regolamento (UE) n. 1308/2013 del Parlamento europeo e del Consiglio, del 17 dicembre 2013;

b) effettuati da enti pubblici che forniscono assistenza sanitaria;

c) nell'ambito di contratti di cessione tra fornitori di uve o mosto per la produzione di vino e i loro acquirenti diretti, alle seguenti condizioni:

1) che i termini di pagamento specifici delle operazioni di vendita siano inclusi in contratti tipo vincolanti ai sensi dell'articolo 164 del regolamento (UE) n. 1308/2013 prima del 1° gennaio 2019 e la cui applicazione sia stata rinnovata a decorrere da tale data senza modificare sostanzialmente i termini di pagamento a danno dei fornitori di uve o mosto;

2) che i contratti di cessione tra fornitori di uve o mosto per la produzione di vino e i loro acquirenti diretti siano pluriennali o lo diventino.

4. Sono inoltre vietate le seguenti pratiche commerciali, salvo che esse siano state precedentemente concordate da fornitore e acquirente, nel contratto di cessione, nell'accordo quadro ovvero in un altro accordo successivo, in termini chiari ed univoci:

a) la restituzione, da parte dell'acquirente al fornitore, di prodotti agricoli e alimentari rimasti invenduti, senza corrispondere alcun pagamento per tali prodotti invenduti o per il loro smaltimento;

b) la richiesta al fornitore, da parte dell'acquirente, di un pagamento come condizione per l'immagazzinamento, l'esposizione, l'inserimento in listino dei suoi prodotti, o per la messa in commercio degli stessi;

c) la richiesta al fornitore, da parte dell'acquirente, di farsi carico, in tutto o in parte, del costo degli sconti sui prodotti venduti dall'acquirente come parte di una promozione, a meno che, prima di una promozione avviata dall'acquirente, quest'ultimo ne specifichi il periodo e indichi la quantità prevista dei prodotti agricoli e alimentari da ordinare a prezzo scontato;

d) la richiesta al fornitore, da parte dell'acquirente, di farsi carico dei costi della pubblicità, effettuata dall'acquirente, dei prodotti agricoli e alimentari;

e) la richiesta al fornitore, da parte dell'acquirente, di farsi carico dei costi per il marketing dei prodotti agricoli e alimentari effettuata dall'acquirente;

f) la richiesta al fornitore, da parte dell'acquirente, di farsi carico dei costi del personale incaricato di organizzare gli spazi destinati alla vendita dei prodotti del fornitore.

5. Se l'acquirente richiede un pagamento per i casi di cui al comma 4, lettere *b*), *c*), *d*), *e*) o *f*), egli fornisce al fornitore, ove richiesto, una stima per iscritto dei pagamenti unitari o dei pagamenti complessivi a seconda dei casi e, per i casi di cui alle lettere *b*), *d*), *e*) o *f*) del comma 4, fornisce anche una stima, per iscritto, dei costi per il fornitore e i criteri alla base di tale stima.

5-*bis*. La disciplina dei termini di pagamento di cui al comma 1, lettera *a*), numero 1), e lettera *b*), numero 1), si applica altresì ai seguenti prodotti agricoli e alimentari:

***a*) preconfezionati che riportano una data di scadenza o un termine minimo di conservazione non superiore a sessanta giorni;**

***b*) sfusi, anche se posti in involucro protettivo o refrigerati, non sottoposti a trattamenti atti a prolungare la durabilità degli stessi per un periodo superiore a sessanta giorni;**

***c*) prodotti a base di carne che presentino una tra le seguenti caratteristiche fisico-chimiche: a w su-**

periore a 0,95 e pH superiore a 5,2 oppure a w superiore a 0,91 oppure pH uguale o superiore a 4,5;

***d*) tutti i tipi di latte** (*).

(*) *Comma aggiunto dell'art. 19-ter, comma 2, d.l. 21 marzo 2022, n. 21, conv., con modif., in l. 20 maggio 2022, n. 51.*

SEZIONE SECONDA AMBIENTE

13. Decreto legislativo 3 aprile 2006, n. 152. — Norme in materia ambientale.

Pubblicato nella Gazzetta Ufficiale n. 88 del 14 aprile 2006.

8 Commissione tecnica di verifica dell'impatto ambientale - VIA e VAS.

1. Il supporto tecnico-scientifico all'autorità competente per l'attuazione delle norme di cui ai Titoli II e III della presente parte nel caso di piani, programmi e progetti per i quali le valutazioni ambientali VIA e VAS spettano allo Stato è assicurato dalla Commissione tecnica di verifica dell'impatto ambientale VIA e VAS, composta da un numero massimo di cinquanta commissari, inclusi il Presidente e il Segretario, posta alle dipendenze funzionali del Ministero dell'ambiente e della tutela del territorio e del mare. Per lo svolgimento delle istruttorie tecniche la Commissione può avvalersi, tramite appositi protocolli d'intesa, del Sistema nazionale a rete per la protezione dell'ambiente, a norma della legge 28 giugno 2016, n. 132 e, senza nuovi o maggiori oneri a carico della finanza pubblica, degli altri enti pubblici di ricerca. Per i procedimenti per i quali sia riconosciuto un concorrente interesse regionale, all'attività istruttoria partecipa un esperto designato dalle Regioni e dalle Province autonome interessate, individuato tra i soggetti in possesso di adeguata professionalità ed esperienza nel settore della valutazione dell'impatto ambientale e del diritto ambientale. Nella trattazione dei procedimenti di sua competenza ai sensi della normativa vigente, la Commissione di cui al presente comma nonché la Commissione di cui al comma 2-*bis* danno precedenza ai progetti aventi un comprovato valore economico superiore a 5 milioni di euro ovvero una ricaduta in termini di maggiore occupazione attesa superiore a quindici unità di personale, nonché ai progetti cui si correlano scadenze non superiori a dodici mesi, fissate con termine perentorio dalla legge o comunque da enti terzi, e ai progetti relativi ad impianti già autorizzati la cui autorizzazione scade entro dodici mesi dalla presentazione dell'istanza. **Con riferimento alle procedure di valutazione ambientale di competenza statale relative ai progetti attuativi del Piano nazionale integrato per l'energia e il clima, individuati dall'allegato I-bis alla parte seconda del presente decreto tra quelli a cui, ai sensi del periodo precedente, deve essere data precedenza, hanno in ogni caso priorità, in ordine decrescente, i progetti che hanno maggior valore di potenza installata o trasportata prevista** (*). **La Commissione può derogare all'ordine di priorità di cui al quarto e al quinto periodo in caso di deliberazione dello stato di emergenza da parte del Consiglio dei ministri ai sensi del codice della protezione civile, di cui al decreto legislativo 2 gennaio 2018, n. 1; in tal caso, la Commissione di cui al presente comma ovvero la Commissione di cui al comma 2-*bis* del presente articolo dà precedenza ai progetti connessi alle misure relative allo stato di emergenza** (*).

2. I commissari di cui al comma 1 sono scelti tra professori o ricercatori universitari, tra il personale di cui agli articoli 2 e 3 del decreto legislativo del 30 marzo 2001, n. 165, ivi compreso quello appartenente ad enti di ricerca, al Sistema nazionale a rete per la protezione dell'ambiente di cui alla legge 28 giugno 2016, n. 132, all'Istituto superiore di sanità ovvero tra soggetti anche estranei alla pubblica amministrazione, provvisti del diploma di laurea di vecchio ordinamento, di laurea specialistica o magistrale, con adeguata esperienza professionale di almeno cinque anni, all'atto della nomina; il loro incarico dura quattro anni ed è rinnovabile una sola volta. I commissari sono nominati dal Ministro dell'ambiente e della tutela del territorio e del mare, senza obbligo di procedura concorsuale e con determinazione motivata esclusivamente in ordine al possesso da parte dei prescelti dei necessari requisiti di comprovata professionalità e competenza nelle materie ambientali, economiche, giuridiche e di sanità pubblica, garantendo il rispetto del principio dell'equilibrio di genere. Ai commissari, qualora provenienti dalle amministrazioni pubbliche di cui all'articolo 1, comma 2, del decreto legislativo 30 marzo 2001, n. 165, nonché se personale di cui all'articolo 3 del medesimo decreto legislativo, si applica quanto previsto dall'articolo 53 del decreto legislativo 30 marzo 2001, n. 165, e, per il personale in regime di diritto pubblico, quanto stabilito dai rispettivi ordinamenti. Ai commissari spetta il compenso definito con le modalità di cui al comma 5 esclusivamente in ragione dei compiti istruttori effettivamente svolti e solo a seguito dell'adozione del relativo provvedimento finale.

2-*bis*. Per lo svolgimento delle procedure di valutazione ambientale di competenza statale dei progetti compresi nel Piano nazionale di ripresa e resilienza (PNRR), di quelli finanziati a valere sul fondo complementare nonché dei progetti attuativi del Piano nazionale integrato per l'energia e il clima, individuati nell'allegato I-*bis* al presente decreto, è istituita la Commissione Tecnica PNRR-PNIEC, posta alle dipendenze funzionali del Ministero della transizione ecologica, e formata da un numero massimo di quaranta unità, inclusi il presidente e il segretario, in possesso di diploma di laurea o laurea magistrale, con almeno cinque anni di esperienza professionale e con competenze adeguate alla valutazione tecnica, ambientale e paesaggistica dei predetti progetti, individuate tra il personale di ruolo delle amministrazioni statali e regionali, delle istituzioni universitarie, del Consiglio nazionale delle ricerche (CNR), del Sistema nazionale a rete per la protezione dell'ambiente di cui alla legge 28 giugno 2016, n. 132, dell'Agenzia nazionale per le nuove tecnologie, l'energia e lo sviluppo economico sostenibile (ENEA) e dell'Istituto superiore di sanità (ISS), secondo le modalità di cui al comma 2, secondo periodo, ad esclusione del personale docente, educativo, amministrativo, tecnico ed ausiliario delle istituzioni scolastiche. Il personale delle pubbliche amministrazioni è collocato d'ufficio in posizione di fuori ruolo, comando, distacco, aspettativa o altra analoga posizione, secondo i rispettivi ordinamenti, alla data di adozione del decreto di nomina di cui all'**ottavo periodo** (**) del presente comma. Nel caso in cui al presidente della Commissione di cui al comma 1 sia attribuita anche la presidenza della Commissione di cui al comma 2-*bis*, si applica l'articolo 9, comma 5-*bis*, del decreto legislativo 30 luglio 1999, n. 303, anche per evitare qualsiasi effetto decadenziale. I componenti nominati nella Commissione Tecnica PNRR-PNIEC svolgono tale attività a tempo pieno ad eccezione dei componenti nominati ai sensi del quinto periodo, **salvo che il tempo pieno non sia previsto nei singoli decreti di cui al medesimo quinto periodo** (**). Con decreto del Ministro della transizione ecologica, su proposta del presidente della Commissione di cui al comma 1, i componenti della predetta Commissione, fino a un massimo di sei, possono essere nominati anche componenti della Commissione di cui al presente comma. **Nelle more del perfezionamento del decreto di nomina, il commissario in esso individuato è autorizzato a partecipare, con diritto di voto, alle riunioni della Commissione Tecnica PNRR-PNIEC** (***). Nella nomina dei membri è garantito il rispetto dell'equilibrio di genere. I componenti della Commissione Tecnica PNRR-PNIEC sono nominati con decreto del Ministro della transizione ecologica entro sessanta giorni dalla data di entrata in vigore della presente disposizione anche attingendo dall'elenco utilizzato per la nomina dei componenti della Commissione tecnica di verifica di cui comma 1 del presente articolo in possesso dei medesimi requisiti di cui al presente comma. I componenti della Commissione Tecnica PNRR-PNIEC restano in carica cinque anni e sono rinnovabili per una sola volta. Alle riunioni della commissione partecipa, **senza diritto di voto** (****), anche un rappresentante del Ministero della cultura. Per lo svolgimento delle istruttorie tecniche la Commissione si avvale, tramite appositi protocolli d'intesa, del Sistema nazionale a rete per la protezione dell'ambiente a norma della legge 28 giugno 2016, n. 132, e degli altri enti pubblici di ricerca. Per i procedimenti per i quali sia riconosciuto da specifiche disposizioni o intese un concorrente interesse regionale, all'attività istruttoria partecipa con diritto di voto un esperto designato dalle Regioni e dalle Province autonome interessate, individuato tra i soggetti in possesso di adeguata professionalità ed esperienza nel settore della valutazione dell'impatto ambientale e del diritto ambientale. La Commissione opera con le modalità previste dall'articolo 20, dall'articolo 21, dall'articolo 23, dall'articolo 24, dall'articolo 25, commi 1, 2-*bis*, 2-*ter*, 3, 4, 5, 6 e 7, e dall'articolo 27, del presente decreto; ai fini della designazione e della conseguente partecipazione alle riunioni della Commissione tecnica PNRR-PNIEC, è in ogni caso sufficiente la comunicazione o la conferma da parte della regione o della provincia autonoma del nominativo dell'interessato. I commissari, laddove collocati in quiescenza nel corso dello svolgimento dell'incarico, restano in carica fino al termine dello stesso e non possono essere rinnovati; in tal caso, i suddetti commissari percepiscono soltanto, oltre al trattamento di quiescenza, il compenso di cui al comma 5. Quanto previsto dall'articolo 73, comma 2, del decreto-legge 17 marzo 2020, n. 18, convertito, con modificazioni, dalla legge 24 aprile 2020, n. 27, si applica anche ai compiti istruttori svolti dai Commissari nell'ambito delle Sottocommissioni e dei Gruppi istruttori, sino al 31 dicembre 2023.

2-*ter*. Al fine di garantire univocità di indirizzo, i presidenti della Commissione tecnica di cui al comma 1 e della Commissione tecnica di cui al comma 2-*bis*, coadiuvati da un numero massimo di due commissari per ciascuna Commissione, individuati dal Ministro della transizione ecologica, provvedono all'elaborazione di criteri tecnici e procedurali preordinati all'attuazione coordinata e omogenea delle disposizioni di cui alla parte seconda del presente decreto.

2-*quater*. Il Ministro della transizione ecologica può attribuire, al presidente di una delle Commissioni di cui ai commi 1 o 2-*bis*, anche la presidenza dell'altra. Nel caso in cui la presidenza di entrambe le Commissioni sia attribuita al presidente della Commissione di cui al comma 1, quest'ultimo è collocato fuori ruolo o in posizione di comando, distacco, aspettativa o altra analoga posizione entro dieci giorni dall'assunzione dell'incarico e per l'intera durata del medesimo.

2-*quinquies*. In relazione a quanto previsto dai commi 2-*ter* e 2-*quater*, resta fermo che dagli incarichi ivi indicati è escluso il personale docente, educativo, amministrativo, tecnico e ausiliario delle istituzioni scolastiche.

2-*sexies*. La denominazione "Commissione tecnica PNRR-PNIEC" sostituisce, ad ogni effetto e ovunque presente, la denominazione "Commissione tecnica PNIEC".

2-*septies*. Qualora lo richieda almeno una delle Commissioni parlamentari competenti a maggioranza dei due terzi dei suoi componenti, le tipologie dei progetti attuativi del PNIEC individuati nell'allegato I-*bis* al presente decreto possono essere modificate, con decreto del Ministro della transizione ecologica, previo parere delle Commissioni parlamentari competenti da rendere entro quarantacinque giorni dalla richiesta, decorsi i quali il decreto può essere comunque adottato.

2-*octies*. Il presidente della Commissione di cui al comma 1 si avvale altresì di una struttura di supporto composta da quattro unità di personale dell'Arma dei carabinieri, appartenenti all'organizzazione per la tutela forestale, ambientale e agroalimentare di cui all'articolo 174-*bis* del codice dell'ordinamento militare, di cui al decreto legislativo 15 marzo 2010, n. 66, o comunque con comprovata esperienza nel settore della tutela ambientale o nel coordinamento di unità complesse o nella gestione di fondi. I componenti della struttura di supporto sono individuati dal Comando generale dell'Arma dei carabinieri, di cui all'articolo 170 del codice di cui al decreto legislativo n. 66 del 2010, e posti in posizione di comando, con oneri rientranti nei costi di funzionamento di cui al comma 5 del presente articolo. La struttura di supporto cessa al rinnovo della Commissione" (*****).

[3. Al fine di assicurare il necessario supporto tecnico e giuridico, la Commissione si avvale di un Comitato tecnico istruttorio posto alle dipendenze funzionali del Ministero dell'ambiente e della tutela del territorio e del mare, formato da trenta unità di personale pubblico con almeno cinque anni di anzianità di servizio nella pubblica amministrazione ed esperienza professionale e competenze adeguate ai profili individuati, e collocato in posizione di comando, distacco, fuori ruolo o analoga posizione prevista dall'ordinamento di appartenenza, ai sensi dell'articolo 17, comma 14, della legge 15 maggio 1997, n. 127. All'atto del collocamento in fuori ruolo è reso indisponibile per tutta la durata dello stesso un numero di posti nella dotazione organica dell'amministrazione di provenienza equivalente dal punto di vista finanziario. I componenti del Comitato sono nominati dal Ministro dell'ambiente e della tutela del territorio e del mare, e individuati tra gli appartenenti ad Amministrazioni pubbliche, al Sistema nazionale a rete per la protezione dell'ambiente, all'ENEA, ad altri Enti di ricerca, nonché, per lo svolgimento delle attività istruttorie in materia di impatto sanitario, sino a sei unità designate dal Ministro della salute. I componenti del Comitato restano in carica cinque anni e sono rinominabili per una sola volta].

4. Con uno o più decreti del Ministro dell'ambiente e della tutela del territorio e del mare, sentiti il Ministro dell'economia e delle finanze e il Ministro della salute, sono stabilite per i profili di rispettiva competenza l'articolazione, l'organizzazione, le modalità di funzionamento e la disciplina delle situazioni di inconferibilità, incompatibilità e conflitto di interessi anche potenziale della Commissione e della Commissione tecnica PNIEC [e del Comitato tecnico istruttorio].

5. A decorrere dall'anno 2017, con decreto annuale del Ministro dell'ambiente e della tutela del territorio e del mare, di concerto con il Ministro dell'economia e delle finanze, sono definiti i costi di funzionamento della Commissione tecnica di verifica dell'impatto ambientale e della Commissione tecnica PNRR-PNIEC [e del Comitato tecnico istruttorio], comprensivi dei compensi per i relativi componenti, in misura complessivamente non superiore all'ammontare delle tariffe di cui all'articolo 33 del presente decreto, versate all'entrata del bilancio dello Stato nell'anno precedente, senza che ne derivino nuovi o maggiori oneri per la finanza pubblica. I compensi sono stabiliti proporzionalmente alle responsabilità di ciascun membro della Commissione e Commissione tecnica PNRR-PNIEC [e del Comitato], esclusivamente in ragione dei compiti istruttori effettivamente svolti e solo a seguito dell'adozione del provvedimento finale, fermo restando che gli oneri relativi al trattamento economico fondamentale del personale di cui al comma 2-*bis* restano in carico all'amministrazione di appartenenza. Per i componenti della Commissione tecnica PNRR-PNIEC si applicano i compensi previsti per i membri della Commissione tecnica di verifica dell'impatto ambientale, nelle more dell'adozione del nuovo decreto ai sensi del presente comma.

6. Resta in ogni caso fermo, per i commissari, quanto stabilito dall'articolo 6-*bis* della legge 7 agosto 1990, n. 241, e dal decreto legislativo 8 aprile 2013, n. 39. In caso di accertata violazione delle prescrizioni del decreto legislativo n. 39 del 2013, fermo restando ogni altro profilo di responsabilità, il componente responsabile decade dall'incarico con effetto dalla data dell'accertamento. Per gli iscritti agli ordini professionali la violazione viene segnalata dall'autorità competente.

7. Nel caso di progetti per i quali la VIA spetta alle Regioni e alle Province Autonome, queste ultime assicurano che l'autorità competente disponga di adeguate competenze tecnico-scientifiche o, se necessario, si avvalga di adeguate figure di comprovata professionalità, competenza ed esperienza per l'attuazione delle norme di cui ai Titoli II e III della presente parte.

(*) *Periodo aggiunto dall'art. 36, comma 01, lett.* a), *d.l. 1° marzo 2022, n. 17, conv., con modif., in l. 27 aprile 2022, n. 34.*

(**) *Le parole* « ottavo periodo » *sono state sostituite alle parole* « settimo periodo », *e le parole* « , salvo che il tempo pieno non sia previsto nei singoli decreti di cui al medesimo quinto periodo » *sono state aggiunte dall'art. 36, comma 01, lett.* b), *d.l. n. 17, cit.*

(***) *Periodo inserito dall'art. 36, comma 01, lett.* b), *d.l. n. 17, cit.*

(****) *Le parole* « senza diritto di voto » *sono state sostituite alle parole* « con diritto di voto » *dall'art. 10, comma 1, lett.* a), *d.l. 17 maggio 2022, n. 50, in corso di conversione in legge.*

(*****) *Comma così sostituito dall'art. 36, comma 01, lett.* c), *d.l. n. 17, cit. Il testo del comma era il seguente:* « 2-*octies*. Allo scopo di consentire l'incremento di operatività delle Commissioni di cui ai commi 1 e 2-*bis*, le stesse possono avvalersi di un contingente massimo di quattro unità di personale del Comando unità forestali, ambientali e agroalimentari dell'Arma dei carabinieri, che il Comando medesimo provvede a individuare e distaccare entro dieci giorni dalla richiesta del Ministero della transizione ecologica ».

24 Consultazione del pubblico, acquisizione dei pareri e consultazioni transfrontaliere.

1. Della presentazione dell'istanza, della pubblicazione della documentazione, nonché delle comunicazioni di cui all'articolo 23 deve essere dato contestualmente specifico avviso al pubblico sul sito web dell'autorità competente. Tale forma di pubblicità tiene luogo delle comunicazioni di cui agli articoli 7 e 8, commi 3 e 4, della legge 7 agosto 1990, n. 241. Dalla data di pubblicazione sul sito web dell'avviso al pubblico decorrono i termini per la consultazione, la valutazione e l'adozione del provvedimento di VIA.

2. L'avviso al pubblico, predisposto dal proponente, è pubblicato a cura dell'autorità competente ai sensi e per gli effetti di cui al comma 1, e ne è data comunque informazione nell'albo pretorio informatico delle amministrazioni comunali territorialmente interessate. L'avviso al pubblico deve indicare almeno:

a) il proponente, la denominazione del progetto e la tipologia di procedura autorizzativa necessaria ai fini della realizzazione del progetto;

b) l'avvenuta presentazione dell'istanza di VIA e l'eventuale applicazione delle disposizioni di cui all'articolo 32;

c) la localizzazione e una breve descrizione del progetto e dei suoi possibili principali impatti ambientali;

d) l'indirizzo web e le modalità per la consultazione della documentazione e degli atti predisposti dal proponente nella loro interezza;

e) i termini e le specifiche modalità per la partecipazione del pubblico;

f) l'eventuale necessità della valutazione di incidenza a norma dell'articolo 10, comma 3.

3. Entro il termine di sessanta giorni, ovvero trenta giorni per i progetti di cui all'articolo 8, comma 2-*bis*, dalla pubblicazione dell'avviso al pubblico di cui al comma 2, chiunque abbia interesse può prendere visione, sul sito web, del progetto e della relativa documentazione e presentare le proprie osservazioni all'autorità competente, anche fornendo nuovi o ulteriori elementi conoscitivi e valutativi. Entro il medesimo termine sono acquisiti per via telematica i pareri delle Amministrazioni e degli enti pubblici che hanno ricevuto la comunicazione di cui all'articolo 23, comma 4. Entro i quindici giorni successivi alla scadenza del termine di cui ai periodi precedenti, il proponente ha facoltà di presentare all'autorità competente le proprie controdeduzioni alle osservazioni e ai pareri pervenuti.

4. Qualora all'esito della consultazione ovvero della presentazione delle controdeduzioni da parte del proponente si renda necessaria la modifica o l'integrazione degli elaborati progettuali o della documentazione acquisita, **la Commissione di cui all'articolo 8, comma 1, ovvero la Commissione di cui all'articolo 8, comma 2-*bis*,** (*), entro i venti giorni successivi, ovvero entro i dieci giorni successivi per i progetti di cui all'articolo 8, comma 2-*bis*, può, per una sola volta, stabilire un termine non superiore ad ulteriori venti giorni, per la trasmissione, in formato elettronico, degli elaborati progettuali o della documentazione modificati o integrati. Su richiesta motivata del proponente **la Commissione di cui all'articolo 8, comma 1, ovvero la Commissione di cui all'articolo 8, comma 2-*bis*,** (*) può concedere, per una sola volta, la sospensione dei termini per la presentazione della documentazione integrativa per un periodo non superiore a sessanta giorni ovvero a centoventi giorni nei casi di integrazioni che richiedono maggiori approfondimenti su motivata richiesta del proponente in ragione della particolare complessità tecnica del progetto o delle indagini richieste. Nel caso in cui il proponente non ottemperi alla richiesta entro il termine perentorio stabilito, l'istanza si intende respinta ed è fatto obbligo **alla Commissione di cui all'articolo 8, comma 1, ovvero alla Commissione di cui all'articolo 8, comma 2-*bis*,** (*) di procedere all'archiviazione.

5. L'autorità competente, ricevuta la documentazione integrativa, la pubblica immediatamente sul proprio sito web e, tramite proprio apposito avviso, avvia una nuova consultazione del pubblico. In relazione alle sole modifiche o integrazioni apportate agli elaborati progettuali e alla documentazione si applica il termine di trenta giorni per la presentazione delle osservazioni e la trasmissione dei pareri delle Amministrazioni e degli enti pubblici che hanno ricevuto la comunicazione di cui all'articolo 23, comma 4 ovvero quindici giorni per i progetti di cui all'articolo 8, comma 2-*bis*. Entro i dieci giorni successivi il proponente ha facoltà di presentare all'autorità competente le proprie controdeduzioni alle osservazioni e ai pareri pervenuti.

6. Nel caso di progetti cui si applica la disciplina di cui all'articolo 32, i termini per le consultazioni e l'acquisizione di tutti pareri di cui al presente articolo decorrono dalla comunicazione della dichiarazione di interesse alla partecipazione alla procedura da parte degli Stati consultati e coincidono con quelli previsti dal medesimo articolo 32.

7. Tutta la documentazione afferente al procedimento, nonché i risultati delle consultazioni svolte, qualsiasi informazione raccolta, le osservazioni e i pareri comunque espressi, compresi quelli di cui agli articoli 20 e 32, sono tempestivamente resi disponibili al pubblico interessato mediante pubblicazione, a cura dell'autorità competente, sul proprio sito internet istituzionale.

(*) *Le parole* « la Commissione di cui all'articolo 8, comma 1, ovvero la Commissione di cui all'articolo 8, comma 2-*bis*, » *sono state sostituite alle parole* « l'autorità competente », *e le parole* « alla Commissione di cui all'articolo 8, comma 1, ovvero alla Commissione di cui all'articolo 8, comma 2-*bis*, » *sono state sostituite alle parole* « all'autorità competente » *dall'art. 36, comma 1-*bis, *d.l. 1° marzo 2022, n. 17, conv., con modif., in l. 27 aprile 2022, n. 34.*

25 Valutazione degli impatti ambientali e provvedimento di VIA.

1. L'autorità competente valuta la documentazione acquisita tenendo debitamente conto dello studio di impatto ambientale, delle eventuali informazioni supplementari fornite dal proponente, nonché dai risultati delle consultazioni svolte, delle informazioni raccolte e delle osservazioni e dei pareri ricevuti a norma degli articoli 24 e 32. Qualora tali pareri non siano resi nei termini ivi previsti ovvero esprimano valutazioni negative o elementi di dissenso sul progetto, l'autorità competente procede comunque alla valutazione a norma del presente articolo.

2. Nel caso di progetti di competenza statale, ad esclusione di quelli di cui all'articolo 8, comma 2-*bis*, l'autorità competente, entro il termine di sessanta giorni dalla conclusione della fase di consultazione di cui all'articolo 24, adotta il provvedimento di VIA previa acquisizione del concerto del competente direttore generale del Ministero della cultura entro il termine di trenta giorni. Nei casi di cui al precedente periodo, qualora sia necessario procedere ad accertamenti e indagini di particolare complessità, l'autorità compe-

tente, con atto motivato, dispone il prolungamento della fase di valutazione sino a un massimo di ulteriori trenta giorni, dando tempestivamente comunicazione per via telematica al proponente delle ragioni che giustificano la proroga e del termine entro cui sarà emanato il provvedimento. Nel caso di consultazioni transfrontaliere l'adozione del provvedimento di VIA è proposta al Ministro entro il termine di cui all'articolo 32, comma 5-*bis*.

2-*bis*. Per i progetti di cui all'articolo 8, comma 2-*bis*, la Commissione di cui al medesimo comma 2-*bis* si esprime entro il termine di trenta giorni dalla conclusione della fase di consultazione di cui all'articolo 24 e comunque entro il termine di centotrenta giorni dalla data di pubblicazione della documentazione di cui all'articolo 23 predisponendo lo schema di provvedimento di VIA. Nei successivi trenta giorni, il direttore generale del Ministero della transizione ecologica adotta il provvedimento di VIA, previa acquisizione del concerto del competente direttore generale del Ministero della cultura entro il termine di venti giorni. Nel caso di consultazioni transfrontaliere il provvedimento di VIA è adottato entro il termine di cui all'articolo 32, comma 5-*bis*.

2-*ter*. Nei casi in cui i termini per la conclusione del procedimento di cui al comma 2-*bis*, primo e secondo periodo, non siano rispettati è [automaticamente] rimborsato al proponente il cinquanta per cento dei diritti di istruttoria di cui all'articolo 33, mediante utilizzazione delle risorse iscritte in apposito capitolo a tal fine istituito nello stato di previsione del Ministero della transizione ecologica con uno stanziamento di euro 840.000 per l'anno 2021, di euro 1.640.000 per l'anno 2022 ed euro 1.260.000 per l'anno 2023. In sede di prima applicazione, i termini indicati al primo periodo del presente comma ai fini dell'eventuale rimborso al proponente del 50 per cento dei diritti di istruttoria decorrono dalla data della prima riunione della Commissione di cui all'articolo 8, comma 2-*bis*.

2-*quater*. In caso di inerzia nella conclusione del procedimento da parte delle Commissioni di cui all'articolo 8, commi 1 e 2-*bis*, il titolare del potere sostitutivo, nominato ai sensi dell'articolo 2 della legge 7 agosto 1990, n. 241, acquisito, qualora la competente commissione di cui all'articolo 8 non si sia pronunciata, il parere dell'ISPRA entro il termine di trenta giorni, provvede all'adozione dell'atto omesso entro i successivi trenta giorni. In caso di inerzia nella conclusione del procedimento da parte del direttore generale del Ministero della transizione ecologica ovvero in caso di ritardo nel rilascio del concerto da parte del direttore generale competente del Ministero della cultura, il titolare del potere sostitutivo, nominato ai sensi dell'articolo 2 della legge n. 241 del 1990, provvede al rilascio degli atti di relativa competenza entro i successivi trenta giorni.

2-*quinquies*. Il concerto del competente direttore generale del Ministero della cultura comprende l'autorizzazione di cui all'articolo 146 del decreto legislativo 22 gennaio 2004, n. 42, ove gli elaborati progettuali siano sviluppati a un livello che consenta la compiuta redazione della relazione paesaggistica.

3. Il provvedimento di VIA contiene le motivazioni e le considerazioni su cui si fonda la decisione dell'autorità competente, incluse le informazioni relative al processo di partecipazione del pubblico, la sintesi dei risultati delle consultazioni e delle informazioni raccolte ai sensi degli articoli 23, 24 e 24-*bis*, e, ove applicabile, ai sensi dell'articolo 32, nonché l'indicazione di come tali risultati siano stati integrati o altrimenti presi in considerazione.

4. Il provvedimento di VIA contiene altresì le eventuali e motivate condizioni ambientali che definiscono:

a) le condizioni per la realizzazione, l'esercizio e la dismissione del progetto, nonché quelle relative ad eventuali malfunzionamenti;

a-bis) le linee di indirizzo da seguire nelle successive fasi di sviluppo progettuale delle opere per garantire l'applicazione di criteri ambientali atti a contenere e limitare gli impatti ambientali significativi e negativi o incrementare le prestazioni ambientali del progetto;

b) le misure previste per evitare, prevenire, ridurre e, se possibile, compensare gli impatti ambientali significativi e negativi;

c) le misure per il monitoraggio degli impatti ambientali significativi e negativi, anche tenendo conto dei contenuti del progetto di monitoraggio ambientale predisposto dal proponente ai sensi dell'articolo 22, comma 3, lettera *e*). La tipologia dei parametri da monitorare e la durata del monitoraggio sono proporzionati alla natura, all'ubicazione, alle dimensioni del progetto ed alla significatività dei suoi effetti sull'ambiente. Al fine di evitare una duplicazione del monitoraggio, è possibile ricorrere, se del caso, a meccanismi di controllo esistenti derivanti dall'attuazione di altre pertinenti normative europee, nazionali o regionali.

5. Il provvedimento di VIA è immediatamente pubblicato sul sito web dell'autorità competente e ha l'efficacia temporale, comunque non inferiore a cinque anni, definita nel provvedimento stesso, tenuto conto dei tempi previsti per la realizzazione del progetto, dei procedimenti autorizzatori necessari, nonché dell'eventuale proposta formulata dal proponente e inserita nella documentazione a corredo dell'istanza di VIA. Decorsa l'efficacia temporale indicata nel provvedimento di VIA senza che il progetto sia stato realizzato, il procedimento di VIA deve essere reiterato, fatta salva la concessione, su istanza del proponente, di specifica proroga da parte dell'autorità competente. **Fatto salvo il caso di mutamento del contesto ambientale di riferimento, il provvedimento con cui è disposta la proroga ai sensi del secondo periodo non contiene prescrizioni diverse e ulteriori rispetto a quelle già previste nel provvedimento di VIA originario** (*).

6. Nel caso di consultazioni transfrontaliere, l'autorità competente informa l'altro Stato e il Ministero degli affari esteri e della cooperazione internazionale dell'avvenuta pubblicazione del provvedimento di VIA sul sito web.

7. Tutti i termini del procedimento di VIA si considerano perentori ai sensi e per gli effetti di cui agli articoli 2, commi da 9 a 9-*quater*, e 2-*bis*, della legge 7 agosto 1990, n. 241.

(*) *Periodo aggiunto dall'art. 10, comma 1, lett.* c), *d.l. 17 maggio 2022, n. 50, in corso di conversione in legge.*

27-*bis* Provvedimento autorizzatorio unico regionale (*).

1. Nel caso di procedimenti di VIA di competenza regionale il proponente presenta all'autorità competente un'istanza ai sensi dell'articolo 23, comma 1, allegando la documentazione e gli elaborati progettuali previsti dalle normative di settore per consentire la compiuta istruttoria tecnico-amministrativa finalizzata al rilascio di tutte le autorizzazioni, intese, concessioni, licenze, pareri, concerti, nulla osta e assensi comunque denominati, necessari alla realizzazione e all'esercizio del medesimo progetto e indicati puntualmente in apposito elenco predisposto dal proponente stesso. L'avviso al pubblico di cui all'articolo 24, comma 2, reca altresì specifica indicazione di ogni autorizzazione, intesa, parere, concerto, nulla osta, o atti di assenso richiesti.

2. Entro dieci giorni dalla presentazione dell'istanza l'autorità competente verifica l'avvenuto pagamento del contributo dovuto ai sensi dell'articolo 33, nonché l'eventuale ricorrere della fattispecie di cui all'articolo 32, comma 1, e comunica per via telematica a tutte le amministrazioni ed enti potenzialmente interessati, e comunque competenti ad esprimersi sulla realizzazione e sull'esercizio del progetto, l'avvenuta pubblicazione della documentazione nel proprio sito web con modalità tali da garantire la tutela della riservatezza di eventuali informazioni industriali o commerciali indicate dal proponente, in conformità a quanto previsto dalla disciplina sull'accesso del pubblico all'informazione ambientale. In caso di progetti che possono avere impatti rilevanti sull'ambiente di un altro Stato, la pubblicazione è notificata al medesimo con le modalità di cui all'articolo 32.

3. Entro trenta giorni dalla pubblicazione della documentazione nel sito web dell'autorità competente, quest'ultima, nonché le amministrazioni e gli enti di cui al comma 2, per i profili di rispettiva competenza, verificano [l'adeguatezza e] la completezza della documentazione, assegnando al proponente un termine perentorio non superiore a trenta giorni per le eventuali integrazioni. Nei casi in cui sia richiesta anche la variante urbanistica di cui all'articolo 8 del decreto del Presidente della Repubblica 7 settembre 2010, n. 160, nel termine di cui al primo periodo l'amministrazione competente effettua la verifica del rispetto dei requisiti per la procedibilità.

4. Successivamente alla verifica della completezza documentale, ovvero, in caso di richieste di integrazioni, dalla data di ricevimento delle stesse, l'autorità competente pubblica l'avviso di cui all'articolo 23, comma 1, lettera *e*), di cui è data comunque informazione nell'albo pretorio informatico delle amministrazioni comunali territorialmente interessate. Tale forma di pubblicità tiene luogo delle comunicazioni di cui agli articoli 7 e 8, commi 3 e 4, della legge 7 agosto 1990, n. 241. Dalla data della pubblicazione del suddetto avviso, e per la durata di trenta giorni, il pubblico interessato può presentare osservazioni [concernenti la valutazione di impatto ambientale e, ove necessarie, la valutazione di incidenza e l'autorizzazione integrata ambientale]. Ove il progetto comporti la variazione dello strumento urbanistico, le osservazioni del pubblico interessato riguardano anche tale variazione e, ove necessario, la valutazione ambientale strategica.

5. Entro i successivi trenta giorni l'autorità competente può chiedere al proponente eventuali integrazioni, anche concernenti i titoli abilitativi compresi nel provvedimento autorizzatorio unico, come indicate dagli enti e amministrazioni competenti al loro rilascio, assegnando un termine non superiore a trenta giorni. Su richiesta motivata del proponente l'autorità competente può concedere, per una sola volta, la sospensione dei termini per la presentazione della documentazione integrativa per un periodo non superiore a centottanta giorni. Qualora entro il termine stabilito il proponente non depositi la documentazione integrativa, l'istanza si intende ritirata ed è fatto obbligo all'autorità competente di procedere all'archiviazione. L'autorità competente, ricevuta la documentazione integrativa, la pubblica sul proprio sito web e, tramite proprio apposito avviso, avvia una nuova consultazione del pubblico la cui durata è ridotta della metà rispetto a quella di cui al comma 4.

6. L'autorità competente può disporre che la consultazione del pubblico si svolga ai sensi dell'articolo 24-*bis*, comma 1, con le forme e le modalità disciplinate dalle regioni e dalle province autonome ai sensi dell'articolo 7-*bis*, comma 8.

7. Fatto salvo il rispetto dei termini previsti dall'articolo 32 per il caso di consultazioni transfrontaliere, entro dieci giorni dalla scadenza del termine per richiedere integrazioni di cui al comma 5 ovvero dalla data di ricevimento delle eventuali integrazioni documentali, l'autorità competente convoca una conferenza di servizi alla quale partecipano il proponente e tutte le Amministrazioni competenti o comunque potenzialmente interessate per il rilascio del provvedimento di VIA e dei titoli abilitativi necessari alla realizzazione e all'esercizio del progetto richiesti dal proponente. La conferenza di servizi è convocata in modalità sincrona e si svolge ai sensi dell'articolo 14-*ter* della legge 7 agosto 1990, n. 241. Il termine di conclusione della conferenza di servizi è di novanta giorni decorrenti dalla data della prima riunione. La determinazione motivata di conclusione della conferenza di servizi costituisce il provvedimento autorizzatorio unico regionale e comprende, recandone l'indicazione esplicita, il provvedimento di VIA e i titoli abilitativi rilasciati per la realizzazione e l'esercizio del progetto. Nel caso in cui il rilascio di titoli abilitativi settoriali sia compreso nell'ambito di un'autorizzazione unica, le amministrazioni competenti per i singoli atti di assenso partecipano alla conferenza e l'autorizzazione unica confluisce nel provvedimento autorizzatorio unico regionale.

7-*bis*. Qualora in base alla normativa di settore per il rilascio di uno o più titoli abilitativi sia richiesto un livello progettuale esecutivo, oppure laddove la messa in esercizio dell'impianto o l'avvio dell'attività necessiti di verifiche, riesami o nulla osta successivi alla realizzazione dell'opera stessa, la amministrazione competente indica in conferenza le condizioni da verificare, secondo un cronoprogramma stabilito nella conferenza stessa, per il rilascio del titolo definitivo. Le condizioni indicate dalla conferenza possono essere motivatamente modificate o integrate solo in presenza di significativi elementi emersi nel corso del successivo procedimento per il rilascio del titolo definitivo.

7-*ter*. Laddove uno o più titoli compresi nella determinazione motivata di conclusione della conferenza di cui al comma 7 attribuiscano carattere di pubblica utilità, indifferibilità e urgenza, costituiscano variante agli strumenti urbanistici e vincolo preordinato all'esproprio, la determinazione conclusiva della conferenza ne dà atto.

8. Tutti i termini del procedimento si considerano perentori ai sensi e per gli effetti di cui agli articoli 2, commi da 9 a 9-*quater*, e 2-*bis* della legge 7 agosto 1990, n. 241.

9. Le condizioni e le misure supplementari relative all'autorizzazione integrata ambientale e contenute nel provvedimento autorizzatorio unico regionale, sono rinnovate e riesaminate, controllate e sanzionate con le modalità di cui agli articoli 29-*octies*, 29-*decies* e 29-*quattuordecies*. Le condizioni e le misure supplementari relative agli altri titoli abilitativi di cui al comma 7, sono rinnovate e riesaminate, controllate e sanzionate con le modalità previste dalle relative disposizioni di settore da parte delle amministrazioni competenti per materia.

(*) *Ai sensi dell'art. 33, comma 4, d.l. 30 aprile 2022, n. 36, in corso di conversione in legge, « ogni eventuale procedimento di valutazione di impatto ambientale o della verifica di assoggettabilità da svolgersi sul progetto di fattibilità tecnico-economica, ivi inclusi quelli che riguardano le opere connesse e le infrastrutture indispensabili, è di competenza della regione ». A tal fine, tutti i termini previsti dai commi da 1 a 5 del presente articolo sono dimezzati.*

250 Bonifica da parte dell'amministrazione.

1. Qualora i soggetti responsabili della contaminazione non provvedano direttamente agli adempimenti disposti dal presente titolo ovvero non siano individuabili e non provvedano né il proprietario del sito né altri soggetti interessati, le procedure e gli interventi di cui all'articolo 242 sono realizzati d'ufficio dal comune territorialmente competente e, ove questo non provveda, dalla regione, secondo l'ordine di priorità fissati dal piano regionale per la bonifica delle aree inquinate, avvalendosi anche di altri soggetti pubblici o privati, individuati ad esito di apposite procedure ad evidenza pubblica entro il termine di novanta giorni dalla mancata individuazione del soggetto responsabile della contaminazione o dall'accertato inadempimento da parte dello stesso. Al fine di anticipare le somme per i predetti interventi le regioni possono istituire appositi fondi nell'ambito delle proprie disponibilità di bilancio.

1-*bis*. Per favorire l'accelerazione degli interventi per la messa in sicurezza, bonifica e ripristino ambientale **e di tutela del territorio e delle acque, le Autorità di bacino distrettuali** (*), le regioni, le province autonome e gli enti locali individuati quali soggetti beneficiari e/o attuatori, previa stipula di appositi accordi sottoscritti con il Ministero della transizione ecologica ai sensi dell'articolo 15 della legge 7 agosto 1990, n. 241, possono avvalersi, con le risorse umane, strumentali e finanziarie disponibili a legislazione vigente sui propri bilanci e senza nuovi o maggiori oneri a carico della finanza pubblica, attraverso la stipula di apposte convenzioni, delle società in house del medesimo Ministero.

(*) *Le parole* « e di tutela del territorio e delle acque, le Autorità di bacino distrettuali » *sono state inserite dell'art. 23, comma 5, lett.* b), *d.l. 30 aprile 2022, n. 36, in corso di conversione in legge.*

19. Decreto legge 5 gennaio 2015, n. 1, convertito, con modificazioni, in legge 4 marzo 2015, n. 20. — Disposizioni urgenti per l'esercizio di imprese di interesse strategico nazionale in crisi e per lo sviluppo della città e dell'area di Taranto.

Pubblicato nella Gazzetta Ufficiale del 5 gennaio 2015, n. 3; la legge di conversione è stata pubblicata nella Gazzetta Ufficiale del 5 marzo 2015, n. 53.

3 Disposizioni finanziarie.

1. Nell'ambito della procedura di amministrazione straordinaria di cui al decreto-legge n. 347, l'organo commissariale di ILVA S.p.A. è autorizzato a richiedere il trasferimento delle somme sequestrate, subentrando nel procedimento già promosso ai sensi dell'articolo 1, comma 11-*quinquies*, del decreto-legge n. 61, nel testo vigente prima della data di entrata in vigore del presente decreto. A seguito dell'apertura della procedura di amministrazione straordinaria, l'organo commissariale è autorizzato a richiedere che l'autorità giudiziaria procedente disponga l'impiego delle somme sequestrate, in luogo dell'aumento di capitale, per la sottoscrizione di obbligazioni emesse dalla società in amministrazione straordinaria. Il credito derivante dalla sottoscrizione delle obbligazioni è prededucibile ai sensi dell'articolo 111 del regio decreto 16 marzo 1942, n. 267, e successive modificazioni, ma subordinato alla soddisfazione, nell'ordine, dei crediti prededucibili di tutti gli altri creditori della procedura di amministrazione straordinaria nonché dei creditori privilegiati ai sensi dell'articolo 2751-*bis*, numero 1), del codice civile. L'emissione è autorizzata ai sensi dell'articolo 2412, sesto comma, del codice civile. Le obbligazioni sono emesse a un tasso di rendimento parametrato a quello mediamente praticato sui rapporti intestati al Fondo unico giustizia ai sensi dell'articolo 2 del decreto-legge 16 settembre 2008, n. 143, convertito, con modificazioni, dalla legge 13 novembre 2008, n.

181. Il sequestro penale sulle somme si converte in sequestro delle obbligazioni. Le obbligazioni di nuova emissione sono nominative e devono essere intestate al Fondo unico giustizia e, per esso, ad Equitalia Giustizia S.p.A. quale gestore ex lege del predetto Fondo. Il versamento delle somme sequestrate avviene al momento della sottoscrizione delle obbligazioni, in misura pari all'ammontare di queste ultime. Le attività poste in essere da Equitalia Giustizia S.p.A. devono svolgersi, ai sensi dell'articolo 1, comma 11-*quinquies*, del decreto-legge n. 61, sulla base delle indicazioni fornite dall'autorità giudiziaria procedente. **Le somme rivenienti dalla sottoscrizione delle obbligazioni sono versate in un patrimonio dell'emittente destinato all'attuazione e alla realizzazione del piano delle misure e delle attività di tutela ambientale e sanitaria dell'impresa in amministrazione straordinaria, previa restituzione dei finanziamenti statali di cui all'articolo 1, comma 6-*bis*, del decreto-legge 4 dicembre 2015, n. 191, convertito, con modificazioni, dalla legge 1° febbraio 2016, n. 13, per la parte eventualmente erogata, e, nei limiti delle disponibilità residue, a interventi volti alla tutela della sicurezza e della salute, di ripristino e di bonifica ambientale secondo le modalità previste dall'ordinamento vigente, nonché per un ammontare determinato, nel limite massimo di 150 milioni di euro, con decreto del Ministro dello sviluppo economico e del Ministro della transizione ecologica, da adottare di concerto con il Ministro dell'economia e delle finanze, sentito il Presidente della regione Puglia, a progetti di decarbonizzazione del ciclo produttivo dell'acciaio presso lo stabilimento siderurgico di Taranto, proposti anche dal gestore dello stabilimento stesso ed attuati dall'organo commissariale di ILVA S.p.A., che può avvalersi di organismi in house dello Stato** (*). **Restano comunque impregiudicate le intese già sottoscritte fra il gestore e l'organo commissariale di ILVA S.p.A alla data di entrata in vigore della presente disposizione** (*). **Le modalità di valutazione, approvazione e attuazione dei progetti di decarbonizzazione da parte dell'organo commissariale di ILVA S.p.A. sono individuate con il decreto di cui al decimo periodo** (*).

1-*bis*. All'articolo 1, comma 11-*quinquies*, del decreto-legge n. 61, al primo periodo, le parole: ", non oltre l'anno 2014" sono soppresse e le parole: "il giudice" sono sostituite dalle seguenti: "l'autorità giudiziaria" e, all'ultimo periodo, la parola: "giurisdizionale" è sostituita dalla seguente: "giudiziaria".

1-*ter*. L'organo commissariale di ILVA S.p.A, al fine della realizzazione degli investimenti necessari al risanamento ambientale, nonché di quelli destinati ad interventi a favore di ricerca, sviluppo e innovazione, formazione e occupazione, nel rispetto della normativa dell'Unione europea in materia, è autorizzato a contrarre finanziamenti per un ammontare complessivo fino a 400 milioni di euro, assistiti dalla garanzia dello Stato. Il predetto finanziamento è rimborsato dall'organo commissariale in prededuzione rispetto agli altri debiti, ai sensi dell'articolo 111, primo comma, numero 1), del regio decreto 16 marzo 1942, n. 267, e successive modificazioni. La garanzia dello Stato è a prima richiesta, esplicita, incondizionata e irrevocabile. È istituito nello stato di previsione del Ministero dell'economia e delle finanze un fondo a copertura delle garanzie dello Stato concesse ai sensi della presente disposizione, con una dotazione iniziale di 150 milioni di euro per l'anno 2015 e di 50 milioni di euro per l'anno 2016. È autorizzata, allo scopo, l'istituzione di un'apposita contabilità speciale su cui confluiscono le predette risorse. Al relativo onere, pari a 150 milioni di euro per l'anno 2015 e a 50 milioni di euro per l'anno 2016, si provvede mediante corrispondente utilizzo delle disponibilità in conto residui, iscritte in bilancio rispettivamente negli anni 2015 e 2016, relative all'autorizzazione di spesa di cui all'articolo 37, comma 6, del decreto-legge 24 aprile 2014, n. 66, convertito, con modificazioni, dalla legge 23 giugno 2014, n. 89, e successive modificazioni. Il Ministro dell'economia e delle finanze è autorizzato ad apportare, con propri decreti, anche in conto residui, le occorrenti variazioni di bilancio.

2. Ai fini dell'attuazione delle prescrizioni di cui al D.P.C.M. 14 marzo 2014, il Commissario straordinario dell'amministrazione straordinaria [, oltre alla titolarità della o delle contabilità speciali di cui all'articolo 1, comma 11-*quinqiues*, del decreto legge n. 61, come modificato dal comma 1,] è titolare di contabilità speciali, aperte presso la tesoreria statale, in cui confluiscono:

a) le risorse assegnate dal CIPE con propria delibera, previa presentazione di un progetto di lavori, a valere sul Fondo di sviluppo e coesione di cui al decreto legislativo 31 maggio 2011, n. 88, nel limite delle risorse annualmente disponibili e garantendo comunque la neutralità dei saldi di finanza pubblica;

b) altre eventuali risorse a qualsiasi titolo destinate o da destinare agli interventi di risanamento ambientale.

3. Il Commissario straordinario rendiconta, secondo la normativa vigente, l'utilizzo delle risorse di tutte le contabilità speciali aperte e ne fornisce periodica informativa al Ministero dell'ambiente e della tutela del territorio e del mare, al Ministero dello sviluppo economico e alle autorità giudiziarie interessate nonché, con una relazione semestrale, alle Camere.

4. Resta fermo il diritto di rivalsa da parte dello Stato nei confronti dei responsabili del danno ambientale.

5. Allo scopo di definire tempestivamente le pendenze tuttora aperte, il commissario straordinario, entro sessanta giorni dall'entrata in vigore del presente decreto, [previo parere dell'Avvocatura Generale dello Stato e del Ministero dell'ambiente e della tutela del territorio e del mare,] è autorizzato a sottoscrivere con FINTECNA S.p.A., in qualità di avente causa dell'IRI, un atto convenzionale di liquidazione dell'obbligazione contenuta nell'articolo 17.7 del contratto di cessione dell'ILVA Laminati Piani (oggi ILVA S.p.A.). La liquidazione è determinata nell'importo di 156.000.000 di euro, ha carattere definitivo, non è soggetta ad azione revocatoria e preclude ogni azione concernente il danno ambientale generatosi, relativamente agli stabilimenti produttivi ceduti dall'IRI in sede di privatizzazione della ILVA Laminati Piani (oggi ILVA S.p.A.), antecedentemente al 16 marzo 1995. Le somme rivenienti da detta operazione affluiscono nella contabilità ordinaria del Commissario straordinario.

5-*bis*. Ai fini della messa in sicurezza e gestione dei rifiuti radioattivi in deposito nell'area ex Cemerad ricadente nel comune di Statte, in provincia di Taranto, sono destinati fino a dieci milioni di euro a valere sulle risorse disponibili sulla contabilità speciale aperta ai sensi dell'articolo 1, comma 4, del decreto-legge 7 agosto 2012, n. 129, convertito dalla legge 4 ottobre 2012, n. 171.

5-*ter*. Qualora, per effetto dell'attuazione del comma 1, si determinino nuovi o maggiori oneri per la finanza pubblica, ai medesimi si fa fronte mediante una riduzione di pari importo delle risorse del Fondo per lo sviluppo e la coesione, per il periodo di programmazione 2014-2020, indicate all'articolo 1, comma 6, della legge 27 dicembre 2013, n. 147. A tal fine, il CIPE, con propria delibera, individua le risorse disponibili sulla programmazione 2014-2020, eventualmente riprogrammando le assegnazioni che non abbiano dato luogo a obblighi giuridicamente vincolanti.

(*) *I periodi decimo, undicesimo e dodicesimo del presente comma sono stati sostituiti all'originario decimo periodo dall'art. 10, comma 2, d.l. 21 marzo 2022, n. 21, conv., con modif., in l. 20 maggio 2022, n. 51. Il testo del decimo periodo era il seguente* « Le somme rivenienti dalla sottoscrizione delle obbligazioni sono versate in un patrimonio dell'emittente destinato in via esclusiva all'attuazione e alla realizzazione del piano delle misure e delle attività di tutela ambientale e sanitaria dell'impresa in amministrazione straordinaria, previa restituzione dei finanziamenti statali di cui all'articolo 1, comma 6-bis, del decreto-legge 4 dicembre 2015, n. 191, convertito, con modificazioni, dalla legge 1° febbraio 2016, n. 13, per la parte eventualmente erogata e, nei limiti delle disponibilità residue, a interventi volti alla tutela della sicurezza e della salute, nonchè di ripristino e di bonifica ambientale secondo le modalità previste dall'ordinamento vigente ».

SEZIONE QUARTA
GOVERNO DEL TERRITORIO ED ESPROPRIAZIONI

46. Decreto del Presidente della Repubblica 6 giugno 2001, n. 380. — Testo unico delle disposizioni legislative e regolamentari in materia edilizia (Testo A).

Pubblicato nella Gazzetta Ufficiale n. 245 del 20 ottobre 2001, S.O. n. 239.

3 (L) Definizioni degli interventi edilizi.
(Legge 5 agosto 1978, n. 457, art. 31).

1. Ai fini del presente testo unico si intendono per:

a) "interventi di manutenzione ordinaria", gli interventi edilizi che riguardano le opere di riparazione, rinnovamento e sostituzione delle finiture degli edifici e quelle necessarie ad integrare o mantenere in efficienza gli impianti tecnologici esistenti;

b) « interventi di manutenzione straordinaria », le opere e le modifiche necessarie per rinnovare e sostituire parti anche strutturali degli edifici, nonché per realizzare ed integrare i servizi igienico-sanitari e tecnologici, sempre che non alterino la volumetria complessiva degli edifici e non comportino mutamenti urbanisticamente rilevanti delle destinazioni d'uso implicanti incremento del carico urbanistico. Nell'ambito degli interventi di manutenzione straordinaria sono ricompresi anche quelli consistenti nel frazionamento o accorpamento delle unità immobiliari con esecuzione di opere anche se comportanti la variazione delle superfici delle singole unità immobiliari nonché del carico urbanistico purché non sia modificata la volumetria complessiva degli edifici e si mantenga l'originaria destinazione d'uso. Nell'ambito degli interventi di manutenzione straordinaria sono comprese anche le modifiche ai prospetti degli edifici legittimamente realizzati necessarie per mantenere o acquisire l'agibilità dell'edificio ovvero per l'accesso allo stesso, che non pregiudichino il decoro architettonico dell'edificio, purché l'intervento risulti conforme alla vigente disciplina urbanistica ed edilizia e non abbia ad oggetto immobili sottoposti a tutela ai sensi del Codice dei beni culturali e del paesaggio di cui al decreto legislativo 22 gennaio 2004, n. 42;

c) "interventi di restauro e di risanamento conservativo", gli interventi edilizi rivolti a conservare l'organismo edilizio e ad assicurarne la funzionalità mediante un insieme sistematico di opere che, nel rispetto degli elementi tipologici, formali e strutturali dell'organismo stesso, ne consentano anche il mutamento delle destinazioni d'uso purché con tali elementi compatibili, nonché conformi a quelle previste dallo strumento urbanistico generale e dai relativi piani attuativi. Tali interventi comprendono il consolidamento, il ripristino e il rinnovo degli elementi costitutivi dell'edificio, l'inserimento degli elementi accessori e degli impianti richiesti dalle esigenze dell'uso, l'eliminazione degli elementi estranei all'organismo edilizio;

d) "interventi di ristrutturazione edilizia", gli interventi rivolti a trasformare gli organismi edilizi mediante un insieme sistematico di opere che possono portare ad un organismo edilizio in tutto o in parte diverso dal precedente. Tali interventi comprendono il ripristino o la sostituzione di alcuni elementi costitutivi dell'edificio, l'eliminazione, la modifica e l'inserimento di nuovi elementi ed impianti. Nell'ambito degli interventi di ristrutturazione edilizia sono ricompresi altresì gli interventi di demolizione e ricostruzione di edifici esistenti con diversi sagoma, prospetti, sedime e caratteristiche planivolumetriche e tipologiche, con le innovazioni necessarie per l'adeguamento alla normativa antisismica, per l'applicazione della normativa sull'accessibilità, per l'istallazione di impianti tecnologici e per l'efficientamento energetico. L'intervento può prevedere altresì, nei soli casi espressamente previsti dalla legislazione vigente o dagli strumenti urbanistici comunali, incrementi di volumetria anche per promuovere interventi di rigenerazione urbana. Costituiscono inoltre ristrutturazione edilizia gli interventi volti al ripristino di edifici, o parti di essi, eventualmente crollati o demoliti, attraverso la loro ricostruzione, purché sia possibile accertarne la preesistente consistenza. Rimane fermo che, con riferimento agli immobili sottoposti a tutela ai sensi del codice dei beni culturali e del paesaggio, di cui al decreto legislativo 22 gennaio 2004, n. 42, **ad eccezione degli edifici situati in aree tutelate ai sensi dell'articolo 142 del medesimo codice,** (*) nonché, fatte salve le previsioni legislative e degli strumenti urbanistici, a quelli ubicati nelle zone omogenee A di cui al decreto del Ministro per i lavori pubblici 2 aprile 1968, n. 1444, o in zone a queste assimilabili in base alla normativa regionale e ai piani urbanistici comunali, nei centri e nuclei storici consolidati e negli ulteriori ambiti di particolare pregio storico e architettonico, gli interventi di demolizione e ricostruzione e gli interventi di ripristino di edifici crollati o demoliti costituiscono interventi di ristrutturazione edilizia soltanto ove siano mantenuti sagoma, prospetti, sedime e caratteristiche planivolumetriche e tipologiche dell'edificio preesistente e non siano previsti incrementi di volumetria;

e) "interventi di nuova costruzione", quelli di trasformazione edilizia e urbanistica del territorio non rientranti nelle categorie definite alle lettere precedenti. Sono comunque da considerarsi tali:

e.1) la costruzione di manufatti edilizi fuori terra o interrati, ovvero l'ampliamento di quelli esistenti all'esterno della sagoma esistente, fermo restando, per gli interventi pertinenziali, quanto previsto alla lettera e.6);

e.2) gli interventi di urbanizzazione primaria e secondaria realizzati da soggetti diversi dal comune;

e.3) la realizzazione di infrastrutture e di impianti, anche per pubblici servizi, che comporti la trasformazione in via permanente di suolo inedificato;

e.4) l'installazione di torri e tralicci per impianti radio-ricetrasmittenti e di ripetitori per i servizi di telecomunicazione;

e.5) l'installazione di manufatti leggeri, anche prefabbricati, e di strutture di qualsiasi genere, quali roulotte, camper, case mobili, imbarcazioni, che siano utilizzati come abitazioni, ambienti di lavoro, oppure come depositi, magazzini e simili, ad eccezione di quelli che siano diretti a soddisfare esigenze meramente temporanee o delle tende e delle unità abitative mobili con meccanismi di rotazione in funzione, e loro pertinenze e accessori, che siano collocate, anche in via continuativa, in strutture ricettive all'aperto per la sosta e il soggiorno dei turisti previamente autorizzate sotto il profilo urbanistico, edilizio e, ove previsto, paesaggistico, che non posseggano alcun collegamento di natura permanente al terreno e presentino le caratteristiche dimensionali e tecnico-costruttive previste dalle normative regionali di settore ove esistenti;

e.6) gli interventi pertinenziali che le norme tecniche degli strumenti urbanistici, in relazione alla zonizzazione e al pregio ambientale e paesaggistico delle aree, qualifichino come interventi di nuova costruzione, ovvero che comportino la realizzazione di un volume superiore al 20% del volume dell'edificio principale;

e.7) la realizzazione di depositi di merci o di materiali, la realizzazione di impianti per attività produttive all'aperto ove comportino l'esecuzione di lavori cui consegua la trasformazione permanente del suolo inedificato;

f) gli "interventi di ristrutturazione urbanistica", quelli rivolti a sostituire l'esistente tessuto urbanistico-edilizio con altro diverso, mediante un insieme sistematico di interventi edilizi, anche con la modificazione del disegno dei lotti, degli isolati e della rete stradale.

2. Le definizioni di cui al comma 1 prevalgono sulle disposizioni degli strumenti urbanistici generali e dei regolamenti edilizi. Resta ferma la definizione di restauro prevista dall'articolo 34 del decreto legislativo 29 ottobre 1999, n. 490.

(*) *Le parole* « ad eccezione degli edifici situati in aree tutelate ai sensi dell'articolo 142 del medesimo codice, » *sono state inserite dall'art. 28, comma 5-*bis*, lett.* a), *d.l. 1° marzo 2022, n. 17, conv., con modif., in l. 27 aprile 2022, n. 34.*

10 (L) Interventi subordinati a permesso di costruire.

(Legge n. 10 del 1977, art. 1; legge 28 febbraio 1985, n. 47, art. 25, comma 4).

1. Costituiscono interventi di trasformazione urbanistica ed edilizia del territorio e sono subordinati a permesso di costruire:

a) gli interventi di nuova costruzione;

b) gli interventi di ristrutturazione urbanistica;

c) gli interventi di ristrutturazione edilizia che portino ad un organismo edilizio in tutto o in parte diverso dal precedente, nei casi in cui comportino anche modifiche della volumetria complessiva degli edifici ovvero che, limitatamente agli immobili compresi nelle zone omogenee A, comportino mutamenti della destinazione d'uso, nonché gli interventi che comportino modificazioni della sagoma o della volumetria complessiva degli edifici o dei prospetti di immobili sottoposti a tutela ai sensi del Codice dei beni culturali e del paesaggio di cui al decreto legislativo 22 gennaio 2004, n. 42, **e, inoltre, gli interventi di ristrutturazione edilizia che comportino la demolizione e ricostruzione di edifici situati in aree tutelate ai sensi dell'articolo 142 del medesimo codice di cui al decreto legislativo 22 gennaio 2004, n. 42, o il ripristino di edifici, crollati o demoliti, situati nelle medesime aree, in entrambi i casi ove siano previste modifiche della sagoma o dei prospetti o del sedime o delle caratteristiche planivolumetriche e tipologiche dell'edificio preesistente oppure siano previsti incrementi di volumetria** (*).

2. Le regioni stabiliscono con legge quali mutamenti, connessi o non connessi a trasformazioni fisiche, dell'uso di immobili o di loro parti, sono subordinati a permesso di costruire o a segnalazione certificata di inizio attività.

3. Le regioni possono altresì individuare con legge ulteriori interventi che, in relazione all'incidenza sul territorio e sul carico urbanistico, sono sottoposti al preventivo rilascio del permesso di costruire. La viola-

zione delle disposizioni regionali emanate ai sensi del presente comma non comporta l'applicazione delle sanzioni di cui all'articolo 44.

(*) *Le parole da* « , e, inoltre, gli interventi » *a* « incrementi di volumetria » *sono state aggiunte dall'art. 28, comma 5-*bis, *lett.* b), *d.l.* 1° *marzo 2022, n. 17, conv., con modif., in l. 27 aprile 2022, n. 34.*

57. Decreto del Presidente della Repubblica 8 giugno 2001, n. 327. — Testo unico delle disposizioni legislative e regolamentari in materia di espropriazione per pubblica utilità (Testo A).

Pubblicato nella Gazzetta Ufficiale n. 189 del 16 agosto 2001, S.O. n. 211.

4 (L) Beni non espropriabili o espropriabili in casi particolari.

1. I beni appartenenti al demanio pubblico non possono essere espropriati fino a quando non ne viene pronunciata la sdemanializzazione. (L)

1-*bis*. I beni gravati da uso civico non possono essere espropriati o asserviti coattivamente se non viene pronunciato il mutamento di destinazione d'uso, fatte salve le ipotesi in cui l'opera pubblica o di pubblica utilità sia compatibile con l'esercizio dell'uso civico.

1-*ter*. Fermo restando il rispetto della normativa paesaggistica, si intendono di norma compatibili con l'esercizio dell'uso civico gli elettrodotti di cui all'articolo 52-*quinquies*, comma 1, fatta salva la possibilità che la regione, o un comune da essa delegato, possa esprimere caso per caso una diversa valutazione, con congrua motivazione, nell'ambito del procedimento autorizzativo per l'adozione del provvedimento che dichiara la pubblica utilità dell'infrastruttura (*).

1-*quater*. Fermo restando il rispetto della normativa paesaggistica, si intendono sempre compatibili con l'esercizio dell'uso civico le ricostruzioni di elettrodotti aerei o interrati, già esistenti, di cui all'articolo 52-*quinquies*, comma 1, che si rendano necessarie per ragioni di obsolescenza, purché siano realizzate con le migliori tecnologie esistenti e siano effettuate sul medesimo tracciato della linea già esistente o nelle sue immediate adiacenze (*).

2. I beni appartenenti al patrimonio indisponibile dello Stato e degli altri enti pubblici possono essere espropriati per perseguire un interesse pubblico di rilievo superiore a quello soddisfatto con la precedente destinazione. (L)

3. I beni descritti dagli articoli 13, 14, 15 e 16 della legge 27 maggio 1929, n. 810, non possono essere espropriati se non vi è il previo accordo con la Santa Sede. (L)

4. Gli edifici aperti al culto non possono essere espropriati se non per gravi ragioni previo accordo:

a) con la competente autorità ecclesiastica, se aperti al culto cattolico;

b) con l'Unione delle Chiese cristiane, se aperti al culto pubblico avventista;

c) con il presidente delle Assemblee di Dio in Italia, se aperti al culto pubblico delle chiese ad esse associate;

d) con l'Unione delle Comunità ebraiche italiane, se destinati all'esercizio pubblico del culto ebraico:

e) con l'Unione cristiana evangelica battista d'Italia, se aperti al culto pubblico delle chiese che ne facciano parte;

f) con il Decano della Chiesa evangelica luterana in Italia con l'organo responsabile della comunità interessata, se aperti al culto della medesima Chiesa;

g) col rappresentante di ogni altra confessione religiosa, nei casi previsti dalla legge. (L)

5. Si applicano le regole sull'espropriazione dettate dal diritto internazionale generalmente riconosciuto e da trattati internazionali cui l'Italia aderisce. (L)

(*) *Comma inserito dall'art. 13-*bis, *comma 1, lett.* a), *d.l. 1° marzo 2022, n. 17, conv., con modif., in l. 27 aprile 2022, n. 34.*

13 (L) Contenuto ed effetti dell'atto che comporta la dichiarazione di pubblica utilità.

1. Il provvedimento che dispone la pubblica utilità dell'opera può essere emanato fino a quando non sia decaduto il vincolo preordinato all'esproprio. (L)

2. Gli effetti della dichiarazione di pubblica utilità si producono anche se non sono espressamente indicati nel provvedimento che la dispone. (L)

3. Nel provvedimento che comporta la dichiarazione di pubblica utilità dell'opera può essere stabilito il termine entro il quale il decreto di esproprio va emanato. (L)

4. Se manca l'espressa determinazione del termine di cui al comma 3, il decreto di esproprio può essere emanato entro il termine di cinque anni, decorrente dalla data in cui diventa efficace l'atto che dichiara la pubblica utilità dell'opera. (L)

5. L'autorità che ha dichiarato la pubblica utilità dell'opera può disporre proroghe dei termini previsti dai commi 3 e 4 per casi di forza maggiore o per altre giustificate ragioni. Le proroghe possono essere disposte, anche d'ufficio, prima della scadenza del termine e per un periodo di tempo complessivo non superiore a quattro anni (*)

6. La scadenza del termine entro il quale può essere emanato il decreto di esproprio determina l'inefficacia della dichiarazione di pubblica utilità. (L)

7. Restano in vigore le disposizioni che consentono l'esecuzione delle previsioni dei piani territoriali o urbanistici, anche di settore o attuativi, entro termini maggiori di quelli previsti nel comma 4. (L)

8. Qualora il vincolo preordinato all'esproprio riguardi immobili da non sottoporre a trasformazione fisica, la dichiarazione di pubblica utilità ha luogo mediante l'adozione di un provvedimento di destinazione ad uso pubblico dell'immobile vincolato, con cui sono

indicate le finalità dell'intervento, i tempi previsti per eventuali lavori di manutenzione, nonché i relativi costi previsti. (L)

(*) *Comma così sostituito dall'art.* 13-bis, *comma 1, lett.* b), *d.l.* 1° *marzo 2022, n. 17, conv., con modif., in l. 27 aprile 2022, n. 34. Il testo del comma era il seguente:* « 5. L'autorità che ha dichiarato la pubblica utilità dell'opera può disporre la proroga dei termini previsti dai commi 3 e 4 per casi di forza maggiore o per altre giustificate ragioni. La proroga può essere disposta, anche d'ufficio, prima della scadenza del termine e per un periodo di tempo che non supera i due anni. (L) ».

SEZIONE QUINTA
SICUREZZA

CAPO I
PUBBLICA SICUREZZA E MISURE DI CONTRASTO ALLA CRIMINALITÀ E ALLA CORRUZIONE

68. Decreto legislativo 8 aprile 2013, n. 39. — Disposizioni in materia di inconferibilità e incompatibilità di incarichi presso le pubbliche amministrazioni e presso gli enti privati in controllo pubblico, a norma dell'articolo 1, commi 49 e 50, della legge 6 novembre 2012, n. 190.

Pubblicato nella Gazzetta Ufficiale n. 92 del 19 aprile 2013.

3 Inconferibilità di incarichi in caso di condanna per reati contro la pubblica amministrazione.

1. A coloro che siano stati condannati, anche con sentenza non passata in giudicato, per uno dei reati previsti dal capo I del titolo II del libro secondo del codice penale, non possono essere attribuiti:

a) gli incarichi amministrativi di vertice nelle amministrazioni statali, regionali e locali **nonché negli enti di diritto privato in controllo pubblico** (*);

b) gli incarichi di amministratore di ente pubblico, di livello nazionale, regionale e locale;

c) gli incarichi dirigenziali, interni e esterni, comunque denominati, nelle pubbliche amministrazioni, negli enti pubblici e negli enti di diritto privato in controllo pubblico di livello nazionale, regionale e locale;

d) gli incarichi di amministratore di ente di diritto privato in controllo pubblico, di livello nazionale, regionale e locale;

e) gli incarichi di direttore generale, direttore sanitario e direttore amministrativo nelle aziende sanitarie locali del servizio sanitario nazionale.

2. Ove la condanna riguardi uno dei reati di cui all'articolo 3, comma 1, della legge 27 marzo 2001, n. 97, l'inconferibilità di cui al comma 1 ha carattere permanente nei casi in cui sia stata inflitta la pena accessoria dell'interdizione perpetua dai pubblici uffici ovvero sia intervenuta la cessazione del rapporto di lavoro a seguito di procedimento disciplinare o la cessazione del rapporto di lavoro autonomo. Ove sia stata inflitta una interdizione temporanea, l'inconferibilità ha la stessa durata dell'interdizione. Negli altri casi l'inconferibilità degli incarichi ha la durata di 5 anni.

3. Ove la condanna riguardi uno degli altri reati previsti dal capo I del titolo II del libro II del codice penale, l'inconferibilità ha carattere permanente nei casi in cui sia stata inflitta la pena accessoria dell'interdizione perpetua dai pubblici uffici ovvero sia intervenuta la cessazione del rapporto di lavoro a seguito di procedimento disciplinare o la cessazione del rapporto di lavoro autonomo. Ove sia stata inflitta una interdizione temporanea, l'inconferibilità ha la stessa durata dell'interdizione. Negli altri casi l'inconferibilità ha una durata pari al doppio della pena inflitta, per un periodo comunque non superiore a 5 anni.

4. Nei casi di cui all'ultimo periodo dei commi 2 e 3, salve le ipotesi di sospensione o cessazione del rapporto, al dirigente di ruolo, per la durata del periodo di inconferibilità, possono essere conferiti incarichi diversi da quelli che comportino l'esercizio delle competenze di amministrazione e gestione. È in ogni caso escluso il conferimento di incarichi relativi ad uffici preposti alla gestione delle risorse finanziarie, all'acquisizione di beni, servizi e forniture, nonché alla concessione o all'erogazione di sovvenzioni, contributi, sussidi, ausili finanziari o attribuzioni di vantaggi economici a soggetti pubblici e privati, di incarichi che comportano esercizio di vigilanza o controllo. Nel caso in cui l'amministrazione non sia in grado di conferire incarichi compatibili con le disposizioni del presente comma, il dirigente viene posto a disposizione del ruolo senza incarico per il periodo di inconferibilità dell'incarico.

5. La situazione di inconferibilità cessa di diritto ove venga pronunciata, per il medesimo reato, sentenza anche non definitiva, di proscioglimento.

6. Nel caso di condanna, anche non definitiva, per uno dei reati di cui ai commi 2 e 3 nei confronti di un soggetto esterno all'amministrazione, ente pubblico o ente di diritto privato in controllo pubblico cui è stato conferito uno degli incarichi di cui al comma 1, sono sospesi l'incarico e l'efficacia del contratto di lavoro subordinato o di lavoro autonomo, stipulato con l'amministrazione, l'ente pubblico o l'ente di diritto privato in controllo pubblico. Per tutto il periodo della sospensione non spetta alcun trattamento economico.

In entrambi i casi la sospensione ha la stessa durata dell'inconferibilità stabilita nei commi 2 e 3. Fatto salvo il termine finale del contratto, all'esito della sospensione l'amministrazione valuta la persistenza dell'interesse all'esecuzione dell'incarico, anche in relazione al tempo trascorso.

7. Agli effetti della presente disposizione, la sentenza di applicazione della pena ai sensi dell'art. 444 c.p.p., è equiparata alla sentenza di condanna.

(*) *Le parole* « nonché negli enti di diritto privato in controllo pubblico » *sono state aggiunte dall'art. 1 l. 12 aprile 2022, n. 35.*

CAPO IV
PROTEZIONE CIVILE

87. Decreto legislativo 2 gennaio 2018, n. 1. — Codice della protezione civile.

Pubblicato nella Gazzetta Ufficiale n. 17 del 22 gennaio 2018.

29 Partecipazione del Servizio nazionale alle operazioni di emergenza in ambito internazionale e al meccanismo unionale di protezione civile. (Articoli 5 legge 225/1992; Articolo 4, comma 2, decreto-legge 90/2005, conv. legge 152/2005; Articolo 40, comma 2, lettera *p*), legge 196/2009; Articolo 10 legge 125/2014; Articolo 27 legge 115/2015)

1. Ferme le competenze del Ministero degli affari esteri e della cooperazione internazionale e dell'Agenzia italiana per la cooperazione allo sviluppo, in conformità a quanto disposto dall'articolo 10, della legge 11 agosto 2014, n. 125, la partecipazione del Servizio nazionale agli interventi di emergenza e di primo soccorso all'estero è disciplinata con i provvedimenti previsti dagli articoli 23, 24 e 25, da adottarsi, per quanto di competenza, su richiesta del il medesimo Ministero. In tale caso la dichiarazione di cui all'articolo 23 e la deliberazione di cui all'articolo 24 assumono rispettivamente la denominazione di « dichiarazione dello stato di mobilitazione del Servizio nazionale della protezione civile per intervento all'estero » e « deliberazione dello stato di emergenza per intervento all'estero ». Nel decreto del Presidente del Consiglio recante la deliberazione dello stato di mobilitazione del Servizio nazionale per intervento all'estero sono individuate le risorse finanziarie nei limiti degli stanziamenti del Fondo per le emergenze nazionali di cui all'articolo 44 e delle risorse stanziate per gli interventi di cui all'articolo 10 della legge 11 agosto 2014, n. 125. D'intesa con il Dipartimento della protezione civile e con il Ministero degli affari esteri e della cooperazione internazionale, le Regioni e le Province autonome di Trento e di Bolzano possono prestare soccorso ad enti territoriali esteri con i quali abbiano costituito, nel rispetto degli articoli 46, 47 e 48 della legge 7 luglio 2009, n. 88, un gruppo europeo di cooperazione territoriale, anche in assenza dei provvedimenti di cui agli articoli 24 e 25.

2. Ai sensi dell'articolo 8, comma 1, lettera *l*), per la partecipazione del Servizio nazionale al "Pool europeo di protezione civile", istituto, nell'ambito del meccanismo unionale di protezione civile, dall'articolo 11 della decisione n. 1313/2013/UE del Parlamento europeo e del Consiglio del 17 dicembre 2013, è autorizzato, nel rispetto del comma 1 e nel limite delle risorse disponibili nel Fondo per le emergenze nazionali di cui all'articolo 44, allo scopo finalizzate con i provvedimenti di cui al medesimo comma 1, l'impiego di moduli, mezzi, attrezzature ed esperti qualificati, specificamente formati e registrati nel Sistema comune di comunicazione e informazione in caso di emergenza (CECIS), su richiesta del Ministero degli affari esteri e della cooperazione internazionale nel caso di interventi in Paesi terzi (*).

3. Il Capo del Dipartimento della protezione civile se riceve una richiesta di assistenza tramite il Centro di coordinamento della risposta alle emergenze (ERCC), anche nelle more del decreto di dichiarazione dello stato di mobilitazione di cui all'articolo 23, comma 1, o della deliberazione dello stato di emergenza di cui all'articolo 24, comma 1, può attivare e coordinare le risorse del Servizio nazionale, ivi incluse quelle di cui al comma 2, previa informativa al Presidente del Consiglio dei ministri anche al fine della comunicazione alle Commissioni parlamentari competenti. Il Capo del Dipartimento della protezione civile può stabilire di non dispiegare le risorse del Pool europeo di protezione civile ove sussistano gli elementi ostativi di cui all'articolo 11, paragrafo 7, della decisione n. 1313/2013/UE e di ritirarle nei casi indicati all'articolo 11, paragrafo 8, della medesima decisione.

4. Il Dipartimento della protezione civile intraprende ogni iniziativa utile alla partecipazione del Servizio nazionale al Pool europeo di protezione civile e a rescEU all'EERC, inclusa la conclusione di accordi e convenzioni con amministrazioni e organizzazioni avvalendosi anche delle risorse finanziarie previste dalla decisione n. 1313/2013/UE.

(*) *Comma così sostituito dall'art. 45, comma 1, l. 17 maggio 2022, n. 50. Il testo del comma era il seguente:* « 2. Ai sensi dell'articolo 8, comma 1, lettera *l*), per la partecipazione del Servizio nazionale al "Pool europeo di protezione civile" e a rescEU, istituiti rispettivamente, nell'ambito del meccanismo unionale di protezione civile, dagli articoli 11 e 12 della decisione n. 1313/2013/UE del Parlamento europeo e del Consiglio, del 17 dicembre 2013, è autorizzato, nel limite delle risorse di cui al comma 1, l'impiego di moduli, mezzi, attrezzature ed esperti qualificati, specificamente formati e registrati nel sistema comune di comunicazione e informazione in caso di emergenza (CECIS), su richiesta del Ministero degli affari esteri e della cooperazione internazionale nel caso di interventi in Paesi terzi ».

CAPO V
CYBERSICUREZZA E GOLDEN POWER

89. Decreto legge 15 marzo 2012, n. 21, convertito, con modificazioni, in legge 11 maggio 2012, n. 56. – Norme in materia di poteri speciali sugli assetti societari nei settori della difesa e della sicurezza nazionale, nonché per le attività di rilevanza strategica nei settori dell'energia, dei trasporti e delle comunicazioni.

Pubblicato nella Gazzetta Ufficiale n. 63 del 15 marzo 2012; la legge di conversione è stata pubblicata nella Gazzetta Ufficiale n. 111 dell'11 maggio 2012.

1 Poteri speciali nei settori della difesa e della sicurezza nazionale.

1. Con uno o più decreti del Presidente del Consiglio dei Ministri, adottati su proposta, per i rispettivi ambiti di competenza, del Ministro della difesa o del Ministro dell'interno, di concerto con il Ministro dell'economia e delle finanze, il Ministro degli affari esteri, il Ministro dello sviluppo economico e, rispettivamente, con il Ministro dell'interno o con il Ministro della difesa, previa comunicazione alle Commissioni parlamentari competenti, entro novanta giorni dalla data di entrata in vigore della legge di conversione del presente decreto, sono individuate le attività di rilevanza strategica per il sistema di difesa e sicurezza nazionale, ivi incluse le attività strategiche chiave, in relazione alle quali con decreto del Presidente del Consiglio dei Ministri, adottato su conforme deliberazione del Consiglio dei Ministri, da trasmettere tempestivamente e per estratto alle Commissioni parlamentari competenti possono essere esercitati i seguenti poteri speciali in caso di minaccia di grave pregiudizio per gli interessi essenziali della difesa e della sicurezza nazionale:

a) imposizione di specifiche condizioni relative alla sicurezza degli approvvigionamenti, alla sicurezza delle informazioni, ai trasferimenti tecnologici, al controllo delle esportazioni nel caso di acquisto, a qualsiasi titolo, di partecipazioni in imprese che svolgono attività di rilevanza strategica per il sistema di difesa e sicurezza nazionale;

b) veto all'adozione di delibere, atti od operazioni dell'assemblea o degli organi di amministrazione di un'impresa di cui alla lettera *a*), **che abbiano per effetto modifiche della titolarità, del controllo o della disponibilità degli attivi individuati ai sensi della medesima lettera *a*), compresi quelli** (*) aventi ad oggetto la fusione o la scissione della società, il trasferimento dell'azienda o di rami di essa o di società controllate, il trasferimento all'estero della sede sociale, la modifica dell'oggetto sociale, lo scioglimento della società, la modifica di clausole statutarie eventualmente adottate ai sensi dell'articolo 2351, terzo comma, del codice civile ovvero introdotte ai sensi dell'articolo 3, comma 1, del decreto-legge 31 maggio 1994, n. 332, convertito, con modificazioni, dalla legge 30 luglio 1994, n. 474, come da ultimo modificato dall'articolo 3 del presente decreto, le cessioni di diritti reali o di utilizzo relative a beni materiali o immateriali, **l'assegnazione degli stessi a titolo di garanzia** (*) o l'assunzione di vincoli che ne condizionino l'impiego, anche in ragione della sottoposizione dell'impresa a procedure concorsuali;

c) opposizione all'acquisto, a qualsiasi titolo, di partecipazioni in un'impresa di cui alla lettera *a*) da parte di un soggetto diverso dallo Stato italiano, enti pubblici italiani o soggetti da questi controllati, qualora l'acquirente venga a detenere, direttamente o indirettamente, anche attraverso acquisizioni successive, per interposta persona o tramite soggetti altrimenti collegati, un livello della partecipazione al capitale con diritto di voto in grado di compromettere nel caso specifico gli interessi della difesa e della sicurezza nazionale. A tale fine si considera altresì ricompresa la partecipazione detenuta da terzi con i quali l'acquirente ha stipulato uno dei patti di cui all'articolo 122 del testo unico delle disposizioni in materia di intermediazione finanziaria, di cui al decreto legislativo 24 febbraio 1998, n. 58, e successive modificazioni, ovvero di quelli di cui all'articolo 2341-*bis* del codice civile.

1-*bis*. I decreti di cui al comma 1 volti ad individuare le attività di rilevanza strategica per il sistema di difesa e di sicurezza nazionale stabiliscono la tipologia di atti o operazioni all'interno di un medesimo gruppo ai quali non si applica la disciplina di cui al presente articolo.

2. Al fine di valutare la minaccia di grave pregiudizio agli interessi essenziali della difesa e della sicurezza nazionale derivante dalle delibere, dagli atti o dalle operazioni di cui alla lettera *b*) del comma 1, il Governo considera, tenendo conto dell'oggetto della delibera, dell'atto o dell'operazione, la rilevanza strategica dei beni o delle imprese oggetto di trasferimento, l'idoneità dell'assetto risultante dalla delibera, dall'atto o dall'operazione a garantire l'integrità del sistema di difesa e sicurezza nazionale, la sicurezza delle informazioni relative alla difesa militare, gli interessi internazionali dello Stato, la protezione del territorio nazionale, delle infrastrutture critiche e strategiche e delle frontiere, nonché gli elementi di cui al comma 3.

3. Al fine di valutare la minaccia di grave pregiudizio per gli interessi essenziali della difesa e della sicurezza nazionale, derivante dall'acquisto delle partecipazioni di cui alle lettere *a*) e *c*) del comma 1, il Gover-

no, nel rispetto dei principi di proporzionalità e ragionevolezza, considera, alla luce della potenziale influenza dell'acquirente sulla società, anche in ragione della entità della partecipazione acquisita:

a) l'adeguatezza, tenuto conto anche delle modalità di finanziamento dell'acquisizione, della capacità economica, finanziaria, tecnica e organizzativa dell'acquirente nonché del progetto industriale, rispetto alla regolare prosecuzione delle attività, al mantenimento del patrimonio tecnologico, anche con riferimento alle attività strategiche chiave, alla sicurezza e alla continuità degli approvvigionamenti, oltre che alla corretta e puntuale esecuzione degli obblighi contrattuali assunti nei confronti di pubbliche amministrazioni, direttamente o indirettamente, dalla società le cui partecipazioni sono oggetto di acquisizione, con specifico riguardo ai rapporti relativi alla difesa nazionale, all'ordine pubblico e alla sicurezza nazionale;

b) l'esistenza, tenuto conto anche delle posizioni ufficiali dell'Unione europea, di motivi oggettivi che facciano ritenere possibile la sussistenza di legami fra l'acquirente e paesi terzi che non riconoscono i principi di democrazia o dello Stato di diritto, che non rispettano le norme del diritto internazionale o che hanno assunto comportamenti a rischio nei confronti della comunità internazionale, desunti dalla natura delle loro alleanze, o hanno rapporti con organizzazioni criminali o terroristiche o con soggetti ad esse comunque collegati.

3-*bis*. Qualora l'acquisto delle partecipazioni di cui al comma 1, lettere *a*) e *c*), sia effettuato da un soggetto esterno all'Unione europea, di cui all'articolo 2, comma 5-*bis*, il Governo può considerare altresì le seguenti circostanze:

a) che l'acquirente sia direttamente o indirettamente controllato dall'amministrazione pubblica, compresi organismi statali o forze armate, di un Paese non appartenente all'Unione europea, anche attraverso l'assetto proprietario o finanziamenti consistenti;

b) che l'acquirente sia già stato coinvolto in attività che incidono sulla sicurezza o sull'ordine pubblico in uno Stato membro dell'Unione europea;

c) che vi sia un grave rischio che l'acquirente intraprenda attività illegali o criminali.

4. Ai fini dell'esercizio del potere di veto di cui al comma 1, lettera *b*), **salvo che l'operazione sia in corso di valutazione o sia già stata valutata ai sensi del comma 5,** (**) l'impresa notifica alla Presidenza del Consiglio dei Ministri una informativa completa sulla delibera, sull'atto o sull'operazione da adottare in modo da consentire il tempestivo esercizio del potere di veto. Dalla notifica non deriva per la Presidenza del Consiglio dei Ministri né per l'impresa l'obbligo di notifica al pubblico ai sensi dell'articolo 114 del testo unico di cui al decreto legislativo 24 febbraio 1998, n. 58, e successive modificazioni. Entro quarantacinque giorni dalla notifica il Presidente del Consiglio dei Ministri comunica l'eventuale veto. Qualora si renda necessario richiedere informazioni all'impresa, tale termine è sospeso, per una sola volta, fino al ricevimento delle informazioni richieste, che sono rese entro il termine di dieci giorni. Qualora si renda necessario formulare richieste istruttorie a soggetti terzi, il predetto termine di quarantacinque giorni è sospeso, per una sola volta, fino al ricevimento delle informazioni richieste, che sono rese entro il termine di venti giorni. Le richieste di informazioni e le richieste istruttorie a soggetti terzi successive alla prima non sospendono i termini. In caso di incompletezza della notifica, il termine di quarantacinque giorni previsto dal presente comma decorre dal ricevimento delle informazioni o degli elementi che la integrano. Decorsi i predetti termini l'operazione può essere effettuata. Il potere di cui al presente comma è esercitato nella forma di imposizione di specifiche prescrizioni o condizioni ogniqualvolta ciò sia sufficiente ad assicurare la tutela degli interessi essenziali della difesa e della sicurezza nazionale. Le delibere o gli atti adottati in violazione del presente comma sono nulli. Il Governo può altresì ingiungere alla società e all'eventuale controparte di ripristinare a proprie spese la situazione anteriore. Salvo che il fatto costituisca reato, chiunque non osservi gli obblighi di cui al presente comma, ivi compresi quelli derivanti dal provvedimento di esercizio del potere di cui al comma 1, lettera *b*), eventualmente esercitato nella forma dell'imposizione di specifiche prescrizioni o condizioni, è soggetto a una sanzione amministrativa pecuniaria fino al doppio del valore dell'operazione e comunque non inferiore all'uno per cento del fatturato cumulato realizzato dalle imprese coinvolte nell'ultimo esercizio per il quale sia stato approvato il bilancio.

5. Ai fini dell'eventuale esercizio dei poteri di cui al comma 1, lettere *a*) e *c*), chiunque acquisisce una partecipazione in imprese che svolgono attività di rilevanza strategica per il sistema di difesa e sicurezza nazionale, **ove possibile congiuntamente alla società le cui partecipazioni sono oggetto dell'acquisto, notifica la stessa acquisizione** (***) entro dieci giorni alla Presidenza del Consiglio dei Ministri, trasmettendo nel contempo le informazioni necessarie, comprensive di descrizione generale del progetto di acquisizione, dell'acquirente e del suo ambito di operatività, per le valutazioni di cui al comma 3. **Nei casi in cui la notifica non sia effettuata congiuntamente da tutte le parti del procedimento indicate al primo periodo, la società notificante trasmette, contestualmente alla notifica, una informativa, contenente gli elementi essenziali dell'operazione e della stessa notifica, alla società le cui partecipazioni sono oggetto dell'acquisto, al fine di consentirne la partecipazione al procedimento, fornendo prova della relativa ricezione** (****). Nel caso in cui l'acquisizione abbia a oggetto azioni di una società ammessa alla negoziazione nei mercati regolamentati, la notifica deve essere effettuata qualora l'acquirente venga a detenere, a seguito dell'acquisizione, una partecipazione superiore alla soglia del 3 per cento, e sono successivamente notificate le acquisizioni che determinano il superamento delle soglie del 5 per cento, 10 per cento, 15 per cento, 20 per cento, 25 per cento e 50 per cento. Nel caso in cui l'acquisizione abbia ad oggetto azioni o quote di una società non ammessa alla negoziazione nei mercati regolamentati, la notifica deve essere effettuata qualora l'acquirente venga a detenere, a seguito dell'acquisizione, una partecipazione superiore alle soglie **indicate nel terzo periodo** (*****). Il potere di im-

porre specifiche condizioni di cui al comma 1, lettera *a*), o di opporsi all'acquisto ai sensi del comma 1, lettera *c*), è esercitato entro quarantacinque giorni dalla data della notifica. **Entro quindici giorni dalla notifica, la società acquisita può presentare memorie e documenti alla Presidenza del Consiglio dei Ministri** (******). Qualora si renda necessario richiedere informazioni **alle parti del procedimento, il predetto termine di quarantacinque giorni** (*******) è sospeso, per una sola volta, fino al ricevimento delle informazioni richieste, che sono rese entro il termine di dieci giorni. Qualora si renda necessario formulare richieste istruttorie a soggetti terzi, il predetto termine di quarantacinque giorni è sospeso, per una sola volta, fino al ricevimento delle informazioni richieste, che sono rese entro il termine di venti giorni. Eventuali richieste di informazioni e richieste istruttorie a soggetti terzi successive alla prima non sospendono i termini, decorsi i quali l'acquisto può essere effettuato. In caso di incompletezza della notifica, il termine di quarantacinque giorni previsto dal presente comma decorre dal ricevimento delle informazioni o degli elementi che la integrano. Fino alla notifica e, successivamente, comunque fino al decorso del termine per l'imposizione di condizioni o per l'esercizio del potere di opposizione, i diritti di voto e comunque quelli aventi contenuto diverso da quello patrimoniale, connessi alle azioni o quote che rappresentano la partecipazione rilevante, sono sospesi. Qualora il potere sia esercitato nella forma dell'imposizione di condizioni di cui al comma 1, lettera *a*), in caso di eventuale inadempimento o violazione delle condizioni imposte all'acquirente, per tutto il periodo in cui perdura l'inadempimento o la violazione, i diritti di voto, o comunque i diritti aventi contenuto diverso da quello patrimoniale, connessi alle azioni o quote che rappresentano la partecipazione rilevante, sono sospesi. Le delibere eventualmente adottate con il voto determinante di tali azioni o quote, nonché le delibere o gli atti adottati con violazione o inadempimento delle condizioni imposte, sono nulli. **La società acquirente e la società le cui partecipazioni sono oggetto dell'acquisto che non osservino le condizioni imposte sono altresì soggette** (********), salvo che il fatto costituisca reato, a una sanzione amministrativa pecuniaria pari al doppio del valore dell'operazione e comunque non inferiore all'1 per cento del fatturato realizzato nell'ultimo esercizio per il quale sia stato approvato il bilancio. In caso di esercizio del potere di opposizione il cessionario non può esercitare i diritti di voto e comunque quelli aventi contenuto diverso da quello patrimoniale, connessi alle azioni o quote che rappresentano la partecipazione rilevante, e dovrà cedere le stesse azioni o quote entro un anno. In caso di mancata ottemperanza il tribunale, su richiesta della Presidenza del Consiglio dei Ministri, ordina la vendita delle suddette azioni o quote secondo le procedure di cui all'articolo 2359-*ter* del codice civile. Le deliberazioni assembleari eventualmente adottate con il voto determinante di tali azioni o quote sono nulle.

5-*bis*. **Ai fini dell'esercizio dei poteri speciali di cui al presente articolo, la costituzione di imprese il cui oggetto sociale ricomprende lo svolgimento di attività di rilevanza strategica ovvero che detengono attivi di rilevanza strategica per il sistema di difesa e sicurezza nazionale è notificata alla Presidenza del Consiglio dei ministri entro i termini e con le procedure di cui al presente articolo** (*********).

6. Nel caso in cui le attività di rilevanza strategica per il sistema di difesa e sicurezza nazionale, individuate con i decreti del Presidente del Consiglio dei Ministri di cui al comma 1, si riferiscono a società partecipate, direttamente o indirettamente, dal Ministero dell'economia e delle finanze, il Consiglio dei Ministri delibera, ai fini dell'esercizio dei poteri speciali di cui al medesimo comma, su proposta del Ministro dell'economia e delle finanze. Le notifiche di cui ai commi 4 e 5 sono immediatamente trasmesse dalla Presidenza del Consiglio dei Ministri al Ministero dell'economia e delle finanze.

7. I decreti di individuazione delle attività di rilevanza strategica per il sistema di difesa e di sicurezza nazionale di cui al comma 1 sono aggiornati almeno ogni tre anni.

8. Con regolamento, adottato ai sensi dell'articolo 17, comma 1, della legge 23 agosto 1988, n. 400, e successive modificazioni, previo parere delle Commissioni parlamentari competenti, su proposta del Ministro dell'economia e delle finanze, di concerto con il Ministro degli affari esteri, il Ministro dell'interno, il Ministro della difesa e il Ministro dello sviluppo economico, sono emanate disposizioni di attuazione del presente articolo, anche con riferimento alla definizione, nell'ambito delle risorse umane, strumentali e finanziarie disponibili a legislazione vigente e senza nuovi o maggiori oneri a carico del bilancio dello Stato, delle modalità organizzative per lo svolgimento delle attività propedeutiche all'esercizio dei poteri speciali previsti dal presente articolo. Il parere di cui al primo periodo è espresso entro il termine di venti giorni dalla data di trasmissione dello schema di regolamento alle Camere. Decorso tale termine, il regolamento può essere comunque adottato. Fino all'adozione del medesimo regolamento, le competenze inerenti alle proposte per l'esercizio dei poteri speciali, di cui al comma 1, e le attività conseguenti, di cui ai commi 4 e 5, sono attribuite al Ministero dell'economia e delle finanze per le società da esso partecipate, ovvero, per le altre società, al Ministero della difesa o al Ministero dell'interno, secondo i rispettivi ambiti di competenza.

8-*bis*. Salvo che il fatto costituisca reato e ferme le invalidità previste dalla legge, chiunque non osservi gli obblighi di notifica di cui al presente articolo è soggetto a una sanzione amministrativa pecuniaria fino al doppio del valore dell'operazione e comunque non inferiore all'uno per cento del fatturato cumulato realizzato dalle imprese coinvolte nell'ultimo esercizio per il quale sia stato approvato il bilancio. Nei casi di violazione degli obblighi di notifica di cui al presente articolo, anche in assenza della notifica di cui ai commi 4 e 5, la Presidenza del Consiglio dei ministri può avviare il procedimento ai fini dell'eventuale esercizio dei poteri di cui al comma 1, lettere *a*), *b*) e *c*). A tale scopo, trovano applicazione i termini e le norme procedurali previsti dal presente articolo, nonché dal regolamento di cui al comma 8. Il termine di quarantacinque giorni di cui ai commi 4 e 5 decorre dalla conclusione del procedimento di accertamento della violazione dell'obbligo di notifica.

(*) *Le parole da* « che abbiano per effetto » *a* « , compresi quelli », *e le parole* « , l'assegnazione degli stessi a titolo di garanzia » *sono state inserite dall'art. 24, comma 1, lett.* a), *d.l. 21 marzo 2022, n. 21, conv., con modif., in l. 20 maggio 2022, n. 51.*

(**) *Le parole* « salvo che l'operazione sia in corso di valutazione o sia già stata valutata ai sensi del comma 5, » *sono state inserite dall'art. 24, comma 1, lett.* b), *d.l. n. 21, cit.*

(***) *Le parole* « , ove possibile congiuntamente alla società le cui partecipazioni sono oggetto dell'acquisto, notifica la stessa acquisizione » *sono state sostituite alle parole* « notifica l'acquisizione » *dall'art. 24, comma 1, lett.* c), *n. 1 d.l. n. 21, cit.*

(****) *Periodo inserito dall'art. 24, comma 1, lett.* c), *n. 2 d.l. n. 21, cit.*

(*****) *Le parole* « indicate nel terzo periodo » *sono state sostituite alle parole* « indicate nel secondo periodo » *dall'art. 24, comma 1, lett.* c), *n.* 2-bis *d.l. n. 21, cit.*

(******) *Periodo inserito dall'art. 24, comma 1, lett.* c), *n. 3 d.l. n. 21, cit.*

(*******) *Le parole* « alle parti del procedimento, il predetto termine di quarantacinque giorni » *sono state sostituite alle parole* « all'acquirente, tale termine » *dall'art. 24, comma 1, lett.* c), *n. 4 d.l. n. 21, cit.*

(********) *Le parole* « La società acquirente e la società le cui partecipazioni sono oggetto dell'acquisto che non osservino le condizioni imposte sono altresì soggette » *sono state sostituite alle parole* « L'acquirente che non osservi le condizioni imposte è altresì soggetto » *dall'art. 24, comma 1, lett.* c), *n. 5 d.l. n. 21, cit.*

(*********) *Comma inserito dall'art. 24, comma 1, lett.* c-bis) *d.l. n. 21, cit.*

1-*bis* Poteri speciali inerenti ai servizi di comunicazione elettronica a banda larga con tecnologia 5G, basati sulla tecnologia cloud e altri attivi (*).

1. Ai fini dell'esercizio dei poteri speciali di cui al presente articolo, costituiscono attività di rilevanza strategica per il sistema di difesa e sicurezza nazionale i servizi di comunicazione elettronica a banda larga basati sulla tecnologia 5G. Ai medesimi fini di cui al presente articolo, ulteriori servizi, beni, rapporti, attività e tecnologie rilevanti ai fini della sicurezza cibernetica, ivi inclusi quelli relativi alla tecnologia cloud, possono essere individuati con uno o più decreti del Presidente del Consiglio dei ministri, di concerto con il Ministro dello sviluppo economico, il Ministro dell'interno, il Ministro della difesa, il Ministro degli affari esteri e della cooperazione internazionale, il Ministro per l'innovazione tecnologica e la transizione digitale, e con gli altri Ministri competenti per settore, e sentita l'Agenzia per la cybersicurezza nazionale, anche in deroga all'articolo 17 della legge 23 agosto 1988, n. 400, previo parere delle Commissioni parlamentari competenti, che è reso entro trenta giorni dalla data di trasmissione degli schemi di decreto, decorsi i quali i decreti sono adottati anche in mancanza di parere.

2. Fermi gli obblighi previsti ai sensi del decreto-legge 21 settembre 2019, n. 105, convertito, con modificazioni, dalla legge 18 novembre 2019, n. 133, le imprese che, anche attraverso contratti o accordi, intendano acquisire, a qualsiasi titolo, beni o servizi relativi alla progettazione, alla realizzazione, alla manutenzione e alla gestione delle attività di cui al comma 1, ovvero componenti ad alta intensità tecnologica funzionali alla predetta realizzazione o gestione, notificano, prima di procedere alla predetta acquisizione, alla Presidenza del Consiglio dei ministri un piano annuale nel quale sono contenuti: il settore interessato dalla notifica; dettagliati dati identificativi del soggetto notificante; il programma di acquisti; dettagliati dati identificativi dei relativi, anche potenziali, fornitori; descrizione dei beni, dei servizi e delle componenti ad alta intensità tecnologica funzionali alla progettazione, alla realizzazione, alla manutenzione e alla gestione delle attività di cui al comma 1; un'informativa completa sui contratti in corso e sulle prospettive di sviluppo della rete 5G, ovvero degli ulteriori sistemi e attivi di cui al comma 1; ogni ulteriore informazione funzionale a fornire un dettagliato quadro delle modalità di sviluppo dei sistemi di digitalizzazione del notificante, nonché dell'esatto adempimento alle condizioni e alle prescrizioni imposte a seguito di precedenti notifiche; un'informativa completa relativa alle eventuali comunicazioni effettuate ai sensi dell'articolo 1, comma 6, lettera *a*), del decreto-legge n. 105 del 2019, convertito, con modificazioni, dalla legge n. 133 del 2019, ai fini dello svolgimento delle verifiche di sicurezza da parte del Centro di valutazione e certificazione nazionale (CVCN), inclusiva dell'esito della valutazione, ove disponibile, e delle relative prescrizioni, qualora imposte. Con uno dei decreti di cui al comma 1, possono altresì essere individuati ulteriori contenuti del piano annuale, eventuali ulteriori criteri e modalità con cui procedere alla notifica del medesimo piano, oltre ad eventuali tipologie di attività escluse dall'obbligo di notifica, anche in considerazione delle ridotte dimensioni dell'operazione. Il piano di cui al presente comma include altresì l'informativa completa sui contratti o sugli accordi relativi ai servizi di comunicazione elettronica a banda larga basati sulla tecnologia 5G già autorizzati, in relazione ai quali resta ferma l'efficacia dei provvedimenti autorizzativi già adottati.

3. La notifica di cui di cui al comma 2 è trasmessa annualmente, prima di procedere all'attuazione del piano, salva la possibilità di aggiornare, previa notifica ai sensi del medesimo comma 2 alla Presidenza del Consiglio dei ministri, il piano medesimo in corso di anno, con cadenza quadrimestrale. Entro trenta giorni dalla notifica, con decreto del Presidente del Consiglio dei ministri, adottato su conforme delibera del Consiglio dei ministri, è approvato il piano annuale di cui al comma 2, previa eventuale imposizione di prescrizioni o condizioni, ovvero ne è negata l'approvazione con l'esercizio del potere di veto. Salvo diversa previsione nel decreto di approvazione del piano, rimane ferma l'efficacia dei decreti del Presidente del Consiglio dei ministri già adottati alla data di entrata in vigore del presente articolo. Se è necessario svolgere approfondimenti riguardanti aspetti tecnici anche relativi alla valutazione di possibili fattori di vulnerabilità, che potrebbero compromettere l'integrità e la sicurezza delle reti, dei dati che vi transitano o dei sistemi, il termine di trenta giorni di cui al secondo periodo può essere prorogato fino a venti giorni, prorogabili per una sola volta, di ulteriori venti giorni, in casi di particolare complessità. Se nel corso dell'istruttoria si rende necessario richiedere informazioni al notificante, tale termine è sospeso, per una sola volta, fino al ricevimento delle informazioni richieste, che sono rese entro il termine

di dieci giorni. Se si rende necessario formulare richieste istruttorie a soggetti terzi, il predetto termine di trenta giorni è sospeso, per una sola volta, fino al ricevimento delle informazioni richieste, che sono rese entro il termine di venti giorni. Le richieste di informazioni al notificante e le richieste istruttorie a soggetti terzi successive alla prima non sospendono i termini. In caso di incompletezza della notifica, il termine di trenta giorni di cui al secondo periodo decorre dal ricevimento delle informazioni o degli elementi che la integrano. Decorsi i predetti termini, il piano si intende approvato.

4. I poteri speciali sono esercitati nella forma dell'imposizione di specifiche prescrizioni o condizioni ogniqualvolta ciò sia sufficiente ad assicurare la tutela degli interessi essenziali della difesa e della sicurezza nazionale. A tal fine, sono oggetto di valutazione anche gli elementi indicanti la presenza di fattori di vulnerabilità che potrebbero compromettere l'integrità e la sicurezza delle reti e dei dati che vi transitano, compresi quelli individuati sulla base dei principi e delle linee guida elaborati a livello internazionale e dall'Unione europea. Se le prescrizioni o condizioni non risultano sufficienti ad assicurare la tutela dei citati interessi, il Governo, tenendo conto dei contenuti del piano notificato, dell'obsolescenza, del costo e dei tempi di sostituzione degli apparati e dell'esigenza di non rallentare lo sviluppo della tecnologia 5G o di altre tecnologie nel Paese, nel rispetto dei principi di proporzionalità e adeguatezza, approva, in tutto o in parte, il piano per un periodo temporale, anche limitato, indicando un termine per l'eventuale sostituzione di determinati beni o servizi ovvero non approva il piano esercitando il potere di veto.

5. Salvo quanto previsto dal presente comma, se il soggetto notificante inizia l'esecuzione di contratti o accordi, successivamente alla data di entrata in vigore della presente disposizione, compresi nella notifica, prima che sia decorso il termine per l'approvazione del piano, il Governo può ingiungere all'impresa, stabilendo il relativo termine, di ripristinare a proprie spese la situazione anteriore all'esecuzione del predetto contratto o accordo. Salvo che il fatto costituisca reato, chiunque non osserva gli obblighi di notifica di cui al presente articolo ovvero le disposizioni contenute nel provvedimento di esercizio dei poteri speciali è soggetto alla sanzione amministrativa pecuniaria fino al tre per cento del fatturato del soggetto tenuto alla notifica. I contratti eventualmente stipulati in violazione delle prescrizioni o delle condizioni contenute nel provvedimento di esercizio dei poteri speciali sono nulli. Il Governo può altresì ingiungere all'impresa, stabilendo il relativo termine, di ripristinare a proprie spese la situazione anteriore alla violazione, applicando una sanzione amministrativa pecuniaria sino a un dodicesimo di quella prevista al secondo periodo per ogni mese di ritardo nell'adempimento, commisurata al ritardo. Analoga sanzione può essere applicata per il ritardo nell'adempimento dell'ingiunzione di cui al primo periodo. Nei casi di violazione degli obblighi di notifica di cui al presente articolo, anche in assenza della notifica, la Presidenza del Consiglio dei ministri può avviare d'ufficio il procedimento ai fini dell'eventuale esercizio dei poteri speciali. A tale scopo, trovano applicazione i termini e le norme procedurali previsti dal presente articolo. Il termine di trenta giorni di cui al comma 3 decorre dalla conclusione del procedimento di accertamento della violazione dell'obbligo di notifica.

6. Per l'esercizio dei poteri speciali di cui al presente articolo il gruppo di coordinamento per l'esercizio dei poteri speciali è composto dai rappresentanti della Presidenza del Consiglio dei ministri, del Ministero dello sviluppo economico, del Ministero dell'economia e delle finanze, del Ministero dell'interno, del Ministero della difesa, del Ministero degli affari esteri e della cooperazione internazionale, dal Ministro per l'innovazione tecnologica e la transizione digitale, ove previsto, nonché dai rappresentanti dell'Agenzia per la cybersicurezza nazionale. Il gruppo di coordinamento si avvale anche del Centro di valutazione e certificazione nazionale (CVCN) e delle articolazioni tecniche dei Ministeri dell'interno e della difesa, per le valutazioni tecniche della documentazione relativa al piano annuale di cui al comma 2, e ai suoi eventuali aggiornamenti, propedeutiche all'esercizio dei poteri speciali e relative ai beni e alle componenti ad alta intensità tecnologica funzionali alla progettazione, alla realizzazione, alla manutenzione e alla gestione delle attività di cui al comma 1 nonché ad altri possibili fattori di vulnerabilità che potrebbero compromettere l'integrità e la sicurezza delle reti, dei dati che vi transitano o dei sistemi.

7. Le attività di monitoraggio, tese alla verifica dell'osservanza delle prescrizioni e delle condizioni impartite con il provvedimento di esercizio dei poteri speciali, alla analisi della relativa adeguatezza e alla verifica dell'adozione di adeguate misure, anche tecnologiche, attuative delle medesime prescrizioni o condizioni sono svolte da un comitato composto da uno o più rappresentanti della Presidenza del Consiglio dei ministri, del Ministero dello sviluppo economico, del Ministero della difesa, del Ministro per l'innovazione tecnologica e la transizione digitale, o, se non nominato, della struttura della Presidenza del Consiglio dei ministri competente per l'innovazione tecnologica e la digitalizzazione, nonché dell'Agenzia per la cybersicurezza nazionale. Per le attività di monitoraggio, il comitato si avvale anche del Centro di valutazione e certificazione nazionale (CVCN), e delle articolazioni tecniche dei Ministeri dell'interno e della difesa. Ai lavori del comitato di monitoraggio possono essere chiamati a partecipare altri rappresentanti dei Ministeri di cui al comma 6. Al fine del concreto esercizio delle attività di monitoraggio il soggetto interessato comunica, con la periodicità indicata con il provvedimento di esercizio dei poteri speciali, ogni attività esecutiva posta in essere, ivi inclusa la stipulazione dei contratti ad essa riferiti, fornendo ogni opportuno dettaglio tecnico ed evidenziando le ragioni idonee ad assicurare la conformità della medesima al piano approvato ai sensi del comma 3. Il soggetto interessato trasmette altresì [,] una relazione periodica semestrale sulle attività in corso. È fatta salva la possibilità per il comitato di monitoraggio di disporre ispezioni e verifiche tecniche, anche con le modalità di cui all'articolo 2-bis, relativa-

mente ai beni e alle componenti ad alta intensità tecnologica funzionali alla progettazione, alla realizzazione, alla manutenzione e alla gestione delle attività di cui al comma 1 nonché ad altri possibili fattori di vulnerabilità che potrebbero compromettere l'integrità e la sicurezza delle reti, dei dati che vi transitano o dei sistemi, oggetto del provvedimento di esercizio dei poteri speciali. L'inosservanza delle prescrizioni o delle condizioni contenute nel provvedimento di approvazione ovvero qualsiasi altra circostanza idonea a incidere sul provvedimento approvativo è segnalata al gruppo di coordinamento per l'esercizio dei poteri speciali di cui al comma 6, il quale può proporre al Consiglio dei ministri l'applicazione delle sanzioni previste dal comma 5, la revoca o la modifica del provvedimento autorizzativo e il divieto di esercizio delle attività funzionali alla progettazione, alla realizzazione, alla manutenzione e alla gestione delle attività di cui al comma 1.

8. Per le attività previste dal presente articolo ai componenti del gruppo di coordinamento di cui al comma 6 e a quelli del Comitato di monitoraggio di cui al comma 7 non spettano compensi, gettoni di presenza, rimborsi spese o altri emolumenti comunque denominati.

9. Con decreto del Presidente del Consiglio dei ministri, sentito il Gruppo di coordinamento costituito ai sensi del comma 6, anche in deroga all'articolo 17 della legge 23 agosto 1988, n. 400, possono essere individuate misure di semplificazione delle modalità di notifica, dei termini e delle procedure relativi all'istruttoria ai fini dell'eventuale esercizio dei poteri di cui al presente articolo.

(*) *Articolo così sostituito dall'art. 28, comma 1 d.l. 22 marzo 2022, n. 21, conv., con modif., in l. 20 maggio 2022, n. 51. Il testo dell'articolo, come da ultimo modificato dall'art. 16 d.l. 14 giugno 2021, n. 82, conv., con modif., in l. 4 agosto 2021, n. 109, era il seguente:* « Art. 1-*bis* (*Poteri speciali inerenti le reti di telecomunicazione elettronica a banda larga con tecnologia 5G*). — 1. Costituiscono, ai fini dell'esercizio dei poteri di cui al comma 2, attività di rilevanza strategica per il sistema di difesa e sicurezza nazionale i servizi di comunicazione elettronica a banda larga basati sulla tecnologia 5G. — 2. La stipula di contratti o accordi aventi ad oggetto l'acquisizione, a qualsiasi titolo, di beni o servizi relativi alla progettazione, alla realizzazione, alla manutenzione e alla gestione delle reti inerenti i servizi di cui al comma 1, ovvero l'acquisizione, a qualsiasi titolo, di componenti ad alta intensità tecnologica funzionali alla predetta realizzazione o gestione, quando posti in essere con soggetti esterni all'Unione europea, è soggetta alla notifica di cui al comma 3-*bis*, al fine dell'eventuale esercizio del potere di veto o dell'imposizione di specifiche prescrizioni o condizioni. A tal fine, sono oggetto di valutazione anche gli elementi indicanti la presenza di fattori di vulnerabilità che potrebbero compromettere l'integrità e la sicurezza delle reti e dei dati che vi transitano, compresi quelli individuati sulla base dei principi e delle linee guida elaborati a livello internazionale e dall'Unione europea. — 2-*bis*. In sede di prima applicazione delle disposizioni di cui al comma 2, l'impresa notificante fornisce un'informativa completa sui contratti o accordi di cui al primo periodo del medesimo comma 2, conclusi prima del 26 marzo 2019 e che non sono in corso di esecuzione. — 3. Per le finalità di cui ai commi 2 e 2-bis, per soggetto esterno all'Unione europea si intende il soggetto di cui all'articolo 2, comma 5-*bis*. — 3-*bis*. Entro dieci giorni dalla conclusione di un contratto o accordo di cui al comma 2, l'impresa che ha acquisito, a qualsiasi titolo, i beni o i servizi di cui allo stesso comma notifica alla Presidenza del Consiglio dei ministri un'informativa completa, contenente anche la comunicazione del Centro di valutazione e certificazione nazionale (CVCN), relativa all'esito della valutazione e alle eventuali prescrizioni, in modo da consentire l'eventuale esercizio del potere di veto o l'imposizione di specifiche prescrizioni o condizioni. Qualora il contratto sia stato stipulato antecedentemente alla conclusione dei test imposti dal CVCN, il termine di cui al primo periodo decorre dalla comunicazione di esito positivo della valutazione effettuata dal CVCN. Entro trenta giorni dalla notifica, il Presidente del Consiglio dei ministri comunica l'eventuale veto ovvero l'imposizione di specifiche prescrizioni o condizioni. I poteri speciali sono esercitati nella forma dell'imposizione di specifiche prescrizioni o condizioni ogniqualvolta ciò sia sufficiente ad assicurare la tutela degli interessi essenziali della difesa e della sicurezza nazionale. Decorsi i predetti termini, i poteri speciali si intendono non esercitati. Qualora si renda necessario richiedere informazioni all'acquirente, tale termine è sospeso, per una sola volta, fino al ricevimento delle informazioni richieste, che sono rese entro il termine di dieci giorni. Qualora si renda necessario formulare richieste istruttorie a soggetti terzi, il predetto termine di trenta giorni è sospeso, per una sola volta, fino al ricevimento delle informazioni richieste, che sono rese entro il termine di venti giorni. Le richieste di informazioni e le richieste istruttorie a soggetti terzi successive alla prima non sospendono i termini. In caso di incompletezza della notifica, il termine di trenta giorni previsto dal presente comma decorre dal ricevimento delle informazioni o degli elementi che la integrano. Fermo restando quanto previsto in materia di sanzioni al presente comma, nel caso in cui l'impresa notificante abbia iniziato l'esecuzione del contratto o dell'accordo oggetto della notifica prima che sia decorso il termine per l'esercizio dei poteri speciali, ovvero abbia eseguito il contratto o accordo in violazione del decreto di esercizio dei poteri speciali, il Governo può ingiungere all'impresa di ripristinare a proprie spese la situazione anteriore. Salvo che il fatto costituisca reato, chiunque non osservi gli obblighi di notifica di cui al presente articolo ovvero le disposizioni contenute nel provvedimento di esercizio dei poteri speciali è soggetto alla sanzione amministrativa pecuniaria del pagamento di una somma fino al 150 per cento del valore dell'operazione e comunque non inferiore al 25 per cento del medesimo valore. Nei casi di violazione degli obblighi di notifica di cui al presente articolo, anche in assenza della notifica, la Presidenza del Consiglio dei ministri può avviare il procedimento ai fini dell'eventuale esercizio dei poteri speciali. A tale scopo, trovano applicazione i termini e le norme procedurali previsti dal presente comma. Il termine di trenta giorni di cui al presente comma decorre dalla conclusione del procedimento di accertamento della violazione dell'obbligo di notifica. — 4. Con decreto del Presidente del Consiglio dei ministri, sentito il Gruppo di coordinamento costituito ai sensi dell'articolo 3 del decreto del Presidente del Consiglio dei ministri del 6 agosto 2014, possono essere individuate misure di semplificazione delle modalità di notifica, dei termini e delle procedure relativi all'istruttoria ai fini dell'eventuale esercizio dei poteri di cui al comma 2 ».

*V. quanto disposto dall'art. 28, comma 2 d.l. n. 21, cit., « 2. In sede di prima applicazione, il piano di cui al comma 2 dell'articolo 1-bis del citato decreto-legge n. 21 del 2012, convertito, con modificazioni, dalla legge n. 56 del 2012, modificato dal comma 1 del presente articolo, include altresì l'informativa completa sui contratti o sugli accordi relativi ai servizi di comunicazione elettronica a banda larga basati sulla tecnologia 5G già autorizzati. Ferma l'efficacia dei decreti del Presidente del Consiglio dei ministri già adottati ai sensi dell'articolo 1-bis del decreto-legge n. 21 del 2012, convertito, con modificazioni, dalla legge n. 56 del 2012, i procedimenti in corso alla data di entrata in vigore del presente decreto sono dichiarati estinti dal gruppo di coordinamento di cui al predetto articolo 1-*bis* e il relativo esame è effettuato in sede di valutazione del piano annuale, fermo restando quanto previsto dall'articolo 1-bis, commi 3 e 5, del decreto-legge n. 21 del 2012, convertito, con modificazioni, dalla legge n. 56 del 2012 ».*

2 Poteri speciali inerenti agli attivi strategici nei settori dell'energia, dei trasporti e delle comunicazioni.

1. Con uno o più decreti del Presidente del Consiglio dei ministri, su proposta del Ministro dell'economia e delle finanze, del Ministro dello sviluppo economico e del Ministro delle infrastrutture e dei trasporti, di concerto con il Ministro dell'interno, con il Ministro degli affari esteri e della cooperazione internazionale e con i Ministri competenti per settore, adottati, anche in deroga all'articolo 17 della legge 23 agosto 1988, n. 400, previo parere delle Commissioni parlamentari competenti, che è reso entro trenta giorni, decorsi i quali i decreti possono comunque essere adottati, sono individuati le reti e gli impianti, ivi compresi quelli necessari ad assicurare l'approvvigionamento minimo e l'o-

peratività dei servizi pubblici essenziali, i beni e i rapporti di rilevanza strategica per l'interesse nazionale, **anche se oggetto di concessioni, comunque affidate, incluse le concessioni di grande derivazione idroelettrica,** (*) nei settori dell'energia, dei trasporti e delle comunicazioni, nonché la tipologia di atti od operazioni all'interno di un medesimo gruppo ai quali non si applica la disciplina di cui al presente articolo. I decreti di cui al primo periodo sono adottati entro centoventi giorni dalla data di entrata in vigore della presente disposizione e sono aggiornati almeno ogni tre anni.

[1-*bis*. I pareri di cui al comma 1 e, nel caso di operazione posta in essere da un soggetto esterno all'Unione europea, 1-*ter* sono espressi entro il termine di venti giorni dalla data di trasmissione degli schemi di regolamento alle Camere. Decorso tale termine, i regolamenti possono essere comunque adottati. Qualora i pareri espressi dalle Commissioni parlamentari competenti rechino identico contenuto, il Governo, ove non intenda conformarvisi, trasmette nuovamente alle Camere lo schema di regolamento, indicandone le ragioni in un'apposita relazione. I pareri definitivi delle Commissioni competenti sono espressi entro il termine di venti giorni dalla data di trasmissione. Decorso tale termine, il regolamento può essere comunque adottato].

1-*ter*. Con uno o più decreti del Presidente del Consiglio dei ministri, su proposta del Ministro dell'economia e delle finanze, del Ministro dello sviluppo economico e del Ministro delle infrastrutture e dei trasporti, di concerto con il Ministro dell'interno, con il Ministro della difesa, con il Ministro degli affari esteri e della cooperazione internazionale e con i Ministri competenti per settore, adottati anche in deroga all'articolo 17 della legge 23 agosto 1988, n. 400, previo parere delle Commissioni parlamentari competenti, che è reso entro trenta giorni, decorsi i quali i decreti possono comunque essere adottati, sono individuati, ai fini della verifica in ordine alla sussistenza di un pericolo per la sicurezza e l'ordine pubblico, compreso il possibile pregiudizio alla sicurezza e al funzionamento delle reti e degli impianti e alla continuità degli approvvigionamenti, i beni e i rapporti di rilevanza strategica per l'interesse nazionale, **anche se oggetto di concessioni, comunque affidate,** (**) ulteriori rispetto a quelli individuati nei decreti di cui all'articolo 1, comma 1, e al comma 1 del presente articolo, nei settori di cui all'articolo 4, paragrafo 1, del regolamento (UE) 2019/452 del Parlamento europeo e del Consiglio, del 19 marzo 2019, nonché la tipologia di atti od operazioni all'interno di un medesimo gruppo ai quali non si applica la disciplina di cui al presente articolo. I decreti di cui al primo periodo sono adottati entro centoventi giorni dalla data di entrata in vigore della presente disposizione e sono aggiornati almeno ogni tre anni.

2. Qualsiasi delibera, atto o operazione, adottato da un'impresa che detiene uno o più degli attivi individuati ai sensi del comma 1, che abbia per effetto modifiche della titolarità, del controllo o della disponibilità degli attivi medesimi o il cambiamento della loro destinazione, comprese le delibere dell'assemblea o degli organi di amministrazione aventi ad oggetto la fusione o la scissione della società, il trasferimento all'estero della sede sociale, la modifica dell'oggetto sociale, lo scioglimento della società, la modifica di clausole statutarie eventualmente adottate ai sensi dell'articolo 2351, terzo comma, del codice civile ovvero introdotte ai sensi dell'articolo 3, comma 1, del decreto-legge 31 maggio 1994, n. 332, convertito, con modificazioni, dalla legge 30 luglio 1994, n. 474, come da ultimo modificato dall'articolo 3 del presente decreto, il trasferimento dell'azienda o di rami di essa in cui siano compresi detti attivi o l'assegnazione degli stessi a titolo di garanzia, è notificato, **salvo che l'operazione sia in corso di valutazione o sia già stata valutata ai sensi del comma 5,** (***) entro dieci giorni e comunque prima che vi sia data attuazione, alla Presidenza del Consiglio dei Ministri dalla stessa impresa. Sono notificate nei medesimi termini le delibere dell'assemblea o degli organi di amministrazione concernenti il trasferimento di società controllate che detengono i predetti attivi.

2-*bis*. Qualsiasi delibera, atto od operazione, adottato da un'impresa che detiene uno o più degli attivi individuati ai sensi del comma 1-*ter*, che abbia per effetto modifiche della titolarità, del controllo o della disponibilità degli attivi medesimi a favore di un soggetto esterno all'Unione europea, di cui al comma 5-*bis*, **ovvero, nei settori individuati nel secondo periodo del comma 5, anche a favore di un soggetto appartenente all'Unione europea, ivi compresi quelli stabiliti o residenti in Italia,** (****) comprese le delibere dell'assemblea o degli organi di amministrazione aventi ad oggetto la fusione o la scissione della società, il trasferimento dell'azienda o di rami di essa in cui siano compresi detti attivi o l'assegnazione degli stessi a titolo di garanzia, il trasferimento di società controllate che detengono i predetti attivi, ovvero che abbia per effetto il trasferimento della sede sociale in un Paese non appartenente all'Unione europea, è notificato, **salvo che l'operazione sia in corso di valutazione o sia già stata valutata ai sensi del comma 5,** (****) entro dieci giorni e comunque prima che vi sia data attuazione, alla Presidenza del Consiglio dei ministri dalla stessa impresa. Sono notificati altresì nei medesimi termini qualsiasi delibera, atto od operazione, adottato da un'impresa che detiene uno o più degli attivi individuati ai sensi del comma 1-*ter*, che abbia per effetto il cambiamento della loro destinazione, nonché qualsiasi delibera che abbia ad oggetto la modifica dell'oggetto sociale, lo scioglimento della società o la modifica di clausole statutarie eventualmente adottate ai sensi dell'articolo 2351, terzo comma, del codice civile ovvero introdotte ai sensi dell'articolo 3, comma 1, del decreto-legge 31 maggio 1994, n. 332, convertito, con modificazioni, dalla legge 30 luglio 1994, n. 474, come da ultimo modificato dall'articolo 3 del presente decreto.

3. Con decreto del Presidente del Consiglio dei Ministri adottato su conforme deliberazione del Consiglio dei Ministri, da trasmettere tempestivamente e per estratto alle Commissioni parlamentari competenti, può essere espresso il veto alle delibere, atti e operazioni di cui ai commi 2 e 2-*bis*, che diano luogo a una situazione eccezionale, non disciplinata dalla norma-

tiva nazionale ed europea di settore, di minaccia di grave pregiudizio per gli interessi pubblici relativi alla sicurezza e al funzionamento delle reti e degli impianti e alla continuità degli approvvigionamenti.

4. Con le notifiche di cui ai commi 2 e 2-*bis*, è fornita al Governo una informativa completa sulla delibera, atto o operazione in modo da consentire l'eventuale tempestivo esercizio del potere di veto. Dalla notifica non deriva per la Presidenza del Consiglio dei Ministri né per la società l'obbligo di comunicazione al pubblico ai sensi dell'articolo 114 del testo unico di cui al decreto legislativo 24 febbraio 1998, n. 58, e successive modificazioni. Entro quarantacinque giorni dalla notifica, il Presidente del Consiglio dei Ministri comunica l'eventuale veto. Qualora si renda necessario richiedere informazioni alla società, tale termine è sospeso, per una sola volta, fino al ricevimento delle informazioni richieste, che sono rese entro il termine di dieci giorni. Qualora si renda necessario formulare richieste istruttorie a soggetti terzi, il predetto termine di quarantacinque giorni è sospeso, per una sola volta, fino al ricevimento delle informazioni richieste, che sono rese entro il termine di venti giorni. Le richieste di informazioni e le richieste istruttorie a soggetti terzi successive alla prima non sospendono i termini. In caso di incompletezza della notifica, il termine di quarantacinque giorni previsto dal presente comma decorre dal ricevimento delle informazioni o degli elementi che la integrano. Fino alla notifica e comunque fino al decorso dei termini previsti dal presente comma è sospesa l'efficacia della delibera, dell'atto o dell'operazione rilevante. Decorsi i termini previsti dal presente comma l'operazione può essere effettuata. Il potere di veto di cui al comma 3 è espresso nella forma di imposizione di specifiche prescrizioni o condizioni ogniqualvolta ciò sia sufficiente ad assicurare la tutela degli interessi pubblici di cui al comma 3. Le delibere o gli atti o le operazioni adottati o attuati in violazione del presente comma sono nulli. Il Governo può altresì ingiungere alla società e all'eventuale controparte di ripristinare a proprie spese la situazione anteriore. Salvo che il fatto costituisca reato, chiunque non osservi le disposizioni di cui ai commi 2 e 2-*bis* e al presente comma è soggetto a una sanzione amministrativa pecuniaria fino al doppio del valore dell'operazione e comunque non inferiore all'uno per cento del fatturato cumulato realizzato dalle imprese coinvolte nell'ultimo esercizio per il quale sia stato approvato il bilancio.

5. L'acquisto a qualsiasi titolo da parte di un soggetto esterno all'Unione europea di partecipazioni in società che detengono gli attivi individuati come strategici ai sensi del comma 1 nonché di quelli di cui al comma 1-*ter*, di rilevanza tale da determinare l'insediamento stabile dell'acquirente in ragione dell'assunzione del controllo della società la cui partecipazione è oggetto dell'acquisto, ai sensi dell'articolo 2359 del codice civile e del testo unico di cui al decreto legislativo 24 febbraio 1998, n. 58, è notificato, **ove possibile congiuntamente alla società le cui partecipazioni sono oggetto dell'acquisto,** (*****) dall'acquirente entro dieci giorni alla Presidenza del Consiglio dei Ministri, unitamente ad ogni informazione utile alla descrizione generale del progetto di acquisizione, dell'acquirente e del suo ambito di operatività. **Nei settori delle comunicazioni, dell'energia, dei trasporti, della salute, agroalimentare e finanziario, ivi incluso quello creditizio e assicurativo, sono soggetti all'obbligo di notifica di cui al primo periodo anche gli acquisti, a qualsiasi titolo, di partecipazioni da parte di soggetti appartenenti all'Unione europea, ivi compresi quelli residenti in Italia, di rilevanza tale da determinare l'insediamento stabile dell'acquirente in ragione dell'assunzione del controllo della società la cui partecipazione è oggetto dell'acquisto, ai sensi dell'articolo 2359 del codice civile e del testo unico di cui al decreto legislativo 24 febbraio 1998, n. 58** (******). Nel computo della partecipazione rilevante si tiene conto della partecipazione detenuta da terzi con cui l'acquirente ha stipulato uno dei patti previsti dall'articolo 122 del testo unico di cui al decreto legislativo 24 febbraio 1998, n. 58, e successive modificazioni, o previsti dall'articolo 2341-*bis* del codice civile. Salvo che il fatto costituisca reato e ferme restando le invalidità previste dalla legge, chiunque non osservi gli obblighi di notifica di cui al presente comma è soggetto a una sanzione amministrativa pecuniaria fino al doppio del valore dell'operazione e comunque non inferiore all'1 per cento del fatturato cumulato realizzato dalle imprese coinvolte nell'ultimo esercizio per il quale sia stato approvato il bilancio. **Nei casi in cui la notifica non sia effettuata congiuntamente da tutte le parti dell'operazione indicate al primo e al secondo periodo, la società notificante trasmette, contestualmente alla notifica, una informativa, contenente gli elementi essenziali dell'operazione e della stessa notifica, alla società le cui partecipazioni sono oggetto dell'acquisto, al fine di consentirne la partecipazione al procedimento, fornendo prova della relativa ricezione** (*******). **Sono soggetti all'obbligo di notifica di cui al presente articolo anche gli acquisti di partecipazioni, da parte di soggetti esteri non appartenenti all'Unione europea, in società che detengono gli attivi individuati come strategici ai sensi dei commi 1 e 1-*ter*, che attribuiscono una quota dei diritti di voto o del capitale almeno pari al 10 per cento, tenuto conto delle azioni o quote già direttamente o indirettamente possedute, quando il valore complessivo dell'investimento sia pari o superiore a un milione di euro, e sono altresì notificate le acquisizioni che determinano il superamento delle soglie del 15 per cento, 20 per cento, 25 per cento e 50 per cento del capitale** (*******).

5-*bis*. Per le finalità di cui all'articolo 1 e al presente articolo, per soggetto esterno all'Unione europea si intende:

_a_) qualsiasi persona fisica che non abbia la cittadinanza di uno Stato membro dell'Unione europea;

_b_) qualsiasi persona fisica che abbia la cittadinanza di uno Stato membro dell'Unione europea e che non abbia la residenza, la dimora abituale ovvero il centro di attività principale in uno Stato membro dell'Unione europea o dello Spazio economico europeo o che non sia comunque ivi stabilita;

_c_) qualsiasi persona giuridica che non abbia la sede legale o dell'amministrazione ovvero il centro

di attività principale in uno Stato membro dell'Unione europea o dello Spazio economico europeo o che non sia comunque ivi stabilita;

***d*) qualsiasi persona giuridica che abbia stabilito la sede legale o dell'amministrazione o il centro di attività principale in uno Stato membro dell'Unione europea o dello Spazio economico europeo, o che sia comunque ivi stabilita, e che risulti controllata, direttamente o indirettamente, da una persona fisica o da una persona giuridica di cui alle lettere *a*), *b*) e *c*);**

***e*) qualsiasi persona fisica o persona giuridica che abbia la cittadinanza di uno Stato membro dell'Unione europea o dello Spazio economico europeo che abbia stabilito la residenza, la dimora abituale, la sede legale o dell'amministrazione ovvero il centro di attività principale in uno Stato membro dell'Unione europea, o che sia comunque ivi stabilita, qualora sussistano elementi che indichino un comportamento elusivo rispetto all'applicazione della disciplina di cui al presente decreto** (********).

6. Qualora l'acquisto di cui al comma 5 comporti una minaccia di grave pregiudizio agli interessi essenziali dello Stato di cui al comma 3 ovvero un pericolo per la sicurezza o per l'ordine pubblico, entro quarantacinque giorni dalla notifica di cui al medesimo comma 5, con decreto del Presidente del Consiglio dei Ministri, adottato su conforme deliberazione del Consiglio dei ministri, da trasmettere tempestivamente e per estratto alle Commissioni parlamentari competenti, **l'efficacia dell'acquisto può essere condizionata all'assunzione, da parte dell'acquirente e della società le cui partecipazioni sono oggetto dell'acquisto, di impegni diretti a garantire la tutela dei predetti interessi. Entro quindici giorni dalla notifica, la società acquisita può presentare memorie e documenti alla Presidenza del Consiglio dei Ministri** (*********). Qualora si renda necessario richiedere informazioni all'acquirente **e alla società le cui partecipazioni sono oggetto dell'acquisto** (**********), il termine di cui al primo periodo è sospeso, per una sola volta, fino al ricevimento delle informazioni richieste, che sono rese entro il termine di dieci giorni. Qualora si renda necessario formulare richieste istruttorie a soggetti terzi, il predetto termine di quarantacinque giorni è sospeso, per una sola volta, fino al ricevimento delle informazioni richieste, che sono rese entro il termine di venti giorni. Le richieste di informazioni e le richieste istruttorie a soggetti terzi successive alla prima non sospendono i termini, decorsi i quali i poteri speciali si intendono non esercitati. In caso di incompletezza della notifica, il termine di quarantacinque giorni previsto dal presente comma decorre dal ricevimento delle informazioni o degli elementi che la integrano. In casi eccezionali di rischio per la tutela dei predetti interessi, non eliminabili attraverso l'assunzione degli impegni di cui al primo periodo, il Governo può opporsi, sulla base della stessa procedura, all'acquisto. Fino alla notifica e, successivamente, fino al decorso del termine per l'eventuale esercizio del potere di opposizione o imposizione di impegni, i diritti di voto o comunque quelli aventi contenuto diverso da quello patrimoniale connessi alle azioni o quote che rappresentano la partecipazione rilevante sono sospesi. Decorsi i predetti termini, l'operazione può essere effettuata. Qualora il potere sia esercitato nella forma dell'imposizione di impegni **[all'acquirente]** (***********), in caso di inadempimento, per tutto il periodo in cui perdura l'inadempimento medesimo, i diritti di voto o comunque i diritti aventi contenuto diverso da quello patrimoniale, connessi alle azioni o quote che rappresentano la partecipazione rilevante, sono sospesi. Le delibere eventualmente adottate con il voto determinante di tali azioni o quote, o comunque le delibere o gli atti adottati con violazione o inadempimento delle condizioni imposte, sono nulli. **La società acquirente e la società le cui partecipazioni sono oggetto dell'acquisto, che non adempiano agli impegni imposti sono altresì soggette, salvo che il fatto costituisca reato,** (************) a una sanzione amministrativa pecuniaria pari al doppio del valore dell'operazione, e comunque non inferiore all'1 per cento del fatturato realizzato nell'ultimo esercizio per il quale sia stato approvato il bilancio. In caso di esercizio del potere di opposizione l'acquirente non può esercitare i diritti di voto e comunque quelli aventi contenuto diverso da quello patrimoniale, connessi alle azioni o quote che rappresentano la partecipazione rilevante, e dovrà cedere le stesse azioni o quote entro un anno. In caso di mancata ottemperanza il tribunale, su richiesta del Governo, ordina la vendita delle suddette azioni o quote secondo le procedure di cui all'articolo 2359-*ter* del codice civile. Le deliberazioni assembleari eventualmente adottate con il voto determinante di tali azioni o quote sono nulle. Per determinare se un investimento estero possa incidere sulla sicurezza o sull'ordine pubblico è possibile prendere in considerazione le seguenti circostanze:

a) che l'acquirente sia direttamente o indirettamente controllato dall'amministrazione pubblica, compresi organismi statali o forze armate, di un Paese non appartenente all'Unione europea, anche attraverso l'assetto proprietario o finanziamenti consistenti;

b) che l'acquirente sia già stato coinvolto in attività che incidono sulla sicurezza o sull'ordine pubblico in uno Stato membro dell'Unione europea;

c) che vi sia un grave rischio che l'acquirente intraprenda attività illegali o criminali.

7. I poteri speciali di cui ai commi precedenti sono esercitati esclusivamente sulla base di criteri oggettivi e non discriminatori. A tale fine il Governo considera, avuto riguardo alla natura dell'operazione, i seguenti criteri:

a) l'esistenza, tenuto conto anche delle posizioni ufficiali dell'Unione europea, di motivi oggettivi che facciano ritenere possibile la sussistenza di legami fra l'acquirente e paesi terzi che non riconoscono i principi di democrazia o dello Stato di diritto, che non rispettano le norme del diritto internazionale o che hanno assunto comportamenti a rischio nei confronti della comunità internazionale,desunti dalla natura delle loro alleanze, o hanno rapporti con organizzazioni criminali o terroristiche o con soggetti ad esse comunque collegati;

b) l'idoneità dell'assetto risultante dall'atto giuridico o dall'operazione, tenuto conto anche delle modalità di finanziamento dell'acquisizione e della capacità economica, finanziaria, tecnica e organizzativa dell'acquirente, a garantire:

1) la sicurezza e la continuità degli approvvigionamenti;

2) il mantenimento, la sicurezza e l'operatività delle reti e degli impianti.

b-bis) per le operazioni di cui al comma 5 è valutata, oltre alla minaccia di grave pregiudizio agli interessi di cui al comma 3, anche il pericolo per la sicurezza o per l'ordine pubblico.

7-*bis*. Ai fini dell'esercizio dei poteri speciali di cui al presente articolo, la costituzione di un'impresa che svolge attività ovvero detiene uno o più degli attivi individuati ai sensi del comma 1 ovvero del comma 1-*ter* è notificata alla Presidenza del Consiglio dei ministri entro i termini e con le procedure di cui al presente articolo, qualora uno o più soci, esterni all'Unione europea ai sensi del comma 5-*bis*, detengano una quota dei diritti di voto o del capitale almeno pari al 10 per cento (*************).

8. Nel caso in cui le attività di rilevanza strategica individuate con i decreti di cui al comma 1 si riferiscono a società partecipate, direttamente o indirettamente, dal Ministero dell'economia e delle finanze, il Consiglio dei Ministri delibera, ai fini dell'esercizio dei poteri speciali di cui ai commi 3 e 6, su proposta del Ministro dell'economia e delle finanze, sentiti il Ministro dello sviluppo economico e il Ministro delle infrastrutture e dei trasporti, per i rispettivi ambiti di competenza. Le notifiche di cui ai commi 2 e 5 sono immediatamente trasmesse dalla Presidenza del Consiglio dei Ministri al Ministero dell'economia e delle finanze.

8-*bis*. Nei casi di violazione degli obblighi di notifica di cui al presente articolo, anche in assenza della notifica di cui ai commi 2, 2-*bis* e 5, la Presidenza del Consiglio dei ministri può avviare il procedimento ai fini dell'eventuale esercizio dei poteri speciali. A tale scopo, trovano applicazione i termini e le norme procedurali previsti dal presente articolo, nonché dal regolamento di cui al comma 9. Il termine di quarantacinque giorni di cui ai commi 4 e 6 decorre dalla conclusione del procedimento di accertamento della violazione dell'obbligo di notifica.

9. Con regolamento, adottato ai sensi dell'articolo 17, comma 1, della legge 23 agosto 1988, n. 400, e successive modificazioni, previo parere delle Commissioni parlamentari competenti, su proposta del Ministro dell'economia e delle finanze, di concerto con il Ministro degli affari esteri, il Ministro dell'interno, il Ministro dello sviluppo economico e il Ministro delle infrastrutture e dei trasporti, sentite le Autorità indipendenti di settore, ove esistenti, sono emanate disposizioni di attuazione del presente articolo, anche con riferimento alla definizione, nell'ambito delle risorse umane, strumentali e finanziarie disponibili a legislazione vigente e senza nuovi o maggiori oneri a carico del bilancio dello Stato, delle modalità organizzative per lo svolgimento delle attività propedeutiche all'esercizio dei poteri speciali previsti dal presente articolo. Il parere sullo schema di regolamento è espresso entro il termine di venti giorni dalla data della sua trasmissione alle Camere. Decorso tale termine, il regolamento può essere comunque adottato. Qualora i pareri espressi dalle Commisioni parlamentari competenti rechino identico contenuto, il Governo, ove non intenda conformarvisi, trasmette nuovamente alle Camere lo schema di regolamento, indicandone le ragioni in un'apposita relazione. I pareri definitivi delle Commissioni competenti sono espressi entro il termine di venti giorni dalla data di trasmissione. Decorso tale termine, il regolamento può essere comunque adottato. Fino all'adozione del medesimo regolamento, le competenze inerenti alle proposte per l'esercizio dei poteri speciali, di cui ai commi 3 e 6, e le attività conseguenti, di cui ai commi 4 e 6, sono attribuite al Ministero dell'economia e delle finanze per le società da esso partecipate, ovvero, per le altre società, al Ministero dello sviluppo economico o al Ministero delle infrastrutture e dei trasporti, secondo i rispettivi ambiti di competenza.

(*) *Le parole* « , anche se oggetto di concessioni, comunque affidate, incluse le concessioni di grande derivazione idroelettrica, » *sono state inserite dall'art. 25, comma 1, lett.* oa) *d.l. 22 marzo 2022, n. 21, conv., con modif., in l. 20 maggio 2022, n. 51.*

(**) *Le parole* « , anche se oggetto di concessioni, comunque affidate, » *sono state inserite dall'art. 25, comma 1, lett.* ob) *d.l. n. 21, cit.*

(***) *Le parole* « salvo che l'operazione sia in corso di valutazione o sia già stata valutata ai sensi del comma 5, » *sono state inserite dall'art. 25, comma 1, lett.* a) *d.l. n. 21, cit.*

(****) *Le parole* « ovvero, nei settori individuati nel secondo periodo del comma 5, anche a favore di un soggetto appartenente all'Unione europea, ivi compresi quelli stabiliti o residenti in Italia, » *e le parole* « salvo che l'operazione sia in corso di valutazione o sia già stata valutata ai sensi del comma 5, » *sono state inserite dall'art. 25, comma 1, lett.* b) *d.l. n. 21, cit.*

(*****) *Le parole* « ove possibile congiuntamente alla società le cui partecipazioni sono oggetto dell'acquisto, » *sono state inserite dall'art. 25, comma 1, lett.* c), *n. 1 d.l. n. 21, cit.*

(******) *Periodo inserito dall'art. 25, comma 1, lett.* c), *n. 2 d.l. n. 21, cit. Ai sensi dell'art. 25, comma 2, d.l. n. 21, cit., le disposizioni di cui al presente periodo hanno effetto a decorrere dal 1° gennaio 2023.*

(*******) *Periodo inserito dall'art. 25, comma 1, lett.* c), *n. 3 d.l. n. 21, cit.*

(********) *Comma così sostituito dall'art. 25, comma 1, lett.* c-bis) *d.l. n. 21, cit. Il testo del comma era il seguente:* « 5-*bis*. Per le finalità di cui agli articoli 1, comma 3-*bis*, e 1-*bis*, commi 2 e 2-*bis*, nonché di cui ai commi 2-*bis*, 5 e 6 del presente articolo, per 'soggetto esterno all'Unione europea' si intende:

a) qualsiasi persona fisica o persona giuridica che non abbia la residenza, la dimora abituale, la sede legale o dell'amministrazione ovvero il centro di attività principale in uno Stato membro dell'Unione europea o dello Spazio economico europeo o che non sia comunque ivi stabilita;

b) qualsiasi persona giuridica che abbia stabilito la sede legale o dell'amministrazione o il centro di attività principale in uno Stato membro dell'Unione europea o dello Spazio economico europeo, o che sia comunque ivi stabilita, e che risulti controllata, direttamente o indirettamente, da una persona fisica o da una persona giuridica di cui alla lettera *a*);

c) qualsiasi persona fisica o persona giuridica che abbia stabilito la residenza, la dimora abituale, la sede legale o dell'amministrazione ovvero il centro di attività principale in uno Stato membro dell'Unione europea o dello Spazio economico europeo, o che sia comunque ivi stabilita, qualora sussistano elementi che indichino un comportamento elusivo rispetto all'applicazione della disciplina di cui al presente decreto ».

(*********) *Le parole da* « l'efficacia » *a* « dei Ministri » *sono state sostituite alle parole* « l'efficacia dell'acquisto può essere condizionata all'assunzione da parte dell'acquirente di impegni diretti a garantire la tutela dei predetti interessi. » *dall'art. 25, comma 1, lett.* d), *n. 1 d.l. n. 21, cit.*

(**********) *Le parole* « e alla società le cui partecipazioni sono oggetto dell'acquisto » *sono state inserite dall'art. 25, comma 1, lett.* d), *n. 2 d.l. n. 21, cit.*

(***********) *Le parole* « all'acquirente » *sono state soppresse dall'art. 25, comma 1, lett.* d), *n. 3 d.l. n. 21, cit.*

(************) *Le parole da* « La società » *a* « reato, » *sono state sostituite alle parole* « L'acquirente che non adempia agli impegni imposti è altresì soggetto, salvo che il fatto costituisca reato, » *dall'art. 25, comma 1, lett.* d), *n. 4 d.l. n. 21, cit.*

(*************) *Comma inserito dall'art. 25, comma 1, lett.* d-bis), *d.l. n. 21, cit.*

2-*bis* Collaborazione con autorità amministrative di settore.

1. La Banca d'Italia, la Commissione nazionale per le società e la borsa, la Commissione di vigilanza sui fondi pensione, l'Istituto per la vigilanza sulle assicurazioni, l'Autorità di regolazione dei trasporti, l'Autorità garante della concorrenza e del mercato, l'Autorità per le garanzie nelle comunicazioni, l'Autorità di regolazione per energia, reti e ambiente e il gruppo di coordinamento istituito ai sensi dell'articolo 3 del decreto del Presidente del Consiglio dei ministri 6 agosto 2014 collaborano tra loro, anche mediante scambio di informazioni, al fine di agevolare l'esercizio delle funzioni di cui al presente decreto. Le autorità indicate al primo periodo, esclusivamente per le finalità di cui al medesimo periodo, non possono opporre al gruppo di coordinamento il segreto d'ufficio.

2. Al fine di raccogliere elementi utili all'applicazione degli articoli 1, 1-*bis* e 2, il gruppo di coordinamento istituito ai sensi dell'articolo 3 del decreto del Presidente del Consiglio dei ministri 6 agosto 2014, **nonché quello di cui all'articolo 1-*bis* del presente decreto,** (*), può richiedere a pubbliche amministrazioni, enti pubblici o privati, imprese o altri soggetti terzi che ne siano in possesso, di fornire informazioni e di esibire documenti.

2-*bis*. **Nell'esercizio delle funzioni di cui al presente decreto, la Presidenza del Consiglio dei ministri può avvalersi, secondo modalità da definirsi mediante apposito protocollo d'intesa e senza nuovi o maggiori oneri a carico della finanza pubblica, della collaborazione della Guardia di finanza. Nell'espletamento delle attività di cui al primo periodo, fermo restando quanto previsto dall'articolo 2 del decreto legislativo 19 marzo 2001, n. 68, i militari della Guardia di finanza si avvalgono anche dei poteri e delle facoltà di cui all'articolo 9 del decreto legislativo 21 novembre 2007, n. 231** (**).

3. Ai medesimi fini di cui al comma 2, la Presidenza del Consiglio può stipulare, senza nuovi o maggiori oneri per la finanza pubblica, convenzioni o protocolli di intesa con istituti o enti di ricerca**, nonché con altre amministrazioni** (***).

(*) *Le parole* « nonché quello di cui all'articolo 1-bis del presente decreto, » *sono state inserite dall'art. 27, comma 2, lett.* a) *d.l. 22 marzo 2021, n. 21, conv., con modif., in l. 20 maggio 2022, n. 51.*

(**) *Comma inserito dall'art. 27, comma 2, lett.* b) *d.l. n. 21, cit.*

(***) *Le parole* « , nonché con altre amministrazioni » *sono state inserite dall'art. 27, comma 2, lett.* c) *d.l. n. 21, cit.*

93. Decreto legge 21 settembre 2019, n. 105, convertito, con modificazioni, in legge 18 novembre 2019, n. 133. — Disposizioni urgenti in materia di perimetro di sicurezza nazionale cibernetica e di disciplina dei poteri speciali nei settori di rilevanza strategica.

Pubblicato nella Gazzetta Ufficiale n. 222 del 21 settembre 2019; la legge di conversione è stata pubblicata nella Gazzetta Ufficiale n. 272 del 20 novembre 2019.

4-*bis* Modifiche alla disciplina dei poteri speciali nei settori di rilevanza strategica.

1.-2. (*omissis*).

3. Fino alla data di entrata in vigore del primo decreto del Presidente del Consiglio dei ministri di cui all'articolo 2, comma 1-*ter*, del decreto-legge 15 marzo 2012, n. 21, convertito, con modificazioni, dalla legge 11 maggio 2012, n. 56, come sostituito dal comma 1, lettera *c*), numero 3), del presente articolo, fatta salva l'applicazione degli articoli 1 e 2 del citato decreto-legge, come modificati dal presente articolo, è soggetto alla notifica di cui al comma 5 dell'articolo 2 del medesimo decreto-legge n. 21 del 2012 l'acquisto a qualsiasi titolo di partecipazioni in società che detengono beni e rapporti nei settori di cui all'articolo 4, paragrafo 1, lettere *a*), *b*), *c*), *d*) ed *e*), del regolamento (UE) 2019/452 del Parlamento europeo e del Consiglio, del 19 marzo 2019, intendendosi compresi nel settore finanziario i settori creditizio e assicurativo, e, nel settore sanitario, la produzione, l'importazione e la distribuzione all'ingrosso di dispositivi medicali, medico-chirurgici e di protezione individuale.

3-*bis*. Al fine di contrastare l'emergenza epidemiologica da COVID-19 e contenerne gli effetti negativi, fino al 31 dicembre 2022:

a) sono soggetti all'obbligo di notifica di cui al comma 2 dell'articolo 2 del decreto-legge n. 21 del 2012, anche le delibere, gli atti o le operazioni, adottati da un'impresa che detiene beni e rapporti nei settori di cui all'articolo 4, paragrafo 1, lettere *a*), *b*), *c*), *d*) ed *e*) del regolamento (UE) 2019/452, intendendosi compresi nel settore finanziario i settori creditizio e assicurativo, nonché le delibere, gli atti o le operazioni individuati con decreto del Presidente del Consiglio dei ministri di cui al citato articolo 2, comma 1-*ter*, del decreto-legge n. 21 del 2012, che abbiano per effetto modifiche della titolarità, del controllo o della disponibilità di detti attivi o il cambiamento della loro destinazione;

b) sono soggetti all'obbligo di notifica di cui al comma 5 dell'articolo 2 del medesimo decretolegge n. 21 del 2012, in relazione ai beni e ai rapporti di cui al comma 1 dell'articolo 2, del medesimo decreto-legge n. 21 del 2012, nonché ai beni e rapporti nei settori indicati alla lettera *a*), ovvero individuati con decreto del Presidente del Consiglio dei ministri di cui al citato articolo 2, comma 1-*ter*, del decreto-legge n. 21 del 2012, anche gli acquisti a qualsiasi titolo di partecipazioni, da parte di soggetti esteri, anche appartenenti all'Unione europea, di rilevanza tale da determinare l'insediamento stabile dell'acquirente in ragione dell'assunzione del controllo della società la cui partecipazione è oggetto dell'acquisto, ai sensi dell'articolo 2359 del codice civile e del testo unico di cui al decreto legislativo 24 febbraio 1998, n. 58, **[nonché gli acquisti di partecipazioni, da parte di soggetti esteri non appartenenti all'Unione europea, che attribuiscono una quota dei diritti di voto o del capitale almeno pari al 10 per cento, tenuto conto delle azioni o quote già direttamente o indirettamente possedute, quando il valore complessivo dell'investimento sia pari o superiore a un milione di euro, e sono altresì notificate le acquisizioni che determinano il superamento delle soglie del 15 per cento, 20 per cento, 25 per cento e 50 per cento del capitale]** (*);

c) la disposizione di cui all'articolo 2, comma 6, lettera *a*), del decreto-legge n. 21 del 2012, si applica anche quando il controllo ivi previsto sia esercitato da un'amministrazione pubblica di uno Stato membro dell'Unione europea.

3-*ter*. Si applicano le disposizioni dell'articolo 2, commi 6 e 7, del citato decreto-legge n. 21 del 2012, come modificato dal presente articolo.

3-*quater*. Le disposizioni di cui ai commi 3 e 3-*bis* aventi vigenza fino al 31 dicembre 2022 si applicano nei confronti di delibere, atti o operazioni, nonché di acquisti di partecipazioni, rilevanti ai fini degli obblighi di notifica di cui ai commi 2 e 5 dell'articolo 2 del decreto-legge n. 21 del 2012, per i quali tale obbligo sia sorto nel predetto arco temporale, ancorché la notifica sia intervenuta successivamente o sia stata omessa. Restano validi, anche successivamente al termine del 31 dicembre 2022, gli atti e i provvedimenti adottati a seguito di esercizio dei poteri speciali in applicazione delle disposizioni dei commi 3 e 3-*bis*, e sono fatti salvi gli effetti prodottisi ed i rapporti giuridici sorti sulla base degli stessi atti e provvedimenti successivamente al decorso del predetto termine. Fermo restando l'obbligo di notifica, i poteri speciali di cui all'articolo 2 del decreto-legge n. 21 del 2012 relativi a società che detengono beni e rapporti nei settori di cui all'articolo 4, paragrafo 1, lettere *a*), *b*), *c*), *d*) e *e*) del regolamento (UE) 2019/452, intendendosi compresi nel settore finanziario i settori creditizio e assicurativo, si applicano nella misura in cui la tutela degli interessi essenziali dello Stato, ovvero la tutela della sicurezza e dell'ordine pubblico, previsti dal medesimo articolo 2, non sia adeguatamente garantita dalla sussistenza di una specifica regolamentazione di settore.

4. Fino alla data di entrata in vigore dei decreti di cui ai commi 1 e 1-*ter* dell'articolo 2 del decreto-legge 15 marzo 2012, n. 21, convertito, con modificazioni, dalla legge 11 maggio 2012, n. 56, come sostituiti dal presente articolo, continuano ad avere efficacia i regolamenti adottati in attuazione delle norme previgenti modificate dal presente articolo.

(*) *Le parole da* « nonché gli acquisti di partecipazioni, » *a* « 50 per cento del capitale » *sono state soppresse dall'art. 25, comma 3 d.l. 21 marzo 2022, n. 21, conv., con modif., in l. 20 maggio 2022, n. 51.*

5 Determinazioni del Presidente del Consiglio dei ministri in caso di crisi di natura cibernetica.

1. Il Presidente del Consiglio dei ministri, in presenza di un rischio grave e imminente per la sicurezza nazionale connesso alla vulnerabilità di reti, sistemi informativi e servizi informatici, su deliberazione del Comitato interministeriale per la sicurezza della Repubblica, può comunque disporre, ove indispensabile e per il tempo strettamente necessario alla eliminazione dello specifico fattore di rischio o alla sua mitigazione, **in deroga ad ogni disposizione vigente, nel rispetto dei principi generali dell'ordinamento giuridico e** (*) secondo un criterio di proporzionalità, la disattivazione, totale o parziale, di uno o più apparati o prodotti impiegati nelle reti, nei sistemi o per l'espletamento dei servizi interessati. **Laddove nelle determinazioni di cui al presente comma sia recata deroga alle leggi vigenti anche ai fini delle ulteriori necessarie misure correlate alla disattivazione o all'interruzione, le stesse determinazioni devono contenere l'indicazione delle principali norme a cui si intende derogare e tali deroghe devono essere specificamente motivate** (**). **Le determinazioni di cui al presente comma non sono soggette al controllo preventivo di legittimità di cui all'articolo 3 della legge 14 gennaio 1994, n. 20** (**).

1-*bis*. Il Presidente del Consiglio dei ministri informa entro trenta giorni il Comitato parlamentare per la sicurezza della Repubblica delle misure disposte ai sensi del comma 1.

(*) *Le parole* « in deroga ad ogni disposizione vigente, nel rispetto dei principi generali dell'ordinamento giuridico e » *sono state inserite dall'art. 29, comma 5 d.l. 21 marzo 2022, n. 21, conv., con modif., in l. 20 maggio 2022, n. 51.*

(**) *Periodo inserito dall'art. 29, comma 5 d.l. n. 21, cit.*

SEZIONE SESTA
COMUNICAZIONI

CAPO I
RETI DI COMUNICAZIONE

94. Decreto legislativo 1° agosto 2003, n. 259. — Codice delle comunicazioni elettroniche.

Pubblicato nella Gazzetta Ufficiale n. 214 del 15 settembre 2003, S.O. n. 150.

44 Nuovi impianti - Procedimenti autorizzatori relativi alle infrastrutture di comunicazione elettronica per impianti radioelettrici (ex art. 87 Codice 2003).

1. L'installazione di infrastrutture per impianti radioelettrici e la modifica delle caratteristiche di emissione di questi ultimi e, in specie, l'installazione di torri, di tralicci destinati ad ospitare apparati radiotrasmittenti, ripetitori di servizi di comunicazione elettronica, stazioni radio base per reti di comunicazioni elettroniche mobili in qualunque tecnologia, per reti di diffusione, distribuzione e contribuzione dedicate alla televisione digitale terrestre, per reti a radiofrequenza dedicate alle emergenze sanitarie ed alla protezione civile, nonché per reti radio a larga banda punto-multipunto nelle bande di frequenza all'uopo assegnate, anche in coubicazione, viene autorizzata dagli Enti locali, previo accertamento, da parte dell'Organismo competente ad effettuare i controlli, di cui all'articolo 14 della legge 22 febbraio 2001, n. 36, della compatibilità del progetto con i limiti di esposizione, i valori di attenzione e gli obiettivi di qualità, stabiliti uniformemente a livello nazionale in relazione al disposto della citata legge 22 febbraio 2001, n. 36, e relativi provvedimenti di attuazione, ove previsto 2. L'istanza di autorizzazione alla installazione di infrastrutture di cui al comma 1 è presentata all'Ente locale dai titolari di autorizzazione generale rilasciata ai sensi dell'articolo 11. Al momento della presentazione della domanda, l'ufficio abilitato a riceverla indica al richiedente il nome del responsabile del procedimento.

3. L'istanza, redatta al fine della sua acquisizione su supporti informatici, deve essere corredata della documentazione atta a comprovare, il rispetto dei limiti di esposizione, dei valori di attenzione e degli obiettivi di qualità, relativi alle emissioni elettromagnetiche, di cui alla legge 22 febbraio 2001, n. 36, e relativi provvedimenti di attuazione, attraverso l'utilizzo di modelli predittivi conformi alle prescrizioni della CEI. **Tale documentazione è esclusa per l'installazione delle infrastrutture, quali pali, torri e tralicci, destinate ad ospitare gli impianti radioelettrici di cui al comma 1** (*). In caso di pluralità di domande, viene data precedenza a quelle presentate congiuntamente da più operatori. Nel caso di installazione di impianti, con potenza in singola antenna uguale od inferiore ai 20 Watt, fermo restando il rispetto dei limiti di esposizione, dei valori di attenzione e degli obiettivi di qualità sopra indicati, è sufficiente la segnalazione certificata di inizio attività.

4. Al fine di accelerare la realizzazione degli investimenti per il completamento della rete di telecomunicazione GSM-R dedicata esclusivamente alla sicurezza ed al controllo del traffico ferroviario, nonché al fine di contenere i costi di realizzazione della rete stessa, all'installazione sul sedime ferroviario ovvero in area immediatamente limitrofa dei relativi impianti ed apparati si procede con le modalità proprie degli impianti di sicurezza e segnalamento ferroviario, nel rispetto dei limiti di esposizione, dei valori di attenzione e degli obiettivi di qualità, stabiliti uniformemente a livello nazionale in relazione al disposto della legge 22 febbraio 2001, n. 36, e relativi provvedimenti di attuazione.

5. Copia dell'istanza ovvero della segnalazione viene inoltrata contestualmente all'Organismo di cui al comma 1, che si pronuncia entro trenta giorni dalla comunicazione. Lo sportello locale competente provvede a pubblicizzare l'istanza, pur senza diffondere i dati caratteristici dell'impianto. L'istanza ha valenza di istanza unica effettuata per tutti i profili connessi agli interventi e per tutte le amministrazioni o enti comunque coinvolti nel procedimento. Il soggetto richiedente dà notizia della presentazione dell'istanza a tutte le amministrazioni o enti coinvolti nel procedimento.

6. Il responsabile del procedimento può richiedere, per una sola volta, entro quindici giorni dalla data di ricezione dell'istanza, il rilascio di dichiarazioni e l'integrazione della documentazione prodotta. Il termine di cui al comma 10 riprende a decorrere dal momento dell'avvenuta integrazione documentale.

7. Quando l'installazione dell'infrastruttura è subordinata all'acquisizione di uno o più provvedimenti, determinazioni, pareri, intese, concerti, nulla osta o altri atti di concessione, autorizzazione o assenso, comunque denominati, ivi comprese le autorizzazioni previste dal decreto legislativo 22 gennaio 2004, n. 42, da adottare a conclusione di distinti procedimenti di competenza di diverse amministrazioni o enti, inclusi i gestori di beni o servizi pubblici, il responsabile del procedimento convoca, entro cinque giorni lavorativi dalla presentazione dell'istanza, una conferenza di servizi, alla quale prendono parte tutte le amministrazioni coinvolte nel procedimento, enti e gestori di beni o servizi pubblici interessati dall'installazione, nonché un rappresentante dei soggetti preposti ai controlli di cui all'articolo 14 della legge 22 febbraio 2001, n. 36.

8. La determinazione positiva della conferenza sostituisce ad ogni effetto tutti i provvedimenti, determinazioni, pareri, intese, concerti, nulla osta o altri atti di concessione, autorizzazione o assenso, comunque denominati, necessari per l'installazione delle infrastrutture di cui al comma 1, di competenza di tutte le amministrazioni. enti e gestori di beni o servizi pubblici interessati, e vale, altresì, come dichiarazione di pubblica utilità, indifferibilità ed urgenza dei lavori.

9. Alla predetta conferenza di servizi si applicano le disposizioni di cui agli articoli 14, 14-*bis*, 14-*ter*, 14-*quater* e 14-*quinquies* della legge 7 agosto 1990, n. 241, con il dimezzamento dei termini ivi indicati, ad eccezione dei termini di cui al suddetto articolo 14-*quinquies*, e fermo restando l'obbligo di rispettare il termine perentorio finale di conclusione del presente procedimento indicato al comma 10.

10. Le istanze di autorizzazione si intendono accolte qualora, entro il termine perentorio di novanta giorni dalla presentazione del progetto e della relativa domanda, non sia stato comunicato un provvedimento di diniego o un parere negativo da parte dell'organismo competente ad effettuare i controlli, di cui all'articolo 14 della legge 22 febbraio 2001, n. 36, e non sia stato espresso un dissenso, congruamente motivato, da parte di un'Amministrazione preposta alla tutela ambientale, paesaggistico-territoriale o dei beni culturali. Nei già menzionati casi di dissenso congruamente motiva-

to, ove non sia stata adottata la determinazione decisoria finale nel termine di cui al primo periodo, si applica l'articolo 2, comma 9-ter, della legge 7 agosto 1990 n. 241. Gli Enti locali possono prevedere termini più brevi per la conclusione dei relativi procedimenti ovvero ulteriori forme di semplificazione amministrativa, nel rispetto delle disposizioni stabilite dal presente comma. Decorso il suddetto termine, l'amministrazione procedente comunica, entro il termine perentorio di sette giorni, l'attestazione di avvenuta autorizzazione, scaduto il quale è sufficiente l'autocertificazione del richiedente. Sono fatti salvi i casi in cui disposizioni del diritto dell'Unione Europea richiedono l'adozione di provvedimenti espressi.

11. Le opere debbono essere realizzate, a pena di decadenza, nel termine perentorio di dodici mesi dalla ricezione del provvedimento autorizzatorio espresso, ovvero dalla formazione del silenzio-assenso.

(*) *Periodo inserito dall'art.* 7-septies *d.l. 21 marzo 2022, n. 21, conv., con modif., in l. 20 maggio 2022, n. 51.*

SEZIONE OTTAVA ENERGIA

116. Decreto legislativo 4 luglio 2014, n. 102. — Attuazione della direttiva 2012/27/UE sull'efficienza energetica, che modifica le direttive 2009/125/CE e 2010/30/UE e abroga le direttive 2004/8/CE e 2006/32/CE.

Pubblicato nella Gazzetta Ufficiale del 18 luglio 2014, n. 165.

5 Miglioramento della prestazione energetica degli immobili della Pubblica Amministrazione.

1. A partire dall'anno 2014 e fino al 2030, e nell'ambito della cabina di regia di cui all'articolo 4, sono realizzati attraverso le misure del presente articolo interventi sugli immobili della pubblica amministrazione centrale, inclusi gli immobili periferici, in grado di conseguire la riqualificazione energetica almeno pari al 3 per cento annuo della superficie coperta utile climatizzata [o che, in alternativa, comportino un risparmio energetico cumulato nel periodo 2014-2020 di almeno 0,04 Mtep].

2. Il Ministero dello sviluppo economico di concerto con il Ministero dell'ambiente e della tutela del territorio e del mare, sentito il Ministero delle infrastrutture e dei trasporti e in collaborazione con l'Agenzia del demanio, predispone entro il 30 novembre di ogni anno, a decorrere dal 2014, un programma di interventi per il miglioramento della prestazione energetica degli immobili della pubblica amministrazione centrale coerente con la percentuale indicata al comma 1, e promuove, altresì, le attività di informazione e di assistenza tecnica eventualmente necessarie alle pubbliche amministrazioni interessate dal comma 1, anche tramite propri enti e società collegate. Le stesse Amministrazioni, con il supporto dell'ENEA e del GSE nel rispetto delle rispettive competenze, assicurano il coordinamento, la raccolta dei dati e il monitoraggio necessario per verificare lo stato di avanzamento del programma, promuovendo la massima partecipazione delle Amministrazioni interessate, e la pubblicità dei dati sui risultati raggiunti e sui risparmi conseguiti. Nella redazione del programma, si tiene, altresì, conto delle risultanze dell'inventario, predisposto in attuazione dell'articolo 5, paragrafo 5, della direttiva 2012/27/UE, e successive modificazioni, contenente informazioni sulle superfici e sui consumi energetici degli immobili della pubblica amministrazione centrale, dei dati sui consumi energetici rilevati nell'applicativo informatico IPer gestito dall'Agenzia del demanio, delle risultanze delle diagnosi energetiche nonché delle misure di cui al comma 10.

3. Al fine di elaborare il programma di cui al comma 2, le Pubbliche Amministrazioni centrali, entro il 30 settembre per l'anno 2014 e entro il 30 giugno di ciascun anno successivo, predispongono, anche in forma congiunta, proposte di intervento per la riqualificazione energetica dei immobili dalle stesse occupati, anche avvalendosi dei Provveditorati interregionali opere pubbliche del Ministero delle infrastrutture e trasporti **ovvero dell'Agenzia del demanio, attraverso la Struttura per la progettazione di beni ed edifici pubblici di cui all'articolo 1, comma 162, della legge 30 dicembre 2018, n. 145** (*), e le trasmettono, entro i quindici giorni successivi, al Ministero dello sviluppo economico. Tali proposte devono essere formulate sulla base di appropriate diagnosi energetiche o fare riferimento agli interventi di miglioramento energetico previsti dall'Attestato di prestazione energetica di cui all'articolo 6 del decreto legislativo 19 agosto 2005, n. 192.

3-*bis*. La gestione delle proposte di intervento di cui al comma 3, nonché di tutta la documentazione e degli adempimenti ad esse inerenti, è assicurata tramite un apposito portale informatico istituito presso il Ministero dello sviluppo economico e da esso gestito.

3-*ter*. Per le spese per la realizzazione del portale di cui al comma 3-*bis*, pari a 100.000 euro per il 2021, si provvede mediante l'utilizzo delle risorse assegnate ai sensi del comma 232 dell'articolo 1 della legge 30 dicembre 2018, n. 145, destinate al Ministero dello sviluppo economico per il potenziamento del programma di riqualificazione energetica degli immobili della pubblica amministrazione centrale.

4. Per gli adempimenti di cui al comma 3, le Pubbliche Amministrazioni centrali individuano, al proprio

interno, il responsabile del procedimento e ne comunicano il nominativo ai soggetti di cui al comma 2.

5. Le modalità per l'esecuzione del programma di cui al comma 2 sono definite con decreto del Ministro dello Sviluppo Economico e del Ministro dell'ambiente e della tutela del territorio e del mare, di concerto con il Ministro delle infrastrutture e trasporti e il Ministro dell'Economia e delle Finanze, da emanare entro trenta giorni dall'entrata in vigore del presente decreto.

6. Sono esclusi dal programma di cui al comma 2:

a) gli immobili con superficie coperta utile totale inferiore a 500 m^2. Tale soglia a partire dal 9 luglio 2015 è rimodulata a 250 m^2;

b) gli immobili tutelati ai sensi delle disposizioni del decreto legislativo 22 gennaio 2004, n. 42, nella misura in cui il rispetto di determinati requisiti minimi di prestazione energetica risulti incompatibile con il loro carattere, aspetto o contesto, o pregiudizievole alla loro conservazione;

c) gli immobili destinati a scopi di difesa nazionale, ad eccezione degli edifici adibiti ad alloggi di servizio o ad uffici per le forze armate e altro personale dipendente dalle autorità preposte alla difesa nazionale;

d) gli immobili adibiti a luoghi di culto e allo svolgimento di attività religiose.

7. Per la definizione del programma di cui al comma 2, sono applicati criteri di individuazione tra più interventi, basati su: ottimizzazione dei tempi di recupero dell'investimento, anche con riferimento agli edifici con peggiore indice di prestazione energetica; minori tempi previsti per l'avvio e il completamento dell'intervento; entità di eventuali forme di cofinanziamento anche mediante ricorso a finanziamenti tramite terzi.

8. **La realizzazione degli interventi compresi nei programmi definiti ai sensi del comma 2 è gestita, senza nuovi o maggiori oneri per la finanza pubblica, dai Provveditorati interregionali per le opere pubbliche del Ministero delle infrastrutture e della mobilità sostenibili, dalle amministrazioni interessate e dall'Agenzia del demanio, in considerazione della tipologia di intervento e delle eventuali diverse forme di finanziamento adottate per il medesimo immobile, al fine di promuovere forme di razionalizzazione e di coordinamento tra gli interventi, anche tra più amministrazioni, favorendo economie di scala e contribuendo al contenimento dei costi. I Provveditorati interregionali per le opere pubbliche del Ministero delle infrastrutture e della mobilità sostenibili realizzano gli interventi ricompresi nei programmi predisposti ai sensi del comma 2, secondo le modalità più innovative, efficienti ed economicamente più vantaggiose, nonché utilizzando metodi e strumenti elettronici di modellazione per l'edilizia e le infrastrutture. Su richiesta del Ministero della transizione ecologica, d'intesa con le strutture operative dei Provveditorati interregionali per le opere pubbliche, l'Agenzia del demanio può curare anche l'esecuzione degli interventi già oggetto di convenzionamento con le medesime strutture operative nell'ambito dell'attuazione dei programmi predisposti ai sensi del comma 2. I Provveditorati interregionali per le opere pubbliche, l'Agenzia del demanio e il Ministero della difesa o gli organi del genio del medesimo Ministero possono fare ricorso agli strumenti di acquisto e negoziazione telematici, ivi inclusi il mercato elettronico della pubblica amministrazione (MEPA) e il sistema dinamico di acquisizione della pubblica amministrazione (SDAPA)** (**).

8-*bis*. In deroga a quanto disposto dal comma 8, al fine di snellire la gestione amministrativa e preservare le esigenze di riservatezza, flessibilità e continuità operativa, la realizzazione degli interventi compresi nei programmi definiti ai sensi del comma 2 sugli immobili in uso al Ministero della difesa è di competenza degli organi del genio del medesimo Ministero, che li esegue con le risorse umane, finanziarie e strumentali disponibili a legislazione vigente, senza nuovi o maggiori oneri per la finanza pubblica. Per tali fini, sono stipulate una o più convenzioni tra il Ministero competente ad erogare il finanziamento e il Ministero della difesa.

9. Concorrono altresì al raggiungimento dell'obiettivo annuo di cui al comma 1, le misure organizzative e comportamentali degli occupanti volte a ridurre il consumo energetico, che le pubbliche amministrazioni centrali sono chiamate a promuovere ed applicare con le modalità di cui all'articolo 14 del decreto-legge 9 maggio 2012, n. 52.

10. Le pubbliche amministrazioni centrali, comprese quelle che hanno nella propria disponibilità gli immobili di cui al comma 6, che procedono alla realizzazione di interventi di efficienza energetica sul loro patrimonio edilizio o di sostituzione e razionalizzazione degli spazi, al di fuori del programma di cui al presente articolo, ne danno comunicazione ai soggetti di cui al comma 2. Le stesse pubbliche amministrazioni comunicano, altresì, le misure in corso o programmate per il recupero e la valorizzazione del patrimonio immobiliare pubblico.

11. Per la realizzazione degli interventi rientranti nel programma di cui al comma 2, le pubbliche amministrazioni centrali di cui al comma 3 favoriscono il ricorso allo strumento del finanziamento tramite terzi e ai contratti di rendimento energetico e possono agire tramite l'intervento di una o più ESCO.

11-*bis*. Fermo restando l'obiettivo di cui al comma 1 e qualora le risorse dedicate ad assicurare il conseguimento dello stesso lo consentano, il Ministero dello sviluppo economico e il Ministero dell'ambiente e della tutela del territorio e del mare, di concerto con il Ministero delle infrastrutture e dei trasporti, possono predisporre programmi, anche congiunti, per il finanziamento di interventi di miglioramento della prestazione energetica degli immobili della pubblica amministrazione, con particolare riferimento agli immobili ospedalieri, scolastici e universitari, agli impianti sportivi e all'edilizia residenziale pubblica. Tali programmi consentono la cumulabilità delle relative risorse finanziarie con quelle rese disponibili da altri strumenti di promozione, fino alla copertura integrale della spesa complessivamente sostenuta da parte dell'Amministrazione proponente per gli interventi di efficientamento energetico. Per le finalità di cui al presente comma, e previa verifica dell'entità dei proventi disponibili annualmente, il Ministero dello sviluppo economico e il Ministero dell'ambiente e della tutela del territorio e del mare, avvalendosi del supporto di ENEA e GSE, possono emanare bandi pubblici, anche congiunti, che definiscono il perimetro, le risorse disponibili, le modalità di attuazione dei programmi suddetti e il monitoraggio dei risultati ottenuti. Resta fermo quanto previsto dal comma 6, lettera *b*).

12. Le risorse del fondo di cui all'articolo 22, comma 4, del decreto legislativo 3 marzo 2011, n. 28, come modificato dall'articolo 4-*ter*, comma 2 del decreto legislativo 19 agosto 2005, n. 192, sono versate all'entrata del bilancio dello Stato, per l'importo di 5 milioni di euro nell'anno 2014 e di 25 milioni di euro nell'anno 2015, per essere riassegnate ad apposito capitolo dello stato di previsione del Ministero dello sviluppo economico nei medesimi esercizi per l'attuazione del programma di interventi di cui al comma 2. A tal fine, la Cassa per i servizi energetici e ambientali provvede al versamento all'entrata del bilancio dello Stato degli importi indicati al primo periodo, a valere sulle disponibilità giacenti sul conto corrente bancario intestato al predetto Fondo, entro 30 giorni dall'entrata in vigore del presente decreto per l'importo relativo al 2014 ed entro il 31 marzo per il 2015. Lo stesso stanziamento può essere integrato:

a) fino a 25 milioni di euro annui per il periodo 2015-2030, a valere sulle risorse annualmente confluite nel fondo di cui all'articolo 22, comma 4, del decreto legislativo 3 marzo 2011, n. 28, secondo le modalità di cui al presente comma, previa determinazione dell'importo da versare con decreto del Ministro dello sviluppo economico e del Ministro dell'ambiente e della tutela del territorio e del mare di concerto con il Ministro dell'economia e delle finanze;

b) fino a 20 milioni di euro per l'anno 2014, fino a 30 milioni di euro annui per il periodo 2015-2020 e fino a 50 milioni di euro annui per il periodo 2021-2030 a valere sulla quota dei proventi annui delle aste delle quote di emissione di CO_2 di cui all'articolo 19 del decreto legislativo 13 marzo 2013, n. 30, destinata ai progetti energetico ambientali, con le modalità e nei limiti di cui ai commi 3 e 6 dello stesso articolo 19, previa verifica dell'entità dei proventi disponibili annualmente e nella misura del 50 per cento a carico del Ministero dello sviluppo economico e del restante 50 per cento a carico del Ministero dell'ambiente e della tutela del territorio e del mare. Il Ministro dell'economia e delle finanze è autorizzato ad apportare, con propri decreti, le conseguenti variazioni di bilancio.

13. Le risorse di cui al comma 12, eventualmente integrate con le risorse già derivanti dagli strumenti di incentivazione comunitari, nazionali e locali dedicati all'efficienza energetica nell'edilizia pubblica e con risorse dei Ministeri interessati, sono utilizzate anche per la copertura delle spese derivanti dalla realizzazione di diagnosi energetiche finalizzate all'esecuzione degli interventi di miglioramento dell'efficienza energetica di cui al presente articolo, eventualmente non eseguite dall'ENEA e dal GSE nell'ambito dell'attività d'istituto.

14. Le pubbliche amministrazioni centrali di cui al comma 3, anche avvalendosi del supporto dell'ENEA, entro il 31 dicembre di ogni anno a decorrere dal 2015, predispongono e comunicano al Ministero dell'ambiente e della tutela del territorio e del mare, al Ministero delle infrastrutture e trasporti, all'Agenzia del demanio e al Ministero dello sviluppo economico un rapporto sullo stato di conseguimento dell'obiettivo di cui al comma 1.

15. L'Acquirente Unico - Au S.p.A., anche tramite l'utilizzo del Sistema informatico integrato di cui di cui all'articolo 1-*bis* del decreto-legge 8 luglio 2010, n. 105, convertito, con modificazioni, dalla legge 13 agosto 2010, n. 129, entro il 31 gennaio di ciascun anno, comunica al Ministero dello sviluppo economico i consumi annuali, suddivisi per vettore energetico, di ognuna delle utenze di cui all'inventario redatto ai sensi del comma 2 e relativi all'anno precedente, collaborando con l'Agenzia del Demanio al fine di identificare le suddette utenze. Le informazioni di cui al presente comma confluiscono nel sistema IPer gestito dall'Agenzia del Demanio e nel Portale nazionale per l'efficienza energetica degli edifici di cui all'articolo 4-*quater* del decreto legislativo 19 agosto 2005, n. 192 e possono essere oggetto di scambio con i dati raccolti dalle regioni nel catasto degli impianti termici ai sensi del medesimo decreto legislativo.

16. Le Regioni e gli enti locali nell'ambito dei rispettivi strumenti di programmazione energetica, in maniera coordinata, concorrono al raggiungimento dell'obiettivo nazionale di cui all'articolo 3, comma 1 e alla riduzione della povertà energetica, attraverso l'approvazione:

a) di obiettivi e azioni specifici di risparmio energetico e di efficienza energetica, nell'intento di conformarsi al ruolo esemplare degli immobili di proprietà dello Stato di cui al presente articolo;

b) di provvedimenti volti a favorire l'introduzione di un sistema di gestione dell'energia, comprese le diagnosi energetiche, il ricorso alle ESCO e ai contratti di rendimento energetico per finanziare le riqualificazioni energetiche degli immobili di proprietà pubblica e migliorare l'efficienza energetica a lungo termine.

17. Le imprese che effettuano la fornitura di energia per utenze intestate a una pubblica amministrazione locale, su specifica richiesta della Regione o Provincia autonoma interessata, comunicano alla stessa, i consumi annuali, suddivisi per vettore energetico, delle utenze oggetto della richiesta. La suddetta richiesta contiene i riferimenti delle utenze e i relativi codici di fornitura. Le Regioni e le Province Autonome, rendono disponibili le informazioni di cui al presente comma sui propri siti istituzionali.

(*) *Le parole* « ovvero dell'Agenzia del demanio, attraverso la Struttura per la progettazione di beni ed edifici pubblici di cui all'articolo 1, comma 162 della legge 30 dicembre 2018, n. 145, » *sono state inserite dall'art. 19, comma 1, lett.* a), *d.l. 1° marzo 2022, n. 17, conv., con modif., in l. 27 aprile 2022, n. 34.*

(**) *Comma così sostituito dall'art. 19, comma 1, lett.* b), *d.l. n. 17, cit. Il testo del comma era il seguente:* « 8. La realizzazione degli interventi compresi nei programmi definiti ai sensi del comma 2 è gestita, senza nuovi o maggiori oneri per la finanza pubblica, dalle strutture operative dei Provveditorati interregionali opere pubbliche del Ministero delle infrastrutture e trasporti, ove occorra in avvalimento e con il supporto delle Amministrazioni interessate. L'Agenzia del Demanio promuove forme di razionalizzazione e di coordinamento tra gli interventi, anche tra più Amministrazioni, al fine di favorire economie di scala e di contribuire al contenimento dei costi ».

SEZIONE DECIMA ISTRUZIONE, UNIVERSITÀ E RICERCA

125. Decreto legislativo 16 aprile 1994, n. 297. — Approvazione del testo unico delle disposizioni legislative vigenti in materia di istruzione, relative alle scuole di ogni ordine e grado.

Pubblicato nella Gazzetta Ufficiale n. 115 del 19 maggio 1994.

399 Accesso ai ruoli.

1. L'accesso ai ruoli del personale docente della scuola dell'infanzia, primaria e secondaria, ivi compresi i licei artistici e gli istituti d'arte, ha luogo, per il 50 per cento dei posti a tal fine annualmente assegnabili, mediante concorsi per titoli ed esami e, per il restante 50 per cento, attingendo alle graduatorie permanenti di cui all'articolo 401.

2. Nel caso in cui la graduatoria di un concorso per titoli ed esami sia esaurita e rimangano posti ad esso assegnati, questi vanno ad aggiungersi a quelli assegnati alla corrispondente graduatoria permanente. Detti posti vanno reintegrati in occasione della procedura concorsuale successiva.

3. Ai docenti della scuola dell'infanzia e della scuola primaria si applica il regime di cui all'articolo 13, comma 5, del decreto legislativo 13 aprile 2017, n. 59 (*).

3-*bis*. L'immissione in ruolo comporta, all'esito positivo del periodo di formazione e di prova, la decadenza da ogni graduatoria finalizzata alla stipulazione di contratti di lavoro a tempo determinato o indeterminato per il personale del comparto scuola, ad eccezione di graduatorie di concorsi ordinari, per titoli ed esami, di procedure concorsuali diverse da quella di immissione in ruolo.

(*) *Comma così sostituito dall'art. 36, comma 2-*bis*, d.l. 21 marzo 2022, n. 21, conv., con modif., in l. 20 maggio 2022, n. 51. Il testo del comma era il seguente:* « 3. A decorrere dalle immissioni in ruolo disposte per l'anno scolastico 2020/2021, i docenti a qualunque titolo destinatari di nomina a tempo indeterminato possono chiedere il trasferimento, l'assegnazione provvisoria o l'utilizzazione in altra istituzione scolastica ovvero ricoprire incarichi di insegnamento a tempo determinato in altro ruolo o classe di concorso soltanto dopo tre anni scolastici di effettivo servizio nell'istituzione scolastica di titolarità, fatte salve le situazioni sopravvenute di esubero o soprannumero. La disposizione del presente comma non si applica al personale di cui all'articolo 33, commi 3 e 6, della legge 5 febbraio 1992, n. 104, purché le condizioni ivi previste siano intervenute successivamente alla data di iscrizione ai rispettivi bandi concorsuali ovvero all'inserimento periodico nelle graduatorie di cui all'articolo 401 del presente testo unico ».

SEZIONE UNDICESIMA ALTRI COMPITI: LO SPORT

135. Decreto legge 11 marzo 2020, n. 16, convertito, con modificazioni, in legge 8 maggio 2020, n. 31. — Disposizioni urgenti per l'organizzazione e lo svolgimento dei Giochi olimpici e paralimpici invernali Milano Cortina 2026 e delle finali ATP Torino 2021-2025, nonché in materia di divieto di attività parassitarie.

Pubblicato nella Gazzetta Ufficiale n. 66 del 13 marzo 2020; la legge di conversione è stata pubblicata nella Gazzetta Ufficiale n. 121 del 12 maggio 2020.

3 « Infrastrutture Milano Cortina 2020-2026 S.p.A. ».

1. È autorizzata la costituzione della Società « Infrastrutture Milano Cortina 2020-2026 S.p.A. », con sede in Roma, il cui oggetto sociale è lo svolgimento delle attività indicate al comma 2. La Società è partecipata dai Ministeri dell'economia e delle finanze e delle infrastrutture e dei trasporti nella misura del 35 per cento ciascuno, dalla Regione Lombardia e dalla Regione Veneto nella misura del 10 per cento ciascuna, dalle Province autonome di Trento e di Bolzano nella misura del 5 per cento ciascuna. La Società è sottoposta alla vigilanza del Ministero delle infrastrutture e dei trasporti che, d'intesa con le Regioni Lombardia e Veneto e le Province autonome di Trento e di Bolzano, esercita il controllo analogo congiunto, ai sensi dell'articolo 5, comma 5, del decreto legislativo 18 aprile 2016, n. 50. La Società è iscritta di diritto nell'elenco di cui all'articolo 192, comma 1, del decreto legislativo 18 aprile 2016, n. 50. L'atto costitutivo e lo statuto sono predisposti nel rispetto della normativa in materia di società per azioni e del decreto legislativo 19 agosto 2016, n. 175, recante testo unico in materia di società a partecipazione pubblica.

2. Lo scopo statutario è la progettazione nonché la

realizzazione, quale centrale di committenza e stazione appaltante, anche stipulando convezioni con altre amministrazioni aggiudicatrici, delle opere individuate con decreto adottato ai sensi dell'articolo 1, comma 20, della legge 27 dicembre 2019, n. 160, recante bilancio di previsione dello Stato per l'anno finanziario 2020 e bilancio pluriennale per il triennio 2020-2022, nonché delle opere, anche connesse e di contesto, relative agli impianti sportivi olimpici, finanziate interamente sulla base di un piano degli interventi predisposto dalla società, d'intesa con il Ministero delle infrastrutture e della mobilità sostenibili e con le regioni interessate, e approvato con decreto del Presidente del Consiglio dei ministri o dell'autorità di Governo competente in materia di sport adottato entro il 31 ottobre 2021. A tale fine, la Società opera in coerenza con le indicazioni del Comitato Organizzatore e con quanto previsto dal decreto di cui al primo periodo, relativamente alla predisposizione del piano degli interventi, al rispetto del cronoprogramma, alla localizzazione e alle caratteristiche tecnico-funzionali e sociali delle opere, all'ordine di priorità e ai tempi di ultimazione delle stesse, nonché alla quantificazione dell'onere economico di ciascuna opera e alla relativa copertura finanziaria. Al medesimo fine e ove ne ricorrano le condizioni, il Presidente del Consiglio dei ministri, su proposta del Ministro delle infrastrutture e dei trasporti, sentito il Ministro dell'economia e delle finanze, può nominare uno o più commissari straordinari dotati dei poteri e delle funzioni di cui all'articolo 4 del decreto-legge 18 aprile 2019, n. 32, convertito, con modificazioni, dalla legge 14 giugno 2019, n. 55. Con il medesimo decreto sono stabiliti i compensi dei Commissari in misura non superiore a quella indicata all'articolo 15, comma 3, del decreto-legge 6 luglio 2011, n. 98, convertito, con modificazioni, dalla legge 15 luglio 2011, n. 111, i cui oneri sono posti a carico dei quadri economici degli interventi da realizzare o completare.

2-*bis*. Al fine di assicurare la tempestiva realizzazione delle opere di cui al comma 2, all'organo di amministrazione della Società, di cui al comma 5 del presente articolo, sono attribuiti i poteri e le facoltà previsti dall'articolo 61, commi 4, 5, 7 e 8, del decreto-legge 24 aprile 2017, n. 50, convertito, con modificazioni, dalla legge 21 giugno 2017, n. 96.

2-*ter*. Per la realizzazione degli interventi ricompresi nei piani approvati ai sensi del presente articolo, che incidono sulle zone di protezione speciale e sui siti di importanza comunitaria, si applicano i criteri e la disciplina previsti dalla direttiva 92/43/CEE del Consiglio, del 21 maggio 1992.

2-*quater*. A decorrere dal 25 maggio 2022, la Società diviene altresì soggetto attuatore degli interventi, non ancora completati alla data del 30 aprile 2022, ricompresi nel piano di cui all'articolo 61, comma 4, del decreto-legge 24 aprile 2017, n. 50, convertito, con modificazioni, dalla legge 21 giugno 2017, n. 96; conseguentemente, la Società subentra nei rapporti giuridici attivi e passivi, ivi compresa la gestione della contabilità speciale n. 6081 intestata al commissario, sorti in relazione alla gestione commissariale di cui all'articolo 61, comma 1, del medesimo decreto-legge n. 50 del 2017, che cessa pertanto di avere efficacia (*).

3. La Società ha durata fino al 31 dicembre 2026. I rapporti attivi e passivi in essere alla data del 31 dicembre 2026 sono disciplinati secondo le disposizioni del codice civile.

4. Il capitale sociale è fissato in 1 milione di euro. Ai conferimenti dei Ministeri si provvede, nell'anno 2020, quanto alla quota del Ministero dell'economia e delle finanze, pari ad euro 350.000,00, mediante corrispondente riduzione dello stanziamento del fondo speciale di conto capitale iscritto, ai fini del bilancio triennale 2020-2022, nell'ambito del programma « Fondi di riserva e speciali » della missione « Fondi da ripartire » dello stato di previsione del Ministero dell'economia e delle finanze, allo scopo utilizzando l'accantonamento relativo al medesimo ministero, e, quanto alla quota del Ministero delle infrastrutture e dei trasporti, pari ad euro 350.000,00, mediante corrispondente riduzione dell'autorizzazione di spesa recata dall'articolo 145, comma 33, della legge 23 dicembre 2000, n. 388. Il Ministro dell'economia e delle finanze è autorizzato ad apportare, con propri decreti, le occorrenti variazioni di bilancio.

5. L'organo di amministrazione della Società è composto da cinque membri, dei quali tre nominati dal Ministro delle infrastrutture e dei trasporti, di concerto con il Ministro dell'economia e delle finanze e con l'Autorità di Governo competente in materia di sport, di cui uno con funzioni di Presidente e uno con funzioni di amministratore delegato, e due nominati congiuntamente dalle Regioni Lombardia e Veneto e dalle Province autonome di Trento e di Bolzano. Alle riunioni dell'organo di amministrazione, può partecipare, senza diritto di voto, l'amministratore delegato della Fondazione di cui all'articolo 2.

6. Il collegio sindacale della Società si compone di cinque membri, dei quali tre nominati dal Ministro delle infrastrutture e dei trasporti, di concerto con il Ministro dell'economia e delle finanze e con l'Autorità di Governo competente in materia di sport, di cui uno con funzioni di Presidente, e due nominati congiuntamente dalle Regioni Lombardia e Veneto e dalle Province autonome di Trento e di Bolzano. Non si applicano le disposizioni di cui all'articolo 2397, primo comma, secondo periodo, del codice civile.

7. I componenti dell'organo di amministrazione e del collegio sindacale possono essere revocati soltanto dai soggetti che li hanno nominati.

8. La Società cura il monitoraggio costante dello stato di avanzamento delle attività di cui al comma 2, informandone periodicamente il Comitato Organizzatore.

9. Per le sue esigenze, la Società stipula contratti di lavoro autonomo e di lavoro subordinato. Alle assunzioni a tempo determinato negli anni 2020 e 2021 si applica l'articolo 1, comma 3, del decreto-legge 12 luglio 2018, n. 87, convertito, con modificazioni, dalla legge 9 agosto 2018, n. 96. Si applicano, in ogni caso, le disposizioni di cui all'articolo 23-*bis* del decreto legislativo 30 marzo 2001, n. 165.

10. Alla Società si applicano le disposizioni del decreto legislativo 14 marzo 2013, n. 33, del decreto legi-

slativo 8 aprile 2013, n. 39 e del decreto legislativo 19 agosto 2016, n. 175, ad eccezione dell'articolo 9, comma 1.

11. Per lo svolgimento delle sue funzioni, sono attribuite alla Società le somme previste alla voce « oneri di investimento » compresa nel quadro economico di ciascun progetto delle opere di cui al comma 2. Tale ammontare è commisurato sino al limite massimo del 3 per cento dell'importo complessivo lordo dei lavori e delle forniture ed è desunto dal Quadro Economico effettivo inserito nel sistema di monitoraggio di cui al comma 12. Le somme previste nei quadri economici destinate ai servizi di ingegneria e architettura restano nella disponibilità della Società, che può svolgere direttamente i suddetti servizi o affidarli a soggetti terzi, secondo le procedure previste dal codice dei contratti pubblici, di cui al decreto legislativo 18 aprile 2016, n. 50.

11-*bis*. Con uno o più decreti del Presidente del Consiglio dei ministri, su proposta del Ministro delle infrastrutture e della mobilità sostenibili, di concerto con l'autorità di Governo competente in materia di sport, possono essere individuati gli interventi, tra quelli di cui al comma 2, caratterizzati da elevata complessità progettuale o procedurale, sottoposti alla procedura di cui all'articolo 44 del decreto-legge 31 maggio 2021, n. 77, convertito, con modificazioni, dalla legge 29 luglio 2021, n. 108.

12. Il monitoraggio degli interventi di cui al presente articolo è realizzato ai sensi del decreto legislativo 29 dicembre 2011, n. 229 e le opere sono classificate come « Olimpiadi Milano Cortina 2026 ».

12-*bis*. (*Omissis*).

12-*ter*. Alle controversie relative all'approvazione dei piani approvati ai sensi del presente articolo, alle procedure di espropriazione, con esclusione di quelle relative alla determinazione delle indennità espropriative, e alle procedure di progettazione, approvazione e realizzazione degli interventi individuati negli stessi piani, si applica l'articolo 125 del codice del processo amministrativo, di cui all'allegato 1 al decreto legislativo 2 luglio 2010, n. 104, in ogni caso senza nuovi o maggiori oneri per la finanza pubblica.

(*) *Comma inserito dall'art. 52, comma 1, d.l. 17 maggio 2022, n. 50, in corso di conversione in legge.*

PARTE SESTA
LA TUTELA

SEZIONE QUINTA
GIUSTIZIA AMMINISTRATIVA

CAPO II
PROCESSO AMMINISTRATIVO

36. Decreto legislativo 2 luglio 2010, n. 104. — Attuazione dell'articolo 44 della legge 18 giugno 2009, n. 69, recante delega al Governo per il riordino del processo amministrativo (Codice del processo amministrativo).

Pubblicato nella Gazzetta Ufficiale n. 156 del 7 luglio 2010, S.O. n. 148.

119 Rito abbreviato comune a determinate materie.

1. Le disposizioni di cui al presente articolo si applicano nei giudizi aventi ad oggetto le controversie relative a:

a) i provvedimenti concernenti le procedure di affidamento di pubblici lavori, servizi e forniture nonché i provvedimenti di ammissione ed esclusione dalle competizioni professionistiche delle società o associazioni sportive professionistiche, o comunque incidenti sulla partecipazione a competizioni professionistiche, o comunque incidenti sulla partecipazione a competizioni professionistiche, salvo quanto previsto dagli articoli 120 e seguenti;

b) i provvedimenti adottati dalle Autorità amministrative indipendenti, con esclusione di quelli relativi al rapporto di servizio con i propri dipendenti;

c) i provvedimenti relativi alle procedure di privatizzazione o di dismissione di imprese o beni pubblici, nonché quelli relativi alla costituzione, modificazione o soppressione di società, aziende e istituzioni da parte degli enti locali;

c-bis) i provvedimenti adottati nell'esercizio dei poteri speciali inerenti alle attività di rilevanza strategica nei settori della difesa e della sicurezza nazionale e nei settori dell'energia, dei trasporti e delle comunicazioni;

d) i provvedimenti di nomina, adottati previa delibera del Consiglio dei ministri;

e) i provvedimenti di scioglimento degli organi di governo degli enti locali e quelli connessi, che riguardano la loro formazione e il loro funzionamento;

f) i provvedimenti relativi alle procedure di occupazione e di espropriazione delle aree destinate all'esecuzione di opere pubbliche o di pubblica utilità e i provvedimenti di espropriazione delle invenzioni adottati ai sensi del codice della proprietà industriale;

g) i provvedimenti del Comitato olimpico nazionale italiano o delle Federazioni sportive;

h) le ordinanze adottate in tutte le situazioni di emergenza dichiarate ai sensi dell'articolo 5, comma 1, della legge 24 febbraio 1992, n. 225, e i consequenziali provvedimenti commissariali;

i) il rapporto di lavoro del personale dei servizi di informazione per la sicurezza, ai sensi dell'articolo 22, della legge 3 agosto 2007, n. 124;

l) le controversie comunque attinenti alle procedure e ai provvedimenti della pubblica amministrazione in materia di impianti di generazione di energia elettrica di cui al decreto legge 7 febbraio 2002, n. 7, convertito, con modificazioni, dalla legge 9 aprile 2002, n. 55, comprese quelle concernenti la produzione di energia elettrica da fonte nucleare, i rigassificatori, i gasdotti di importazione, le centrali termoelettriche di potenza termica superiore a 400 MW nonché quelle relative ad infrastrutture di trasporto ricomprese o da ricomprendere nella rete di trasmissione nazionale o rete nazionale di gasdotti;

m) i provvedimenti della commissione centrale per la definizione e applicazione delle speciali misure di protezione, recanti applicazione, modifica e revoca delle speciali misure di protezione nei confronti dei collaboratori e testimoni di giustizia.

m-bis) le controversie aventi per oggetto i provvedimenti dell'Agenzia nazionale di regolamentazione del settore postale di cui alla lettera *h*) del comma 2 dell'articolo 37 della legge 4 giugno 2010, n. 96, compresi quelli sanzionatori ed esclusi quelli inerenti ai rapporti di impiego;

m-ter) i provvedimenti dell'Agenzia nazionale per la regolazione e la vigilanza in materia di acqua istituita dall'articolo 10, comma 11, del decreto-legge 13 maggio 2011, n. 70, convertito, con modificazioni, dalla legge 12 luglio 2011, n. 106;

m-quater) le azioni individuali e collettive avverso le discriminazioni di genere in ambito lavorativo, previste dall'articolo 36 e seguenti del decreto legislativo 25 luglio 2006, n. 198, quando rientrano, ai sensi del citato decreto, nella giurisdizione del giudice amministrativo;

m-quinquies) gli atti e i provvedimenti adottati in esecuzione di una decisione di recupero di cui all'articolo 16 del regolamento (UE) n. 2015/1589 del Consiglio, del 13 luglio 2015.

m-sexies) i provvedimenti di espulsione dello straniero adottati dal Ministro dell'interno ai sensi dell'articolo 13, comma 1, del decreto legislativo 25 luglio 1998, n. 286, e quelli adottati ai sensi dell'articolo 3 del decreto-legge 27 luglio 2005, n. 144, convertito, con modificazioni, dalla legge 31 luglio 2005, n. 155.

m-septies) l'autorizzazione unica di cui agli articoli 52-*bis* e seguenti del testo unico di cui al decreto del Presidente della Repubblica 8 giugno 2001, n. 327, per le infrastrutture lineari energetiche, quali i gasdotti, gli elettrodotti, gli oleodotti e le reti di trasporto di fluidi termici, ivi inclusi le opere, gli impianti e i servizi accessori connessi o funzionali all'esercizio degli stessi, i gasdotti e gli oleodotti necessari per la coltivazione e lo stoccaggio degli idrocarburi, nonché rispetto agli atti riferiti a tali infrastrutture inerenti alla valutazione ambientale strategica, alla verifica di assoggettabilità e alla valutazione di impatto ambientale e a tutti i provvedimenti, di competenza statale o regionale, indicati dall'articolo 27 del decreto legislativo 3 aprile 2006, n. 152, nonché agli atti che definiscono l'intesa Stato-regione.

***m-octies*) i provvedimenti che si assumono lesivi di diritti sindacali del singolo militare o dell'associazione professionale a carattere sindacale tra militari che lo rappresenta** (*).

2. Tutti i termini processuali ordinari sono dimezzati salvo, nei giudizi di primo grado, quelli per la notificazione del ricorso introduttivo, del ricorso incidentale e dei motivi aggiunti, nonché quelli di cui all'articolo 62, comma 1, e quelli espressamente disciplinati nel presente articolo.

3. Salva l'applicazione dell'articolo 60, il tribunale amministrativo regionale chiamato a pronunciare sulla domanda cautelare, accertata la completezza del contraddittorio ovvero disposta l'integrazione dello stesso, se ritiene, a un primo sommario esame, la sussistenza di profili di fondatezza del ricorso e di un pregiudizio grave e irreparabile, fissa con ordinanza la data di discussione del merito alla prima udienza successiva alla scadenza del termine di trenta giorni dalla data di deposito dell'ordinanza, disponendo altresì il deposito dei documenti necessari e l'acquisizione delle eventuali altre prove occorrenti. In caso di rigetto dell'istanza cautelare da parte del tribunale amministrativo regionale, ove il Consiglio di Stato riformi l'ordinanza di primo grado, la pronuncia di appello è trasmessa al tribunale amministrativo regionale per la fissazione dell'udienza di merito. In tale ipotesi, il termine di trenta giorni decorre dalla data di ricevimento dell'ordinanza da parte della segreteria del tribunale amministrativo regionale, che ne dà avviso alle parti.

4. Con l'ordinanza di cui al comma 3, in caso di estrema gravità ed urgenza, il tribunale amministrativo regionale o il Consiglio di Stato possono disporre le opportune misure cautelari. Al procedimento cautelare si applicano le disposizioni del Titolo II del Libro II, in quanto non derogate dal presente articolo.

5. Quando almeno una delle parti, nell'udienza discussione, dichiara di avere interesse alla pubblicazione anticipata del dispositivo rispetto alla sentenza, il dispositivo è pubblicato mediante deposito in segreteria, non oltre sette giorni dalla decisione della causa. La dichiarazione della parte è attestata nel verbale d'udienza.

6. La parte può chiedere al Consiglio di Stato la sospensione dell'esecutività del dispositivo, proponendo appello entro trenta giorni dalla relativa pubblicazione, con riserva dei motivi da proporre entro trenta giorni dalla notificazione della sentenza ovvero entro tre mesi dalla sua pubblicazione. La mancata richiesta di sospensione dell'esecutività del dispositivo non preclude la possibilità di chiedere la so spensione dell'esecutività della sentenza dopo la pubblicazione dei motivi.

7. Le disposizioni del presente articolo si applicano anche nei giudizi di appello, revocazione e opposizione di terzo.

(*) *Lettera aggiunta dall'art. 17, comma 3, l. 28 aprile 2022, n. 46.*

PARTE SETTIMA
EMERGENZA EPIDEMIOLOGICA DA COVID-19 (CORONAVIRUS)

SEZIONE PRIMA
MISURE URGENTI DI CONTRASTO ALLA EMERGENZA COVID-19

4. Decreto legge 17 marzo 2020, n. 18, convertito, con modificazioni, in legge 24 aprile 2020, n. 27. — Misure di potenziamento del Servizio sanitario nazionale e di sostegno economico per famiglie, lavoratori e imprese connesse all'emergenza epidemiologica da COVID-19.

Pubblicato nella Gazzetta Ufficiale n. 69 del 17 marzo 2020; la legge di conversione è stata pubblicata nella Gazzetta Ufficiale n. 110 del 29 aprile 2020.

17-*bis* Disposizioni sul trattamento dei dati personali nel contesto emergenziale.

1. Fino al termine dello stato di emergenza deliberato dal Consiglio dei ministri in data 31 gennaio 2020, per motivi di interesse pubblico nel settore della sanità pubblica e, in particolare, per garantire la protezione dall'emergenza sanitaria a carattere transfrontaliero determinata dalla diffusione del COVID-19 mediante adeguate misure di profilassi, nonché per assicurare la diagnosi e l'assistenza sanitaria dei contagiati ovvero la gestione emergenziale del Servizio sanitario nazionale, nel rispetto dell'articolo 9, paragrafo 2, lettere *g*), *h*), e *i*), e dell'articolo 10 del regolamento (UE) 2016/679 del Parlamento europeo e del Consiglio, del 27 aprile 2016, nonché dell'articolo 2-*sexies*, comma 2, lettere *t*) e *u*), del codice di cui al decreto legislativo 30 giugno 2003, n. 196, i soggetti operanti nel Servizio nazionale della protezione civile, di cui agli articoli 4 e 13 del codice di cui al decreto legislativo 2 gennaio 2018, n. 1, e i soggetti attuatori di cui all'articolo 1 dell'ordinanza del Capo del Dipartimento della protezione civile n. 630 del 3 febbraio 2020, nonché gli uffici del Ministero della salute e dell'Istituto superiore di sanità, le strutture pubbliche e private che operano nell'ambito del Servizio sanitario nazionale e i soggetti deputati a monitorare e a garantire l'esecuzione delle misure disposte ai sensi dell'articolo 2 del decreto-legge 25 marzo 2020, n. 19, anche allo scopo di assicurare la più efficace gestione dei flussi e dell'interscambio di dati personali, possono effettuare trattamenti, ivi inclusa la comunicazione tra loro, dei dati personali, anche relativi agli articoli 9 e 10 del regolamento (UE) 2016/679, che risultino necessari all'espletamento delle funzioni ad essi attribuite nell'ambito dell'emergenza determinata dal diffondersi del COVID-19 (*).

2. La comunicazione dei dati personali a soggetti pubblici e privati, diversi da quelli di cui al comma 1, nonché la diffusione dei dati personali diversi da quelli di cui agli articoli 9 e 10 del citato regolamento (UE) 2016/679, sono effettuate nei casi in cui risultino indispensabili ai fini dello svolgimento delle attività connesse alla gestione dell'emergenza sanitaria in atto.

3. I trattamenti di dati personali di cui ai commi 1 e 2 sono effettuati nel rispetto dei principi di cui all'articolo 5 del citato regolamento (UE) 2016/679, adottando misure appropriate a tutela dei diritti e delle libertà degli interessati.

4. Avuto riguardo alla necessità di contemperare le esigenze di gestione dell'emergenza sanitaria in atto con quella afferente alla salvaguardia della riservatezza degli interessati, i soggetti di cui al comma 1 possono conferire le autorizzazioni di cui all'articolo 2-*quaterdecies* del codice di cui al decreto legislativo 30 giugno 2003, n. 196, con modalità semplificate, anche oralmente.

5. Nel contesto emergenziale in atto, ai sensi dell'articolo 23, paragrafo 1, lettera *e*), del citato regolamento (UE) 2016/679, fermo restando quanto disposto dall'articolo 82 del codice di cui al decreto legislativo 30 giugno 2003, n. 196, i soggetti di cui al comma 1 del presente articolo possono omettere l'informativa di cui all'articolo 13 del medesimo regolamento o fornire un'informativa semplificata, previa comunicazione orale agli interessati dalla limitazione.

6. Al termine dello stato di emergenza di cui alla delibera del Consiglio dei ministri del 31 gennaio 2020, i soggetti di cui al comma 1 adottano misure idonee a ricondurre i trattamenti di dati personali effettuati nel contesto dell'emergenza all'ambito delle ordinarie competenze e delle regole che disciplinano i trattamenti di dati personali (*).

(*) *Ai sensi dell'art. 10, comma 1 e dell'Allegato A d.l. 24 marzo 2022, n. 24, conv., con modif., in l. 19 maggio 2022, n. 52, i termini previsti dai commi 1 e 6 del presente articolo sono prorogati fino al* ***31 dicembre 2022****.*

87 Misure straordinarie in materia di lavoro agile e di esenzione dal servizio e di procedure concorsuali.

1. Il periodo trascorso in malattia o in quarantena con sorveglianza attiva, o in permanenza domiciliare fiduciaria con sorveglianza attiva, dai dipendenti delle amministrazioni di cui all'articolo 1, comma 2, del decreto legislativo 30 marzo 2001, n. 165, dovuta al COVID-19, è equiparato al periodo di ricovero ospedaliero e non è computabile ai fini del periodo di comporto. Fino alla cessazione dello stato di emergenza epidemiologica da COVID-2019, ovvero fino ad una data antecedente stabilita con decreto del Presidente del Consiglio dei Ministri su proposta del Ministro per la pubblica amministrazione, il lavoro agile è una delle modalità ordinarie di svolgimento della prestazione lavorativa nelle pubbliche amministrazioni di cui all'articolo 1, comma 2, del decreto legislativo 30 marzo 2001, n. 165, che, conseguentemente:

a) limitano la presenza del personale nei luoghi di lavoro per assicurare esclusivamente le attività che ritengono indifferibili e che richiedono necessariamente tale presenza, anche in ragione della gestione dell'emergenza;

b) prescindono dagli accordi individuali e dagli obblighi informativi previsti dagli articoli da 18 a 23 della legge 22 maggio 2017, n. 81.

2. La prestazione lavorativa in lavoro agile può essere svolta anche attraverso strumenti informatici nella disponibilità del dipendente qualora non siano forniti dall'amministrazione. In tali casi l'articolo 18, comma 2, della legge 22 maggio 2017, n. 81 non trova applicazione.

3. Qualora non sia possibile ricorrere al lavoro agile, anche nella forma semplificata di cui al comma 1, lettera *b*), e per i periodi di assenza dal servizio dei dipendenti delle amministrazioni di cui all'articolo 1, comma 2, del decreto legislativo 30 marzo 2001, n. 165, imposti dai provvedimenti di contenimento del fenomeno epidemiologico da COVID-19, adottati nella vigenza dell'articolo 3, comma 1, del decreto-legge 23 febbraio 2020, n. 6, convertito, con modificazioni, dalla legge 5 marzo 2020, n. 13, e dell'articolo 2, comma 1, del decreto-legge 25 marzo 2020, n. 19, le amministrazioni utilizzano gli strumenti delle ferie pregresse, del congedo, della banca ore, della rotazione e di altri analoghi istituti, nel rispetto della contrattazione collettiva. Esperite tali possibilità le amministrazioni possono motivatamente esentare il personale dipendente dal servizio. Il periodo di esenzione dal servizio costituisce servizio prestato a tutti gli effetti di legge e l'amministrazione non corrisponde l'indennità sostitutiva di mensa, ove prevista. Tale periodo non è computabile nel limite di cui all'articolo 37, terzo comma, del decreto del Presidente della Repubblica 10 gennaio 1957, n. 3.

3-*bis*. (*Omissis*).

3-*ter*. La valutazione degli apprendimenti, periodica e finale, oggetto dell'attività didattica svolta in presenza o a distanza nell'anno scolastico 2021/2022, produce gli stessi effetti delle attività previste per le istituzioni scolastiche del primo ciclo dal decreto legislativo 13 aprile 2017, n. 62, e per le istituzioni scolastiche del secondo ciclo dall'articolo 4 del regolamento di cui al decreto del Presidente della Repubblica 22 giugno 2009, n. 122, e dal decreto legislativo 13 aprile 2017, n. 62 (*).

4. Gli organi costituzionali e di rilevanza costituzionale, nonché le autorità amministrative indipendenti, ivi comprese la Commissione nazionale per le società e la borsa e la Commissione di vigilanza sui fondi pensione, ciascuno nell'ambito della propria autonomia, adeguano il proprio ordinamento ai principi di cui al presente articolo.

4-*bis*. Fino al termine stabilito ai sensi del comma 1, e comunque non oltre il 30 settembre 2020, al fine di fronteggiare le particolari esigenze emergenziali connesse all'epidemia da COVID-19, anche in deroga a quanto stabilito dai contratti collettivi nazionali vigenti, i dipendenti delle amministrazioni pubbliche di cui all'articolo 1, comma 2, del decreto legislativo 30 marzo 2001, n. 165, possono cedere, in tutto o in parte, i riposi e le ferie maturati fino al 31 dicembre 2019 ad altro dipendente della medesima amministrazione di appartenenza, senza distinzione tra le diverse categorie di inquadramento o ai diversi profili posseduti. La cessione avviene in forma scritta ed è comunicata al dirigente del dipendente cedente e a quello del dipendente ricevente, è a titolo gratuito, non può essere sottoposta a condizione o a termine e non è revocabile. Restano fermi i termini temporali previsti per la fruizione delle ferie pregresse dalla disciplina vigente e dalla contrattazione collettiva.

5. Lo svolgimento delle procedure concorsuali per l'accesso al pubblico impiego, ad esclusione dei casi in cui la valutazione dei candidati sia effettuata esclusivamente su basi curriculari ovvero in modalità telematica, è sospeso per sessanta giorni a decorrere dall'entrata in vigore del presente decreto. Resta ferma la conclusione delle procedure per le quali risulti già ultimata la valutazione dei candidati, nonché la possibilità di svolgimento dei procedimenti per il conferimento di incarichi, anche dirigenziali, nelle pubbliche amministrazioni di cui al comma 1, che si istaurano e si svolgono in via telematica e che si possono concludere anche utilizzando le modalità lavorative di cui ai commi che precedono, ivi incluse le procedure relative alle progressioni di cui all'articolo 22, comma 15, del decreto legislativo 25 maggio 2017, n. 75.

6. Fino al termine stabilito ai sensi del comma 1, fuori dei casi di assenza dal servizio per malattia o quarantena con sorveglianza attiva o in permanenza domiciliare fiduciaria con sorveglianza attiva dovuta al COVID-19, in considerazione del livello di esposizione al rischio di contagio da COVID-19 connesso allo svolgimento dei compiti istituzionali e nel rispetto delle preminenti esigenze di funzionalità delle amministrazioni interessate, il personale delle Forze di polizia, delle Forze armate e del Corpo nazionale dei vigili del fuoco può essere dispensato temporaneamente dalla presenza in servizio, anche ai soli fini precauzionali in relazione all'esposizione a rischio, ai sensi dell'articolo 37 del decreto del Presidente della Repubblica 10 gennaio 1957, n. 3, con provvedimento dei responsabili di livello dirigenziale degli Uffici e dei Reparti di appar-

tenenza, adottato secondo specifiche disposizioni impartite dalle amministrazioni competenti. Tale periodo è equiparato, agli effetti economici e previdenziali, al servizio prestato, con esclusione della corresponsione dell'indennità sostitutiva di mensa, ove prevista, e non è computabile nel limite di cui all'articolo 37, terzo comma, del decreto del Presidente della Repubblica 10 gennaio 1957, n. 3.

7. Fino al termine stabilito ai sensi del comma 1, il personale delle Forze armate, delle Forze di polizia e del Corpo nazionale dei vigili del fuoco assente dal servizio per malattia o quarantena con sorveglianza attiva o in permanenza domiciliare fiduciaria con sorveglianza attiva dovuta al COVID-19, è collocato d'ufficio in licenza straordinaria, in congedo straordinario o in malattia, con esclusione di tali periodi di assenza dal computo dei giorni previsti dall'articolo 37, terzo comma, del testo unico di cui al decreto del Presidente della Repubblica 10 gennaio 1957, n. 3, dal periodo massimo di licenza straordinaria di convalescenza per il personale militare in ferma e rafferma volontaria e dal periodo di assenza di cui all'articolo 4 e all'articolo 15 dei decreti del Presidente della Repubblica del 7 maggio 2008, pubblicati nel supplemento ordinario n. 173 alla Gazzetta Ufficiale n. 168 del 19 luglio 2008, di recepimento dell'accordo sindacale integrativo, rispettivamente, del personale direttivo e dirigente e del personale non direttivo e non dirigente del Corpo nazionale dei vigili del fuoco. Il periodo di assenza di cui al presente comma costituisce servizio prestato a tutti gli effetti di legge e l'amministrazione non corrisponde l'indennità sostitutiva di mensa, ove prevista.

8. Per il personale delle Forze di polizia, delle Forze armate e del Corpo nazionale dei vigili del fuoco, agli accertamenti diagnostici funzionali all'applicazione delle disposizioni del comma 1, primo periodo, possono provvedere i competenti servizi sanitari.

(*) *Comma così sostituito dall'art. 9, comma 3, d.l. 24 marzo 2022, n. 24, conv., con modif., in l. 19 maggio 2022, n. 52. Il testo del comma, come da ultimo modificato dall'art. 5, comma 3 d.l. 30 dicembre 2020, n. 183, conv., con modif., in l. 26 febbraio 2021, n. 21, era il seguente:* « 3-*ter*. La valutazione degli apprendimenti, periodica e finale, oggetto dell'attività didattica svolta in presenza o svolta a distanza a seguito dell'emergenza da COVID-19 e fino alla data di cessazione dello stato di emergenza deliberato dal Consiglio dei ministri il 31 gennaio 2020 e successive proroghe, e comunque per gli anni scolastici 2019/2020 e 2020/2021, produce gli stessi effetti delle attività previste per le istituzioni scolastiche del primo ciclo dal decreto legislativo 13 aprile 2017, n. 62, e per le istituzioni scolastiche del secondo ciclo dall'articolo 4 del regolamento di cui al decreto del Presidente della Repubblica 22 giugno 2009, n. 122, e dal decreto legislativo 13 aprile 2017, n. 62 ».

5. Decreto legge 25 marzo 2020, n. 19, convertito, con modificazioni, in legge 22 maggio 2020, n. 35. — Misure urgenti per fronteggiare l'emergenza epidemiologica da COVID-19.

Pubblicato nella Gazzetta Ufficiale n. 79 del 25 marzo 2020; la legge di conversione è stata pubblicata nella Gazzetta Ufficiale n. 23 maggio 2020, n. 132.

4 Sanzioni e controlli (*).

1. Salvo che il fatto costituisca reato, il mancato rispetto delle misure di contenimento di cui all'articolo 1, comma 2, individuate e applicate con i provvedimenti adottati ai sensi dell'articolo 2, commi 1 e 2, ovvero dell'articolo 3, è punito con la sanzione amministrativa del pagamento di una somma da euro 400 a euro 1.000 e non si applicano le sanzioni contravvenzionali previste dall'articolo 650 del codice penale o da ogni altra disposizione di legge attributiva di poteri per ragioni di sanità, di cui all'articolo 3, comma 3. Se il mancato rispetto delle predette misure avviene mediante l'utilizzo di un veicolo la sanzione prevista dal primo periodo è aumentata fino a un terzo.

2. Nei casi di cui all'articolo 1, comma 2, lettere *i*), *m*), *p*), *u*), *v*), *z*) e aa), si applica altresì la sanzione amministrativa accessoria della chiusura dell'esercizio o dell'attività da 5 a 30 giorni.

3. Si applicano, per quanto non stabilito dal presente articolo, le disposizioni delle sezioni I e II del capo I della legge 24 novembre 1981, n. 689, in quanto compatibili. Per il pagamento in misura ridotta si applica l'articolo 202, commi 1, 2 e 2.1, del codice della strada, di cui al decreto legislativo 30 aprile 1992, n. 285. Le sanzioni per le violazioni delle misure di cui all'articolo 2, commi 1 e 2, sono irrogate dal Prefetto. Le sanzioni per le violazioni delle misure di cui all'articolo 3 sono irrogate dalle autorità che le hanno disposte. Ai relativi procedimenti si applica l'articolo 103 del decreto-legge 17 marzo 2020, n. 18, convertito, con modificazioni, dalla legge 24 aprile 2020, n. 27.

4. All'atto dell'accertamento delle violazioni di cui al comma 2, ove necessario per impedire la prosecuzione o la reiterazione della violazione, l'organo accertatore può disporre la chiusura provvisoria dell'attività o dell'esercizio per una durata non superiore a 5 giorni. Il periodo di chiusura provvisoria è scomputato dalla corrispondente sanzione accessoria definitivamente irrogata, in sede di sua esecuzione.

5. In caso di reiterata violazione della disposizione di cui al comma 1, la sanzione amministrativa è raddoppiata e quella accessoria è applicata nella misura massima.

6. Salvo che il fatto costituisca violazione dell'articolo 452 del codice penale o comunque più grave reato, la violazione della misura di cui all'articolo 1, comma 2, lettera *e*), è punita ai sensi dell'articolo 260 del regio decreto 27 luglio 1934, n. 1265, Testo unico delle leggi sanitarie, come modificato dal comma 7.

7. Al primo comma dell'articolo 260 del regio decreto 27 luglio 1934, n. 1265, Testo unico delle leggi sanitarie, le parole « con l'arresto fino a sei mesi e con l'ammenda da lire 40.000 a lire 800.000 » sono sostituite dalle seguenti: « con l'arresto da 3 mesi a 18 mesi e con l'ammenda da euro 500 ad euro 5.000 ».

8. Le disposizioni del presente articolo che sostituiscono sanzioni penali con sanzioni amministrative si

applicano anche alle violazioni commesse anteriormente alla data di entrata in vigore del presente decreto, ma in tali casi le sanzioni amministrative sono applicate nella misura minima ridotta alla metà. Si applicano in quanto compatibili le disposizioni degli articoli 101 e 102 del decreto legislativo 30 dicembre 1999, n. 507.

9. Il Prefetto, informando preventivamente il Ministro dell'interno, assicura l'esecuzione delle misure avvalendosi delle Forze di polizia, del personale dei corpi di polizia municipale munito della qualifica di agente di pubblica sicurezza e, ove occorra, delle Forze armate, sentiti i competenti comandi territoriali. Al personale delle Forze armate impiegato, previo provvedimento del Prefetto competente, per assicurare l'esecuzione delle misure di contenimento di cui agli articoli 1 e 2 è attribuita la qualifica di agente di pubblica sicurezza. Il prefetto assicura l'esecuzione delle misure di contenimento nei luoghi di lavoro avvalendosi anche del personale ispettivo dell'azienda sanitaria locale competente per territorio e dell'Ispettorato nazionale del lavoro limitatamente alle sue competenze in materia di salute e di sicurezza nei luoghi di lavoro.

(*) *Ai sensi dell'art. 11, comma 2, d.l. 24 marzo 2022, n. 24, conv., con modif., in l. 19 maggio 2022, n. 52, il presente articolo continua a trovare applicazione nei casi in cui disposizioni vigenti facciano ad esso espresso rinvio.*

8. Decreto legge 16 maggio 2020, n. 33, convertito, con modificazioni, in legge 14 luglio 2020, n. 74. — Ulteriori misure urgenti per fronteggiare l'emergenza epidemiologica da COVID-19.

Pubblicato nella Gazzetta Ufficiale n. 125 del 16 maggio 2020; la legge di conversione è stata pubblicata nella Gazzetta Ufficiale n. 177 del 15 luglio 2020.

2 Sanzioni e controlli (*).

1. Salvo che il fatto costituisca reato diverso da quello di cui all'articolo 650 del codice penale, le violazioni delle disposizioni del presente decreto, ovvero dei decreti e delle ordinanze emanati in attuazione del presente decreto, sono punite con la sanzione amministrativa di cui all'articolo 4, comma 1, del decreto-legge 25 marzo 2020, n. 19, convertito, con modificazioni, dalla legge 22 maggio 2020, n. 35. Nei casi in cui la violazione sia commessa nell'esercizio di un'attività di impresa, si applica altresì la sanzione amministrativa accessoria della chiusura dell'esercizio o dell'attività da 5 a 30 giorni.

2. Per l'accertamento delle violazioni e il pagamento in misura ridotta si applica l'articolo 4, comma 3, del decreto-legge n. 19 del 2020. Le sanzioni per le violazioni delle misure disposte da autorità statali sono irrogate dal Prefetto. Le sanzioni per le violazioni delle misure disposte da autorità regionali e locali sono irrogate dalle autorità che le hanno disposte. All'atto dell'accertamento delle violazioni di cui al secondo periodo del comma 1, ove necessario per impedire la prosecuzione o la reiterazione della violazione, l'autorità procedente può disporre la chiusura provvisoria dell'attività o dell'esercizio per una durata non superiore a 5 giorni. Il periodo di chiusura provvisoria è scomputato dalla corrispondente sanzione accessoria definitivamente irrogata, in sede di sua esecuzione. In caso di reiterata violazione della medesima disposizione la sanzione amministrativa è raddoppiata e quella accessoria è applicata nella misura massima.

2-*bis*. I proventi delle sanzioni amministrative pecuniarie, relative alle violazioni delle disposizioni previste dal presente decreto accertate successivamente alla data di entrata in vigore della legge di conversione del presente decreto, sono devoluti allo Stato quando le violazioni siano accertate da funzionari, ufficiali ed agenti dello Stato. I medesimi proventi sono devoluti alle regioni, alle province e ai comuni quando le violazioni siano accertate da funzionari, ufficiali ed agenti, rispettivamente, delle regioni, delle province e dei comuni.

3. Salvo che il fatto costituisca reato punibile ai sensi dell'articolo 452 del codice penale o comunque più grave reato, la violazione della misura di cui all'articolo 1, comma 6, è punita ai sensi dell'articolo 260 del regio decreto 27 luglio 1934, n. 1265.

(*) *Ai sensi dell'art. 11, comma 2, d.l. 24 marzo 2022, n. 24, conv., con modif., in l. 19 maggio 2022, n. 52, il presente articolo continua a trovare applicazione nei casi in cui disposizioni vigenti facciano ad esso espresso rinvio.*

9. Decreto legge 19 maggio 2020, n. 34, convertito, con modificazioni, in legge 17 luglio 2020, n. 77. — Misure urgenti in materia di salute, sostegno al lavoro e all'economia, nonché di politiche sociali connesse all'emergenza epidemiologica da COVID-19.

Pubblicato nella Gazzetta Ufficiale n. 128 del 19 maggio 2020; la legge di conversione è stata pubblicata nella Gazzetta Ufficiale n. 180 del 18 luglio 2020.

53 Deroga al divieto di concessione di aiuti di Stato a imprese beneficiarie di aiuti di Stato illegali non rimborsati.

1. In deroga all'articolo 46, comma 1, della legge 24 dicembre 2012, n. 234, che vieta ai soggetti beneficiari di aiuti non rimborsati, di cui è obbligatorio il recupero in esecuzione di una decisione della Commissione europea, di ricevere nuovi aiuti, i suddetti soggetti, in ragione delle straordinarie condizioni determinate dall'epidemia di COVID-19, accedono agli aiuti previsti da atti legislativi o amministrativi adottati, a livello nazionale, regionale o territoriale, ai sensi e nella vigenza della comunicazione della Commissione europea del 19 marzo 2020, C (2020)1863, "Quadro temporaneo per le misure di aiuto di Stato a sostegno dell'economia nell'attuale emergenza del COVID- 19", e successive modificazioni, al netto dell'importo dovuto e non rimborsato, comprensivo degli interessi maturati fino alla data dell'erogazione.

1-*bis*. Fino alla cessazione dello stato di emergenza nazionale, in ragione delle straordinarie condizioni determinate dall'epidemia di COVID-19, l'importo degli aiuti non rimborsati può essere rateizzato fino ad un massimo di ventiquattro rate mensili, comprensive degli interessi.

1-*ter*. L'efficacia della disposizione di cui al comma 1-*bis* è subordinata all'autorizzazione della Commissione europea ai sensi dell'articolo 108, paragrafo 3, del Trattato sul funzionamento dell'Unione europea.

1-*quater*. In ragione delle straordinarie condizioni economiche determinatesi a seguito della grave crisi internazionale in atto in Ucraina, la disposizione di cui al comma 1 si applica agli aiuti previsti da atti legislativi o amministrativi adottati, a livello nazionale, regionale o territoriale, ai sensi e nella vigenza della comunicazione della Commissione europea del 23 marzo 2022, C (2022) 1890, recante "Quadro temporaneo di crisi per misure di aiuto di Stato a sostegno dell'economia a seguito dell'aggressione della Russia contro l'Ucraina", e successive modificazioni (*).

(*) *Comma aggiunto dall'art. 50, comma 5, d.l. 17 maggio 2022, n. 50, in corso di conversione in legge.*

90 Lavoro agile.

1. Fino alla cessazione dello stato di emergenza epidemiologica da COVID-19, i genitori lavoratori dipendenti del settore privato che hanno almeno un figlio minore di anni 14, a condizione che nel nucleo familiare non vi sia altro genitore beneficiario di strumenti di sostegno al reddito in caso di sospensione o cessazione dell'attività lavorativa o che non vi sia genitore non lavoratore, hanno diritto a svolgere la prestazione di lavoro in modalità agile anche in assenza degli accordi individuali, fermo restando il rispetto degli obblighi informativi previsti dagli articoli da 18 a 23 della legge 22 maggio 2017, n. 81, e a condizione che tale modalità sia compatibile con le caratteristiche della prestazione. Fino alla cessazione dello stato di emergenza epidemiologica da COVID-19, il medesimo diritto allo svolgimento delle prestazioni di lavoro in modalità agile è riconosciuto, sulla base delle valutazioni dei medici competenti, anche ai lavoratori maggiormente esposti a rischio di contagio da virus SARS-CoV-2, in ragione dell'età o della condizione di rischio derivante da immunodepressione, da esiti di patologie oncologiche o dallo svolgimento di terapie salvavita o, comunque, da comorbilità che possono caratterizzare una situazione di maggiore rischiosità accertata dal medico competente, nell'ambito della sorveglianza sanitaria di cui all'articolo 83 del presente decreto, a condizione che tale modalità sia compatibile con le caratteristiche della prestazione lavorativa (*).

2. La prestazione lavorativa in lavoro agile può essere svolta anche attraverso strumenti informatici nella disponibilità del dipendente qualora non siano forniti dal datore di lavoro (*).

3. Per l'intero periodo di cui al comma 1, i datori di lavoro del settore privato comunicano al Ministero del lavoro e delle politiche sociali, in via telematica, i nominativi dei lavoratori e la data di cessazione della prestazione di lavoro in modalità agile, ricorrendo alla documentazione resa disponibile nel sito internet del Ministero del lavoro e delle politiche sociali (**).

4. Fermo restando quanto previsto dall'articolo 87 del decreto-legge 17 marzo 2020, n. 18, convertito, con modificazioni, dalla legge 24 aprile 2020, n. 27, per i datori di lavoro pubblici, limitatamente al periodo di tempo di cui al comma 1 e comunque non oltre il 31 dicembre 2020, la modalità di lavoro agile disciplinata dagli articoli da 18 a 23 della legge 22 maggio 2017, n. 81, può essere applicata dai datori di lavoro privati a ogni rapporto di lavoro subordinato, nel rispetto dei principi dettati dalle menzionate disposizioni, anche in assenza degli accordi individuali ivi previsti; gli obblighi di informativa di cui all'articolo 22 della medesima legge n. 81 del 2017, sono assolti in via telematica anche ricorrendo alla documentazione resa disponibile nel sito internet dell'Istituto nazionale assicurazione infortuni sul lavoro (INAIL) (**).

(*) *Ai sensi dell'art. 10, comma 2 (e dell'All. B, n. 2), d.l. 24 marzo 2022, n. 24, conv., con modif., in l. 19 maggio 2022, n. 52, i termini di cui ai commi 1 e 2 sono prorogati al 31 luglio 2022.*

(**) *Ai sensi dell'art. 10, comma 2-*bis*, d.l. n. 24, cit., le disposizioni di cui ai commi 3 e 4 continuano ad applicarsi fino al 31 agosto 2022.*

12. Decreto legge 1° aprile 2021, n. 44, convertito, con modificazioni, in legge 28 maggio 2021, n. 76. — Misure urgenti per il contenimento dell'epidemia da COVID-19, in materia di vaccinazioni anti SARS-CoV-2, di giustizia e di concorsi pubblici.

Pubblicato nella Gazzetta Ufficiale n. 79 del 1° aprile 2021; la legge di conversione è stata pubblicata nella Gazzetta Ufficiale n. 128 del 31 maggio 2021.

4 Obblighi vaccinali per gli esercenti le professioni sanitarie e gli operatori di interesse sanitario.

1. **Fino al 31 dicembre 2022, al fine di tutelare la salute pubblica** (*) e mantenere adeguate condizioni di sicurezza nell'erogazione delle prestazioni di cura e assistenza, in attuazione del piano di cui all'articolo 1, comma 457, della legge 30 dicembre 2020, n. 178, gli esercenti le professioni sanitarie e gli operatori di interesse sanitario di cui all'articolo 1, comma 2, della legge 1° febbraio 2006, n. 43, per la prevenzione dell'infezione da SARS-CoV-2 sono obbligati a sottoporsi a vaccinazione gratuita, comprensiva, a far data dal 15 dicembre 2021, della somministrazione della dose di richiamo successiva al ciclo vaccinale primario, nel rispetto delle indicazioni e dei termini previsti con circolare del Ministero della salute. La vaccinazione costituisce requisito essenziale per l'esercizio della professione e per lo svolgimento delle prestazioni lavorative dei soggetti obbligati. La vaccinazione è somministrata altresì nel rispetto delle indicazioni fornite dalle regioni e dalle province autonome di Trento e di Bolzano in conformità alle previsioni contenute nel piano di cui al primo periodo.

1-*bis*. L'obbligo di cui al comma 1 è esteso, a decorrere dal 15 febbraio 2022, anche agli studenti dei corsi di laurea impegnati nello svolgimento dei tirocini pratico-valutativi finalizzati al conseguimento dell'abilitazione all'esercizio delle professioni sanitarie. La violazione dell'obbligo di cui al primo periodo determina l'impossibilità di accedere alle strutture ove si svolgono i tirocini pratico-valutativi. I responsabili delle strutture di cui al secondo periodo sono tenuti a verificare il rispetto delle disposizioni di cui al presente comma secondo modalità a campione individuate dalle istituzioni di appartenenza.

2. Solo in caso di accertato pericolo per la salute, in relazione a specifiche condizioni cliniche documentate, attestate dal proprio medico curante di medicina generale ovvero dal medico vaccinatore, nel rispetto delle circolari del Ministero della salute in materia di esenzione dalla vaccinazione anti SARS-CoV-2, non sussiste l'obbligo di cui ai commi 1 e 1-*bis* e la vaccinazione può essere omessa o differita.

3. Gli Ordini degli esercenti le professioni sanitarie, per il tramite delle rispettive Federazioni nazionali, che a tal fine operano in qualità di responsabili del trattamento dei dati personali, avvalendosi della Piattaforma nazionale digital green certificate (Piattaforma nazionale-DGC) eseguono immediatamente la verifica automatizzata del possesso delle certificazioni verdi COVID-19 comprovanti lo stato di avvenuta vaccinazione anti SARS-CoV-2, secondo le modalità definite con il decreto del Presidente del Consiglio dei ministri di cui all'articolo 9, comma 10, del decreto-legge 22 aprile 2021, n. 52, convertito, con modificazioni, dalla legge 17 giugno 2021, n. 87. Qualora dalla Piattaforma nazionale-DGC non risulti l'effettuazione della vaccinazione anti SARS-CoV-2, anche con riferimento alla dose di richiamo successiva al ciclo vaccinale primario, nelle modalità stabilite nella circolare di cui al comma 1, l'Ordine professionale territorialmente competente invita l'interessato a produrre, entro cinque giorni dalla ricezione dell'invito, la documentazione comprovante l'effettuazione della vaccinazione oppure l'attestazione relativa all'omissione o al differimento della stessa ai sensi del comma 2, ovvero la presentazione della richiesta di vaccinazione, da eseguirsi entro un termine non superiore a venti giorni dalla ricezione dell'invito, ovvero la documentazione comprovante l'insussistenza dei presupposti per l'obbligo vaccinale di cui al comma 1, nonché a specificare l'eventuale datore di lavoro e l'indirizzo di posta elettronica certificata di quest'ultimo. In caso di presentazione di documentazione attestante la richiesta di vaccinazione, l'Ordine invita l'interessato a trasmettere immediatamente e comunque non oltre tre giorni dalla somministrazione, la certificazione attestante l'adempimento dell'obbligo vaccinale.

4. Decorsi i termini di cui al comma 3, qualora l'Ordine professionale accerti il mancato adempimento dell'obbligo vaccinale, anche con riguardo alla dose di richiamo, ne dà comunicazione alla Federazione nazionale competente, all'interessato, all'azienda sanitaria locale competente, limitatamente alla professione di farmacista, e, per il personale che abbia un rapporto di lavoro dipendente, anche al datore di lavoro, ove noto. L'inosservanza degli obblighi di comunicazione di cui al primo periodo da parte degli Ordini professionali verso le Federazioni nazionali rileva ai fini e per gli effetti dell'articolo 4 del decreto legislativo del Capo Provvisorio dello Stato 13 settembre 1946, n. 233, ratificato dalla legge 17 aprile 1956, n. 561. L'atto di accertamento dell'inadempimento dell'obbligo vaccinale è adottato da parte dell'Ordine professionale territorialmente competente, all'esito delle verifiche di cui al comma 3, ha natura dichiarativa e non disciplinare, determina l'immediata sospensione dall'esercizio delle professioni sanitarie ed è annotato nel relativo Albo professionale.

5. La sospensione di cui al comma 4 è efficace fino alla comunicazione da parte dell'interessato all'Ordine professionale territorialmente competente e, per il personale che abbia un rapporto di lavoro dipendente, anche al datore di lavoro, del completamento del ciclo vaccinale primario e, per i professionisti che hanno completato il ciclo vaccinale primario, della somministrazione della dose di richiamo e comunque **non oltre il 31 dicembre 2022** (**). Per il periodo di sospensione non sono dovuti la retribuzione né altro compenso o emolumento, comunque denominato. Il datore di lavoro verifica l'ottemperanza alla sospensione disposta ai sensi del comma 4 e, in caso di omessa verifica, si applicano le sanzioni di cui all'articolo 4-*ter*, comma 6. **In caso di intervenuta guarigione l'Ordine professionale territorialmente competente, su istanza dell'interessato, dispone la cessazione temporanea della sospensione, sino alla scadenza del termine in cui la vaccinazione è differita in base alle indicazioni contenute nelle circolari del Ministero della salute** (***). **La sospensione riprende efficacia automaticamente qualora l'interessato ometta di inviare all'Ordine professionale il certificato di vaccinazione entro e non oltre tre giorni dalla scadenza del predetto termine di differimento** (***).

6. Per gli esercenti le professioni sanitarie che si iscrivono per la prima volta agli albi degli Ordini professionali territoriali l'adempimento dell'obbligo vaccinale è requisito ai fini dell'iscrizione fino **al 31 dicembre 2022** (****). A tal fine la verifica dell'adempimento dell'obbligo vaccinale avviene con la presentazione della certificazione verde COVID-19.

7. Per il periodo in cui la vaccinazione di cui al comma 1 è omessa o differita, il datore di lavoro adibisce i soggetti di cui al comma 2 a mansioni anche diverse, senza decurtazione della retribuzione, in modo da evitare il rischio di diffusione del contagio da SARS-CoV-2.

8. Per il medesimo periodo di cui al comma 7, al fine di contenere il rischio di contagio, nell'esercizio dell'attività libero-professionale, i soggetti di cui al comma 2 adottano le misure di prevenzione igienico-sanitarie indicate dallo specifico protocollo di sicurezza adottato con decreto del Ministro della salute, di concerto con i Ministri della giustizia e del lavoro e delle politiche sociali, entro il 15 dicembre 2021.

9. Dall'attuazione del presente articolo non devono derivare nuovi o maggiori oneri a carico della finanza pubblica.

10. Per la verifica dell'adempimento dell'obbligo vaccinale da parte degli operatori di interesse sanitario di cui al comma 1, si applicano le disposizioni di cui all'articolo 4-*ter*, commi 2, 3 e 6.

(*) *Le parole* « Fino al 31 dicembre 2022, al fine di tutelare la salute pubblica » *sono state sostituite alle parole* « Al fine di tutelare la salute pubblica » *dall'art. 8, comma 1, lett.* a) *d.l. 24 marzo 2022, n. 24, conv., con modif., in l. 19 maggio 2022, n. 52.*

(**) *Le parole* « non oltre il 31 dicembre 2022 » *sono state sostituite alle parole* « on oltre il termine di sei mesi a decorrere dal 15 dicembre 2021 » *dall'art. 8, comma 1, lett.* b) *n. 1, d.l. n. 24, cit.*

(***) *Periodo inserito dall'art. 8, comma 1, lett.* b) *n. 2, d.l. n. 24, cit.*

(****) *Le parole* « al 31 dicembre 2022 » *sono state sostituite alle parole* « alla scadenza del termine di sei mesi a decorrere dal 15 dicembre 2021 » *dall'art. 8, comma 1, lett.* c) *d.l. n. 24, cit.*

4-*bis* Estensione dell'obbligo vaccinale ai lavoratori impiegati in strutture residenziali, socio-assistenziali e socio-sanitarie.

1. Dal 10 ottobre 2021 **e fino al 31 dicembre 2022** (*), l'obbligo vaccinale previsto dall'articolo 4, comma 1, si applica altresì a tutti i soggetti, anche esterni, che svolgono, a qualsiasi titolo, la propria attività lavorativa nelle strutture di cui all'articolo 1-*bis*, incluse le strutture semiresidenziali e le strutture che, a qualsiasi titolo, ospitano persone in situazione di fragilità.

2. Le disposizioni del comma 1 non si applicano ai soggetti esenti dalla campagna vaccinale sulla base di idonea certificazione medica rilasciata secondo i criteri definiti con circolare del Ministero della salute.

3. I responsabili delle strutture di cui all'articolo 1-*bis*, incluse le strutture semiresidenziali e le strutture che, a qualsiasi titolo, ospitano persone in situazione di fragilità, e i datori di lavoro dei soggetti che, a qualunque titolo, svolgono nelle predette strutture attività lavorativa sulla base di contratti esterni assicurano il rispetto dell'obbligo di cui al comma 1 del presente articolo. Fermo restando quanto previsto dall'articolo 17-*bis* del decreto-legge 17 marzo 2020, n. 18, convertito, con modificazioni, dalla legge 24 aprile 2020, n. 27, per la finalità di cui al primo periodo del presente comma i responsabili e i datori di lavoro possono verificare l'adempimento dell'obbligo acquisendo le informazioni necessarie secondo le modalità definite con il decreto del Presidente del Consiglio dei ministri di cui all'articolo 9, comma 10, del decreto-legge 22 aprile 2021, n. 52, convertito, con modificazioni, dalla legge 17 giugno 2021, n. 87.

4. Per la verifica dell'adempimento dell'obbligo vaccinale da parte dei soggetti di cui al comma 1, si applicano le disposizioni di cui all'articolo 4-*ter*, commi 2, 3 e 6.

5. La violazione delle disposizioni del primo periodo del comma 3 del presente articolo è sanzionata ai sensi dell'articolo 4, commi 1, 3, 5 e 9, del decreto-legge 25 marzo 2020, n. 19, convertito, con modificazioni, dalla legge 22 maggio 2020, n. 35. Resta fermo quanto previsto dall'articolo 2, comma 2-*bis*, del decreto-legge 16 maggio 2020, n. 33, convertito, con modificazioni, dalla legge 14 luglio 2020, n. 74.

(*) *Le parole* « e fino al 31 dicembre 2022 » *sono state inserite dall'art. 8, comma 2, d.l. 24 marzo 2022, n. 24, conv., con modif., in l. 19 maggio 2022, n. 52.*

4-*ter* Obbligo vaccinale per il personale delle strutture di cui all'articolo 8-*ter* del decreto legislativo 30 dicembre 1992, n. 502 (*).

1. Dal 15 dicembre 2021 **e fino al 31 dicembre 2022** (**), l'obbligo vaccinale per la prevenzione dell'infezione da SARS-CoV-2 di cui all'articolo 3-*ter*, da adempiersi, per la somministrazione della dose di richiamo, entro i termini di validità delle certificazioni verdi COVID-19 previsti dall'articolo 9, comma 3, del decreto-legge 22 aprile 2021, n. 52, convertito, con modificazioni, dalla legge 17 giugno 2021, n. 87, si applica anche alle seguenti categorie:

[*a*) personale scolastico del sistema nazionale di istruzione, delle scuole non paritarie, dei servizi educativi per l'infanzia di cui all'articolo 2 del decreto legislativo 13 aprile 2017, n. 65, dei centri provinciali per l'istruzione degli adulti, dei sistemi regionali di istruzione e formazione professionale e dei sistemi regionali che realizzano i percorsi di istruzione e formazione tecnica superiore] (***);

[*b*) personale del comparto della difesa, sicurezza e soccorso pubblico, della polizia locale, nonché degli organismi di cui agli articoli 4, 6 e 7 della legge 3 agosto 2007, n. 124, e, a decorrere dal 15 febbraio 2022, personale dell'Agenzia per la cybersicurezza nazionale, di cui all'articolo 12 del decreto-legge 14 giugno 2021, n. 82, convertito, con modificazioni, dalla legge 4 agosto 2021, n. 109] (***);

c) personale che svolge a qualsiasi titolo la propria attività lavorativa nelle strutture di cui all'articolo 8-*ter* del decreto legislativo 30 dicembre 1992, n. 502, ad esclusione di quello che svolge attività lavorativa con contratti esterni, fermo restando quanto previsto dagli articoli 4 e 4-*bis*;

[*d*) personale che svolge a qualsiasi titolo la propria attività lavorativa alle dirette dipendenze del Dipartimento dell'amministrazione penitenziaria o del Dipartimento per la giustizia minorile e di

comunità, all'interno degli istituti penitenziari per adulti e minori] (***).

[1-*bis*. Dal 1° febbraio 2022, l'obbligo vaccinale per la prevenzione dell'infezione da SARS-CoV-2 di cui al comma 1 si applica al personale delle università, delle istituzioni di alta formazione artistica, musicale e coreutica e degli istituti tecnici superiori] (****).

2. La vaccinazione costituisce requisito essenziale per lo svolgimento delle attività lavorative dei soggetti obbligati ai sensi del comma 1. I responsabili delle strutture in cui presta servizio il personale di cui al comma 1 assicurano il rispetto dell'obbligo di cui al medesimo comma 1. Si applicano le disposizioni di cui all'articolo 4, commi 2 e 7 (*****).

3. I soggetti di cui al comma 2 verificano immediatamente l'adempimento dell'obbligo vaccinale di cui al comma 1 acquisendo le informazioni necessarie anche secondo le modalità definite con il decreto del Presidente del Consiglio dei ministri di cui all'articolo 9, comma 10, del decreto-legge 22 aprile 2021, n. 52, convertito, con modificazioni, dalla legge 17 giugno 2021, n. 87. Nei casi in cui non risulti l'effettuazione della vaccinazione anti SARS-CoV-2 o la presentazione della richiesta di vaccinazione nelle modalità stabilite nell'ambito della campagna vaccinale in atto, i soggetti di cui al comma 2 invitano, senza indugio, l'interessato a produrre, entro cinque giorni dalla ricezione dell'invito, la documentazione comprovante l'effettuazione della vaccinazione oppure l'attestazione relativa all'omissione o al differimento della stessa ai sensi dell'articolo 4, comma 2, ovvero la presentazione della richiesta di vaccinazione da eseguirsi in un termine non superiore a venti giorni dalla ricezione dell'invito, o comunque l'insussistenza dei presupposti per l'obbligo vaccinale di cui al comma 1. In caso di presentazione di documentazione attestante la richiesta di vaccinazione, i soggetti di cui al comma 2 invitano l'interessato a trasmettere immediatamente e comunque non oltre tre giorni dalla somministrazione, la certificazione attestante l'adempimento dell'obbligo vaccinale. In caso di mancata presentazione della documentazione di cui al secondo e terzo periodo i soggetti di cui al comma 2 accertano l'inosservanza dell'obbligo vaccinale e ne danno immediata comunicazione scritta all'interessato. L'atto di accertamento dell'inadempimento determina l'immediata sospensione dal diritto di svolgere l'attività lavorativa, senza conseguenze disciplinari e con diritto alla conservazione del rapporto di lavoro.

Per il periodo di sospensione, non sono dovuti la retribuzione né altro compenso o emolumento, comunque denominati. La sospensione è efficace fino alla comunicazione da parte dell'interessato al datore di lavoro dell'avvio o del successivo completamento del ciclo vaccinale primario o della somministrazione della dose di richiamo, e comunque non oltre il **31 dicembre 2022. In caso di intervenuta guarigione si applica la disposizione dell'articolo 4, comma 5** (******).

[4. I dirigenti scolastici e i responsabili delle istituzioni di cui al comma 1, lettera *a*), provvedono alla sostituzione del personale docente, educativo ed amministrativo, tecnico e ausiliario sospeso mediante l'attribuzione di contratti a tempo determinato che si risolvono di diritto nel momento in cui i soggetti sostituiti, avendo adempiuto all'obbligo vaccinale, riacquistano il diritto di svolgere l'attività lavorativa. Il Ministero dell'istruzione per l'anno scolastico 2021/2022 comunica, mensilmente, al Ministero dell'economia e delle finanze le unità di personale scolastico privo di vaccinazione e sospeso dal servizio e la durata della sospensione. Il Ministro dell'economia e delle finanze, sulla base dell'esito del monitoraggio e previa verifica tramite i servizi di rilevazione delle presenze forniti dal sistema informativo NoiPA, provvede ad effettuare le occorrenti variazioni di bilancio] (*******).

5. Lo svolgimento dell'attività lavorativa in violazione dell'obbligo vaccinale di cui al comma 1 è punito con la sanzione di cui al comma 6 e restano ferme le conseguenze disciplinari secondo i rispettivi ordinamenti di appartenenza. Le disposizioni di cui al primo periodo si applicano anche in caso di esercizio della professione o di svolgimento dell'attività lavorativa in violazione degli obblighi vaccinali di cui agli articoli 4 e 4-*bis*.

6. La violazione delle disposizioni di cui al comma 2 è sanzionata ai sensi dell'articolo 4, commi 1, 3, 5 e 9, del decreto-legge 25 marzo 2020, n. 19, convertito, con modificazioni, dalla legge 22 maggio 2020, n. 35. Resta fermo quanto previsto dall'articolo 2, comma 2-*bis*, del decreto-legge 16 maggio 2020, n. 33, convertito, con modificazioni, dalla legge 14 luglio 2020, n. 74.

La sanzione è irrogata dal prefetto e si applicano, per quanto non stabilito dal presente comma, le disposizioni delle sezioni I e II del capo I della legge 24 novembre 1981, n. 689, in quanto compatibili. Per le violazioni di cui al comma 5, la sanzione amministrativa prevista dal comma 1 del citato articolo 4 del decreto-legge n. 19 del 2020 è stabilita nel pagamento di una somma da euro 600 a euro 1.500.

(*) *Rubrica così sostituita dall'art. 8, comma 3, lett.* f) *d.l. 24 marzo 2022, n. 24, conv., con modif., in l. 19 maggio 2022, n. 52. Il testo della rubrica, come da ultimo modificato dall'art. 2, comma 1 d.l. 7 gennaio 2022, n. 1, conv., con modif., in l. 4 marzo 2022, n. 18, era il seguente:* « Obbligo vaccinale per il personale della scuola, del comparto difesa, sicurezza e soccorso pubblico, della polizia locale, degli organismi di cui alla legge 3 agosto 2007, n. 124, delle strutture di cui all'articolo 8-ter del decreto legislativo 30 dicembre 1992, n. 502, degli istituti penitenziari, delle università, delle istituzioni di alta formazione artistica, musicale e coreutica e degli istituti tecnici superiori ».

(**) *Le parole* « e fino al 31 dicembre 2022 » *sono state inserite dall'art. 8, comma 3, lett.* a), *n. 1 d.l. n. 24, cit.*

(***) *Lettera abrogata dall'art. 8, comma 3, lett.* a), *n. 2 d.l. n. 24, cit.*

(****) *Comma abrogato dall'art. 8, comma 3, lett.* b), *d.l. n. 24, cit. Precedentemente, il comma era stato inserito dall'art. 2, comma 1 d.l. n. 1, cit.*

(*****) *Comma così sostituito dall'art. 8, comma 3, lett.* c), *d.l. n. 24, cit. Il testo del comma, come da ultimo modificato dall'art. 2, comma 1 d.l. n. 1, cit., era il seguente:* « 2. La vaccinazione costituisce requisito essenziale per lo svolgimento delle attività lavorative dei soggetti obbligati ai sensi del comma 1 e del comma 1-*bis*. I dirigenti scolastici e i responsabili delle istituzioni di cui al comma 1, lettera *a*) e del comma 1-*bis*, i responsabili delle strutture in cui presta servizio il personale di cui al comma 1, lettere *b*), *c*) e *d*), assicurano il rispetto dell'obbligo di cui al comma 1. I direttori degli uffici scolastici regionali e le autorità degli enti locali e regionali territorialmente competenti verificano, rispettivamente, l'adempimento del predetto obbligo vaccinale da parte dei dirigenti scolastici e dei responsabili delle scuole paritarie nonché delle altre istituzioni di cui al comma 1, lettera *a*). L'attività di verifica e l'adozione dell'atto di accertamento sono svolte secondo le modalità e con gli effetti di cui al comma 3. In caso di sospensione dei dirigenti scolastici, la reggenza delle istituzioni scolastiche statali è attribuita ad altro dirigente per la durata della sospensione. Si applicano le disposizioni di cui all'articolo 4, commi 2 e 7 ».

(******) *Le parole* « 31 dicembre 2022. In caso di intervenuta guarigione si applica la disposizione dell'articolo 4, comma 5. » *sono state sostituite alle parole* « 15 giugno 2022 » *dall'art. 8, comma 3, lett.* d), *d.l. n. 24, cit.*

(*******) *Comma abrogato dall'art. 8, comma 3, lett.* e), *d.l. n. 24, cit.*

4-ter.1 (*) Obbligo vaccinale per il personale della scuola, del comparto difesa, sicurezza e soccorso pubblico, della polizia locale, degli organismi di cui alla legge 3 agosto 2007, n. 124, dell'Agenzia per la cybersicurezza nazionale, degli istituti penitenziari, delle università, delle istituzioni di alta formazione artistica, musicale e coreutica e degli istituti tecnici superiori, nonché dei Corpi forestali delle regioni a statuto speciale.

1. Fino al 15 giugno 2022, l'obbligo vaccinale per la prevenzione dell'infezione da SARS-CoV-2 di cui all'articolo 3-*ter*, da adempiersi, per la somministrazione della dose di richiamo, entro i termini di validità delle certificazioni verdi COVID-19 previsti dall'articolo 9, comma 3, del decreto-legge 22 aprile 2021, n. 52, convertito, con modificazioni, dalla legge 17 giugno 2021, n. 87, si applica alle seguenti categorie:

a) personale scolastico del sistema nazionale di istruzione, delle scuole non paritarie, dei servizi educativi per l'infanzia di cui all'articolo 2 del decreto legislativo 13 aprile 2017, n. 65, dei centri provinciali per l'istruzione degli adulti, dei sistemi regionali di istruzione e formazione professionale e dei sistemi regionali che realizzano i percorsi di istruzione e formazione tecnica superiore, fermo restando quanto previsto dall'articolo 4-ter.2;

b) personale del comparto della difesa, sicurezza e soccorso pubblico, della polizia locale, nonché degli organismi di cui agli articoli 4, 6 e 7 della legge 3 agosto 2007, n. 124, e personale dell'Agenzia per la cybersicurezza nazionale, di cui all'articolo 12 del decreto-legge 14 giugno 2021, n. 82, convertito, con modificazioni, dalla legge 4 agosto 2021, n. 109;

c) personale che svolge a qualsiasi titolo la propria attività lavorativa alle dirette dipendenze del Dipartimento dell'amministrazione penitenziaria o del Dipartimento per la giustizia minorile e di comunità, all'interno degli istituti penitenziari per adulti e minori;

d) personale delle università, delle istituzioni di alta formazione artistica, musicale e coreutica e degli istituti tecnici superiori, nonché al personale dei Corpi forestali delle regioni a statuto speciale.

2. L'obbligo di cui al comma 1 non sussiste in caso di accertato pericolo per la salute, in relazione a specifiche condizioni cliniche documentate, attestate dal proprio medico curante di medicina generale ovvero dal medico vaccinatore, nel rispetto delle circolari del Ministero della salute in materia di esenzione dalla vaccinazione anti SARS-CoV-2; in tali casi la vaccinazione può essere omessa o differita.

(*) *Articolo inserito dall'art. 8, comma 4 d.l. 24 marzo 2022, n. 24, conv., con modif., in l. 19 maggio 2022, n. 52.*

4-ter.2 Obbligo vaccinale per il personale docente ed educativo della scuola (*).

1. Dal 15 dicembre 2021 al 15 giugno 2022, l'obbligo vaccinale per la prevenzione dell'infezione da SARS-CoV-2 di cui all'articolo 3-*ter*, da adempiersi, per la somministrazione della dose di richiamo, entro i termini di validità delle certificazioni verdi COVID-19 previsti dall'articolo 9, comma 3, del decreto-legge 22 aprile 2021, n. 52, convertito, con modificazioni, dalla legge 17 giugno 2021, n. 87, si applica anche al personale docente ed educativo del sistema nazionale di istruzione, delle scuole non paritarie, dei servizi educativi per l'infanzia di cui all'articolo 2 del decreto legislativo 13 aprile 2017, n. 65, dei centri provinciali per l'istruzione degli adulti, dei sistemi regionali di istruzione e formazione professionale e dei sistemi regionali che realizzano i percorsi di istruzione e formazione tecnica superiore.

2. La vaccinazione costituisce requisito essenziale per lo svolgimento delle attività didattiche a contatto con gli alunni da parte dei soggetti obbligati ai sensi del comma 1. I dirigenti scolastici e i responsabili delle istituzioni di cui al comma 1 assicurano il rispetto dell'obbligo di cui al medesimo comma 1.

3. I soggetti di cui al comma 2 verificano immediatamente l'adempimento dell'obbligo vaccinale di cui al comma 1 acquisendo le informazioni necessarie anche secondo le modalità definite con il decreto del Presidente del Consiglio dei ministri di cui all'articolo 9, comma 10, del decreto-legge 22 aprile 2021, n. 52, convertito, con modificazioni, dalla legge 17 giugno 2021, n. 87. Nei casi in cui non risulti l'effettuazione della vaccinazione anti SARS-CoV-2 o la presentazione della richiesta di vaccinazione nelle modalità stabilite nell'ambito della campagna vaccinale in atto, i soggetti di cui al comma 2 invitano, senza indugio, l'interessato a produrre, entro cinque giorni dalla ricezione dell'invito, la documentazione comprovante l'effettuazione della vaccinazione oppure l'attestazione relativa all'omissione o al differimento della stessa ai sensi dell'articolo 4, comma 2, ovvero la presentazione della richiesta di vaccinazione da eseguirsi in un termine non superiore a venti giorni dalla ricezione dell'invito, o comunque l'insussistenza dei presupposti per l'obbligo vaccinale di cui al comma 1. In caso di presentazione di documentazione attestante la richiesta di vaccinazione, i soggetti di cui al comma 2 invitano l'interessato a trasmettere immediatamente e comunque non oltre tre giorni dalla somministrazione, la certificazione attestante l'adempimento dell'obbligo vaccinale. In caso di mancata presentazione della documentazione di cui al secondo e terzo periodo i soggetti di cui al comma 2 accertano l'inosservanza dell'obbligo vaccinale e ne danno immediata comunicazione scritta all'interessato. L'atto di accertamento dell'inadempimento impone al dirigente scolastico di utilizzare il docente inadempiente in attività di supporto alla istituzione scolastica. Il quinto periodo si interpreta nel senso che ai docenti inadempienti si applica, per quanto compatibile, il regime stabilito per i docenti dichiarati temporaneamente inidonei alle proprie funzioni.

4. I dirigenti scolastici e i responsabili delle istituzioni di cui al comma 1 provvedono, dal 1° aprile 2022 fino al termine delle lezioni dell'anno scolastico 2021/2022, alla sostituzione del personale docente e educativo non vaccinato mediante l'attribuzione di contratti a tempo determinato che si risolvono di diritto nel momento in cui i soggetti sostituiti, avendo adempiuto all'obbligo vaccinale, riacquistano il diritto di svolgere l'attività didattica.

5. Agli oneri derivanti dal presente articolo pari a euro 29.207.391 per l'anno 2022 si provvede, quanto a 15.000.000 di euro, mediante corrispondente riduzione del fondo di cui all'articolo 1, comma 200, della legge 23 dicembre 2014, n. 190, e, quanto a 14.207.391 euro, mediante corrispondente riduzione dell'autorizzazione di spesa di cui all'articolo 1, comma 592, della legge 27 dicembre 2017, n. 205.

6. Ai fini dell'immediata attuazione del presente articolo, il Ministro dell'economia e delle finanze è autorizzato ad apportare, con propri decreti, le occorrenti variazioni di bilancio.

(*) *Articolo inserito dall'art. 8, comma 4 d.l. 24 marzo 2022, n. 24, conv., con modif., in l. 19 maggio 2022, n. 52.*

4-*quater* Estensione dell'obbligo di vaccinazione per la prevenzione dell'infezione da SARS-CoV-2 agli ultracinquantenni.

1. Dalla data di entrata in vigore della presente disposizione e fino al 15 giugno 2022, al fine di tutelare la salute pubblica e mantenere adeguate condizioni di sicurezza nell'erogazione delle prestazioni di cura e assistenza, l'obbligo vaccinale per la prevenzione dell'infezione da SARS-CoV-2, di cui all'articolo 3-*ter*, si applica ai cittadini italiani e di altri Stati membri dell'Unione europea residenti nel territorio dello Stato, nonché agli stranieri di cui agli articoli 34 e 35 del testo unico delle disposizioni concernenti la disciplina dell'immigrazione e norme sulla condizione dello straniero, di cui al decreto legislativo 25 luglio 1998, n. 286, che abbiano compiuto il cinquantesimo anno di età, fermo restando quanto previsto dagli articoli 4, 4-*bis*, **4-*ter*, 4-*ter*.1 e 4-*ter*.2** (*).

2. L'obbligo di cui al comma 1 non sussiste in caso di accertato pericolo per la salute, in relazione a specifiche condizioni cliniche documentate, attestate dal medico di medicina generale dell'assistito o dal medico vaccinatore, nel rispetto delle circolari del Ministero della salute in materia di esenzione dalla vaccinazione anti SARS-CoV-2; in tali casi la vaccinazione può essere omessa o differita. L'infezione da SARS-CoV-2 determina il differimento della vaccinazione fino alla prima data utile prevista sulla base delle circolari del Ministero della salute.

3. La disposizione di cui al comma 1 si applica anche a coloro che compiono il cinquantesimo anno di età in data successiva a quella di entrata in vigore della presente disposizione, fermo il termine del 15 giugno 2022, di cui al comma 1.

(*) *Le parole « 4-ter, 4-ter.1 e 4-ter.2 » sono state sostituite alle parole « e 4-ter » dall'art. 8, comma 5 d.l. 24 marzo 2022, n. 24, conv., con modif., in l. 19 maggio 2022, n. 52.*

4-*quinquies* Impiego delle certificazioni verdi COVID-19 nei luoghi di lavoro per coloro che sono soggetti all'obbligo vaccinale ai sensi degli articoli 4-*ter*.1, 4-*ter*.2 e 4-*quater* (*).

1. Fermi restando gli obblighi vaccinali e il relativo regime sanzionatorio di cui all'articolo 4-*sexies*, i soggetti di cui agli articoli 4-*ter*.1, 4-*ter*.2, comma 3, ultimo periodo, e 4-*quater*, fino al 30 aprile 2022, per l'accesso ai luoghi di lavoro, devono possedere e, su richiesta, esibire una delle certificazioni verdi COVID-19 da vaccinazione, guarigione o test, cosiddetto green pass base di cui all'articolo 9, comma 1, lettera *a-bis*), del decreto-legge 22 aprile 2021, n. 52, convertito, con modificazioni, dalla legge 17 giugno 2021, n. 87. Si applicano le disposizioni di cui agli articoli 9-*ter*.1, 9-*ter*.2, 9-*quinquies*, 9-*sexies*, 9-*septies*, 9-*octies* e 9-*novies* del decreto-legge n. 52 del 2021.

(*) *Articolo così sostituito dall'art. 8, comma 6 d.l. 24 marzo 2022, n. 24, conv., con modif., in l. 19 maggio 2022, n. 52. Il testo dell'articolo, come inserito dall'art. 1, comma 1, d.l. 7 gennaio 2022, n. 1, conv., con modif., in l. 4 marzo 2022, n. 18, era il seguente:* « Art. 4-*quinquies* (*Estensione dell'impiego dei certificati vaccinali e di guarigione nei luoghi di lavoro*). - 1. A decorrere dal 15 febbraio 2022, i soggetti di cui agli articoli 9-*quinquies*, commi 1 e 2, 9-*sexies*, commi 1 e 4, e 9-septies, commi 1 e 2, del decreto-legge 22 aprile 2021, n. 52, convertito, con modificazioni, dalla legge 17 giugno 2021, n. 87, ai quali si applica l'obbligo vaccinale di cui all'articolo 4-*quater* del presente decreto, per l'accesso ai luoghi di lavoro nell'ambito del territorio nazionale, devono possedere e sono tenuti a esibire una delle certificazioni verdi COVID-19 di vaccinazione o di guarigione di cui all'articolo 9, comma 2, lettere *a*), *b*) e *c-bis*), del decreto-legge n. 52 del 2021. — 2. I datori di lavoro pubblici di cui all'articolo 9-quinquies del decreto-legge n. 52 del 2021, i datori di lavoro privati di cui all'articolo 9-septies del decreto-legge n. 52 del 2021 e i responsabili della sicurezza delle strutture in cui si svolge l'attività giudiziaria di cui all'articolo 9-*sexies* del decreto-legge n. 52 del 2021 sono tenuti a verificare il rispetto delle prescrizioni di cui al comma 1 del presente articolo per i soggetti sottoposti all'obbligo di vaccinazione di cui all'articolo 4-*quater* che svolgono la propria attività lavorativa nei rispettivi luoghi di lavoro. Le verifiche delle certificazioni verdi COVID-19 di cui al comma 1 del presente articolo sono effettuate con le modalità indicate dall'articolo 9, comma 10, del decreto-legge n. 52 del 2021. — 3. La verifica del possesso delle certificazioni verdi COVID-19 di cui al comma 1 da parte dei soggetti sottoposti all'obbligo di vaccinazione di cui all'articolo 4-*quater* che svolgono la loro attività lavorativa, a qualsiasi titolo, nei luoghi di lavoro è effettuata dai soggetti di cui al comma 2, nonché dai rispettivi datori di lavoro o da soggetti da essi delegati. — 4. I lavoratori di cui al comma 1, nel caso in cui comunichino di non essere in possesso della certificazione verde COVID-19 di cui al comma 1 o risultino privi della stessa al momento dell'accesso ai luoghi di lavoro, al fine di tutelare la salute e la sicurezza dei lavoratori nei luoghi di lavoro, sono considerati assenti ingiustificati, senza conseguenze disciplinari e con diritto alla conservazione del rapporto di lavoro, fino alla presentazione della predetta certificazione e, comunque, non oltre il 15 giugno 2022. Per i giorni di assenza ingiustificata di cui al primo periodo, non sono dovuti la retribuzione né altro compenso o emolumento, comunque denominati. Per le imprese, fino al 15 giugno 2022, si applica l'articolo 9-*septies*, comma 7, del [medesimo] decreto-legge n. 52 del 2021. — 5. È vietato l'accesso dei soggetti di cui al comma 1 ai luoghi di lavoro in violazione dell'obbligo di cui al predetto comma 1. — 6. La violazione delle disposizioni di cui ai commi 2, 3 e 5 è sanzionata ai sensi dell'articolo 4, commi 1, 3, 5 e 9, del decreto-legge 25 marzo 2020, n. 19, convertito, con modificazioni, dalla legge 22 maggio 2020, n. 35. Resta fermo quanto previsto dall'articolo 2, comma 2-*bis*, del decreto-legge 16 maggio 2020, n. 33, convertito, con modificazioni, dalla legge 14 luglio 2020, n. 74. La sanzione è irrogata dal prefetto e si applicano, per quanto non stabilito dal presente comma, le disposizioni delle sezioni I e II del capo I della legge 24 novembre 1981, n. 689, in quanto compatibili. Per le violazioni di cui al comma 5, la sanzione amministrativa prevista dal comma 1 del citato articolo 4 del decreto-legge n. 19 del 2020 è stabilita nel pagamento di una somma da euro 600 a euro 1.500 e restano ferme le conseguenze disciplinari secondo i rispettivi ordinamenti di settore. — 7. Per il periodo in cui la vaccinazione è omessa o differita, il datore di lavoro adibisce i soggetti di cui all'articolo 4-*quater*, comma 2, a mansioni anche diverse, senza decurtazione della retribuzione, in modo da evitare il rischio di diffusione del contagio da SARS-CoV-2. - 8. Resta fermo quanto disposto dall'articolo 9-*sexies*, commi 8 e 8-*bis*, del decreto-legge n. 52 del 2021. — 9. Dall'attuazione del presente articolo non devono derivare nuovi o maggiori oneri a carico della finanza pubblica ».

4-*sexies* Sanzioni pecuniarie.

1. In caso di inosservanza dell'obbligo vaccinale **di cui agli articoli 4-*ter*.1, 4-*ter*.2 e 4-*quater*** (*), si applica la sanzione amministrativa pecuniaria di euro cento in uno dei seguenti casi:

a) soggetti che alla data del 1° febbraio 2022 non abbiano iniziato il ciclo vaccinale primario;

b) soggetti che a decorrere dal 1° febbraio 2022 non abbiano effettuato la dose di completamento del ciclo vaccinale primario nel rispetto delle indicazioni e nei termini previsti con circolare del Ministero della salute;

c) soggetti che a decorrere dal 1° febbraio 2022 non abbiano effettuato la dose di richiamo successiva al ciclo vaccinale primario entro i termini di validità delle certificazioni verdi COVID-19 previsti dall'articolo 9, comma 3, del decreto-legge 22 aprile 2021, n. 52, convertito, con modificazioni, dalla legge 17 giugno 2021, n. 87.

2. La sanzione di cui al comma 1 si applica anche in caso di inosservanza degli obblighi vaccinali di cui agli articoli 4, 4-*bis* e 4-*ter*.

3. L'irrogazione della sanzione di cui al comma 1, nella misura ivi stabilita, è effettuata dal Ministero della salute per il tramite dell'Agenzia delle entrate-Riscossione, che vi provvede, sulla base degli elenchi dei soggetti inadempienti all'obbligo vaccinale periodicamente predisposti e trasmessi dal medesimo Ministero, anche acquisendo i dati resi disponibili dal Sistema Tessera Sanitaria sui soggetti assistiti dal Servizio Sanitario Nazionale vaccinati per COVID-19, nonché su quelli per cui non risultano vaccinazioni comunicate dal Ministero della salute al medesimo sistema e, ove disponibili, sui soggetti che risultano esenti dalla vaccinazione. Per la finalità di cui al presente comma, il Sistema Tessera Sanitaria è autorizzato al trattamento delle informazioni su base individuale inerenti alle somministrazioni, acquisite dall'Anagrafe Nazionale Vaccini ai sensi dell'articolo 3, comma 5-*ter*, del decreto-legge 14 gennaio 2021, n. 2, convertito, con modificazioni, dalla legge 12 marzo 2021, n. 29, nonché al trattamento dei dati relativi agli esenti, acquisiti secondo le modalità definite con il decreto del Presidente del Consiglio dei ministri di cui all'articolo 9-*bis*, comma 3, del decreto-legge 22 aprile 2021, n. 52, convertito, con modificazioni, dalla legge 17 giugno 2021, n. 87.

4. Il Ministero della salute, avvalendosi dell'Agenzia delle entrate-Riscossione, comunica ai soggetti inadempienti l'avvio del procedimento sanzionatorio e indica ai destinatari il termine perentorio di dieci giorni dalla ricezione, per comunicare all'Azienda sanitaria locale competente per territorio l'eventuale certificazione relativa al differimento o all'esenzione dall'obbligo vaccinale, ovvero altra ragione di assoluta e oggettiva impossibilità. Entro il medesimo termine, gli stessi destinatari danno notizia all'Agenzia delle entrate-Riscossione dell'avvenuta presentazione di tale comunicazione.

5. L'Azienda sanitaria locale competente per territorio trasmette all'Agenzia delle entrate-Riscossione, nel termine perentorio di dieci giorni dalla ricezione della comunicazione dei destinatari prevista al comma 4, previo eventuale contraddittorio con l'interessato, un'attestazione relativa alla insussistenza dell'obbligo vaccinale o all'impossibilità di adempiervi di cui al comma 4.

6. L'Agenzia delle entrate-Riscossione, nel caso in cui l'Azienda sanitaria locale competente non confermi l'insussistenza dell'obbligo vaccinale, ovvero l'impossibilità di adempiervi, di cui al comma 4, provvede, in deroga alle disposizioni contenute nella legge 24 novembre 1981, n. 689, e mediante la notifica, ai sensi dell'articolo 26 del decreto del Presidente della Repubblica 29 settembre 1973, n. 602, entro centottanta giorni dalla relativa trasmissione, di un avviso di addebito, con valore di titolo esecutivo. Si applicano, in quanto compatibili, le disposizioni dell'articolo 30 del decreto-legge 31 maggio 2010, n. 78, convertito, con modificazioni, dalla legge 30 luglio 2010, n. 122.

7. In caso di opposizione alla sanzione contenuta nell'avviso di cui al comma 6 resta ferma la competenza del Giudice di Pace e l'Avvocatura dello Stato assume il patrocinio dell'Agenzia delle entrate-Riscossione, passivamente legittimata.

8. Le entrate derivanti dal comma 1 sono periodicamente versate a cura dell'Agenzia delle entrate-Riscossione ad apposito capitolo dell'entrata del bilancio dello Stato per essere riassegnate al Fondo per le emergenze nazionali di cui all'articolo 44 del codice della protezione civile, di cui al decreto legislativo 2 gennaio 2018, n. 1, per il successivo trasferimento alla contabilità speciale di cui all'articolo 122, comma 9, del decreto-legge 17 marzo 2020, n. 18, convertito, con modificazioni, dalla legge 24 aprile 2020, n. 27.

(*) *Le parole* « di cui agli articoli 4-*ter*.1, 4-*ter*.2 e 4-*quater* » *sono state sostituite alle parole* « di cui all'articolo 4-*quater* » *dall'art. 8, comma 7 d.l. 24 marzo 2022, n. 24, conv., con modif., in l. 19 maggio 2022, n. 52.*

10 Misure per lo svolgimento delle procedure per i concorsi pubblici e per la durata dei corsi di formazione iniziale.

[1. Al fine di ridurre i tempi di reclutamento del personale, le amministrazioni di cui all'articolo 1, comma 2, del decreto legislativo 30 marzo 2001, n. 165, prevedono, anche in deroga alla disciplina del decreto del Presidente della Repubblica 9 maggio 1994, n. 487, del regolamento di cui al decreto del Presidente della Repubblica 24 settembre 2004, n. 272, e della legge 19 giugno 2019, n. 56, le seguenti modalità semplificate di svolgimento delle prove, assicurandone comunque il profilo comparativo:

***a*) nei concorsi per il reclutamento di personale non dirigenziale, l'espletamento di una sola prova scritta e di una prova orale;**

b) l'utilizzo di strumenti informatici e digitali e, facoltativamente, lo svolgimento in videoconferenza della prova orale, garantendo comunque l'adozione di soluzioni tecniche che ne assicurino la pubblicità, l'identificazione dei partecipanti, la sicurezza delle comunicazioni e la loro tracciabilità, nel rispetto della normativa in materia di protezione dei dati personali e nel limite delle pertinenti risorse disponibili a legislazione vigente;

c) per i profili qualificati dalle amministrazioni, in sede di bando, ad elevata specializzazione tecnica, una fase di valutazione dei titoli legalmente riconosciuti e strettamente correlati alla natura e alle caratteristiche delle posizioni bandite, ai fini dell'ammissione a successive fasi concorsuali;

c-bis) conformemente a quanto disposto dall'articolo 3, comma 6, lettera *b*), numero 7), della legge 19 giugno 2019, n. 56, i titoli e l'eventuale esperienza professionale, inclusi i titoli di servizio, possono concorrere, in misura non superiore a un terzo, alla formazione del punteggio finale;] (*)

1-*bis*. A decorrere dalla data di entrata in vigore della legge di conversione del presente decreto, ai fini della partecipazione alle procedure concorsuali per il reclutamento di personale delle amministrazioni di cui all'articolo 1, comma 2, del decreto legislativo 30 maggio 2001, n. 165, il possesso del titolo di laurea magistrale in scienze delle religioni (LM64), secondo la classificazione definita ai sensi del regolamento di cui al decreto del Ministro dell'istruzione, dell'università e della ricerca 22 ottobre 2004, n. 270, dispiega i medesimi effetti del possesso del titolo di laurea magistrale in scienze storiche (LM84), in scienze filosofiche (LM78) e in antropologia culturale ed etnologia (LM01).

[2. Le amministrazioni di cui al comma 1, nel limite delle pertinenti risorse disponibili a legislazione vigente, possono prevedere, in ragione del numero di partecipanti, l'utilizzo di sedi decentrate con le modalità previste dall'articolo 247, comma 2, del decreto-legge 19 maggio 2020, n. 34, convertito con modificazioni dalla legge 17 luglio 2020, n. 77, e, ove necessario, e in ogni caso fino al 31 dicembre 2022, la non contestualità, assicurando comunque la trasparenza e l'omogeneità delle prove somministrate in modo da garantire il medesimo grado di selettività tra tutti i partecipanti]. (*)

[3. Fino al 31 dicembre 2022, per le procedure concorsuali i cui bandi sono pubblicati alla data di entrata in vigore del presente decreto le amministrazioni di cui al comma 1 prevedono, qualora non sia stata svolta alcuna attività, l'utilizzo degli strumenti informatici e digitali di cui al comma 1, lettera *b*), nonché le eventuali misure di cui al comma 2, nel limite delle pertinenti risorse disponibili a legislazione vigente. Le medesime amministrazioni, qualora non sia stata svolta alcuna attività, possono prevedere la fase di valutazione dei titoli di cui al comma 1, lettera *c*), dandone tempestiva comunicazione ai partecipanti nelle medesime forme di pubblicità adottate per il bando e riaprendo, per un periodo massimo di trenta giorni, i termini di partecipazione, nonché, per le procedure relative al reclutamento di personale non dirigenziale, l'espletamento di una sola prova scritta e di una eventuale prova orale. Per le procedure concorsuali i cui bandi sono pubblicati successivamente alla data di entrata in vigore del presente decreto e fino al 31 dicembre 2022, le amministrazioni di cui al comma 1 possono altresì prevedere l'espletamento di una sola prova scritta e di una eventuale prova orale, in deroga a quanto previsto dal comma 1, lettera *a*).] (*).

[4. Al reclutamento del personale a tempo determinato previsto dall'articolo 1, comma 179, della legge 30 dicembre 2020, n. 178, provvede il Dipartimento della funzione pubblica, ai sensi dell'articolo 4, comma 3-quinquies, del decreto-legge 31 agosto 2013, n. 101, convertito, con modificazioni, dalla legge 30 ottobre 2013, n. 125, e dell'articolo 35, comma 5, del decreto legislativo 30 marzo 2001, n. 165, anche avvalendosi dell'Associazione Formez PA. Il reclutamento è effettuato mediante procedura concorsuale semplificata anche in deroga alla disciplina del decreto del Presidente della Repubblica 9 maggio 1994, n. 487, e della legge 19 giugno 2019, n. 56, assicurando comunque il profilo comparativo. La procedura prevede una fase di valutazione dei titoli e dell'esperienza professionale anche ai fini del punteggio finale, e una sola prova scritta mediante quesiti a risposta multipla, con esclusione della prova orale. Il bando può prevedere che il punteggio per il titolo di studio richiesto per l'accesso sia aumentato fino al doppio, qualora il titolo di studio sia stato conseguito non oltre quattro anni prima del termine ultimo per la presentazione della domanda di partecipazione alla procedura di reclutamento. Il Dipartimento della funzione pubblica può avvalersi delle misure previste dal comma 2. Non si applicano gli articoli 34, comma 6, e 34-*bis* del decreto legislativo 30 marzo 2001, n. 165. L'articolo 1, comma 181, della legge 30 dicembre 2020, n. 178, è abrogato]. (*)

[5. In ragione dell'emergenza sanitaria in atto, per le procedure concorsuali in corso di svolgimento o i cui bandi sono pubblicati alla data di entrata in vigore del presente decreto, volte all'assunzione di personale con qualifica non dirigenziale, che prevedono tra le fasi selettive un corso di formazione, si applicano le disposizioni di cui al comma 3, anche in deroga al bando, dandone tempestiva comunicazione ai partecipanti nelle medesime forme di pubblicità adottate per il bando stesso, senza necessità di riaprire i termini di partecipazione e garantendo comunque il profilo comparativo e la parità tra i partecipanti. Resta ferma l'attività già espletata, i cui esiti concorrono alla formazione della graduatoria finale di merito.] (*)

[6. Le commissioni esaminatrici dei concorsi possono essere suddivise in sottocommissioni, con l'integrazione di un numero di componenti pari a quello delle commissioni originarie e di un segretario aggiunto. Per ciascuna sottocommissione è nominato un presidente. La commissione definisce in una seduta plenaria preparatoria procedure e criteri di valutazione omogenei e vincolanti per

tutte le sottocommissioni. Tali procedure e criteri di valutazione sono pubblicati nel sito internet dell'amministrazione procedente contestualmente alla graduatoria finale. All'attuazione del presente comma le amministrazioni provvedono nei limiti delle risorse disponibili a legislazione vigente.] (*)

[7. Le disposizioni del presente articolo si applicano anche alle procedure concorsuali indette dalla Commissione per l'attuazione del progetto di riqualificazione delle pubbliche amministrazioni (RIPAM) prevista dall'articolo 35, comma 5, del decreto legislativo 30 marzo 2001, n. 165.] (*)

8. Le disposizioni dei precedenti commi non si applicano alle procedure di reclutamento del personale in regime di diritto pubblico di cui all'articolo 3 del decreto legislativo 30 marzo 2001, n. 165, fatto salvo quanto previsto al comma 11-*bis*.

9. Dal 3 maggio 2021 è consentito lo svolgimento delle procedure selettive in presenza dei concorsi banditi dalle pubbliche amministrazioni e delle selezioni pubbliche ai sensi dell'articolo 19, comma 2, del testo unico in materia di società a partecipazione pubblica, di cui al decreto legislativo 19 agosto 2016, n. 175, nel rispetto di linee guida validate dal Comitato tecnico-scientifico di cui all'ordinanza del Capo del Dipartimento della protezione civile 3 febbraio 2020, n. 630, e successive modificazioni.

10. All'articolo 259 del decreto-legge 19 maggio 2020, n. 34, convertito, con modificazioni, dalla legge 17 luglio 2020, n. 77, sono apportate le seguenti modificazioni:

a) alla rubrica, le parole « e del Corpo nazionale dei vigili del fuoco » sono sostituite dalle seguenti: « , del Corpo nazionale dei vigili del fuoco, dell'amministrazione penitenziaria e dell'amministrazione della giustizia minorile e di comunità »;

b) al comma 1, le parole « e del Corpo nazionale dei vigili del fuoco » sono sostituite dalle seguenti: « , del Corpo nazionale dei vigili del fuoco, del personale dell'amministrazione penitenziaria e dell'esecuzione penale minorile ed esterna ».

10-*bis*. In deroga a quanto previsto dall'articolo 4, comma 1, del decreto legislativo 5 ottobre 2000, n. 334, il 110° corso e il 111° corso di formazione iniziale per l'accesso alla qualifica di commissario della Polizia di Stato hanno durata pari a quattordici mesi. I commissari che superano l'esame finale dei predetti corsi e sono dichiarati idonei al servizio di polizia sono confermati nel ruolo con la qualifica di commissario. Con la predetta qualifica essi svolgono, nell'ufficio o reparto di assegnazione, il tirocinio operativo, della durata di dieci mesi, secondo le modalità previste in applicazione del decreto di cui al comma 6 del citato articolo 4 del decreto legislativo n. 334 del 2000, e acquisiscono la qualifica di commissario capo previa valutazione positiva ai sensi del terzo periodo del comma 4 del medesimo articolo 4.

11. All'articolo 1, comma 925, secondo periodo, della legge 30 dicembre 2020, n. 178, le parole « graduatorie vigenti alla data di entrata in vigore della presente legge » sono sostituite dalle seguenti: « graduatorie delle pubbliche amministrazioni vigenti alla data del 30 aprile 2021 ».

11-*bis*. All'articolo 1-*bis*, comma 2, del decreto-legge 31 dicembre 2020, n. 183, convertito, con modificazioni, dalla legge 26 febbraio 2021, n. 21, sono apportate le seguenti modificazioni:

a) al quinto periodo, le parole da: "con equiparazione" fino a: "F1," sono soppresse e la parola: "219.436" è sostituita dalla seguente: "438.872";

b) al sesto periodo, le parole: "nel medesimo profilo professionale, di cui al secondo periodo" sono sostituite dalle seguenti: "di 10 unità dell'Area III, posizione economica F1, ivi incluse le 5 unità con particolare specializzazione professionale di cui al secondo periodo";

11-*ter*. Al fine di ridurre i tempi di reclutamento del personale, le autorità amministrative indipendenti, inclusi gli enti che svolgono la loro attività nelle materie contemplate dall'articolo 2 del testo unico delle leggi in materia bancaria e creditizia, di cui al decreto legislativo 1° settembre 1993, n. 385, e dalle leggi 4 giugno 1985, n. 281, e 10 ottobre 1990, n. 287, possono prevedere, secondo la specificità del proprio ordinamento, modalità semplificate di svolgimento delle prove ricorrendo a ciascuna ovvero a talune delle modalità indicate al presente articolo, fermo restando l'obbligo di assicurare il profilo comparativo.

(*) *I commi 1, 2, 3, 4, 5, 6 e 7 sono stati abrogati dall'art. 3, comma 2, d.l. 30 aprile 2022, n. 36, in corso di conversione in legge.*

13. Decreto legge 22 aprile 2021, n. 52, convertito, con modificazioni, in legge 17 giugno 2021, n. 87. — Misure urgenti per la graduale ripresa delle attività economiche e sociali nel rispetto delle esigenze di contenimento della diffusione dell'epidemia da COVID-19 (*).

Pubblicato nella Gazzetta Ufficiale n. 96 del 22 aprile 2021; la legge di conversione è stata pubblicata nella Gazzetta Ufficiale n. 146 del 21 giugno 2021.

(*) *Ai sensi dell'art. 14 d.l. 24 marzo 2022, n. 24, conv., con modif., in l. 19 maggio 2022, n. 52, a decorrere dal 1° aprile 2022, sono* **abrogati** *gli artt. 1, 2, 2-*ter*, 3-*bis*, 4, 4-*bis*, 5, 5-*bis*, 6, 6-*bis*, 7, 8, 8-*bis*, 8-*ter*, 9-*quater*.1 del presente decreto.*

[1 (*) **Ripristino della disciplina delle zone gialle e ulteriori misure per contenere e contrastare l'emergenza epidemiologica da COVID-19.**

1. Fatto salvo quanto diversamente disposto dal presente decreto, dal 1° maggio al 31 luglio 2021, si applicano le misure di cui al decreto del Presidente del Consiglio dei ministri 2 marzo 2021, pubblicato nel supplemento ordinario alla Gazzetta Ufficiale n. 52 del 2 marzo 2021, adottato, in attuazione dell'articolo 2, comma 1, del decreto-legge 25 marzo 2020, n. 19, convertito, con modificazioni, dalla legge 22 maggio 2020, n. 35.

2. Dal 26 aprile 2021 cessano di avere efficacia le disposizioni di cui all'articolo 1, comma 2, del decreto-legge 1° aprile 2021, n. 44, e sono conseguentemente consentiti gli spostamenti in entrata e in uscita dai territori delle Regioni e delle Province autonome di Trento e Bolzano che si collocano nelle zone bianca e gialla.

[3. Dal 1° maggio al 31 luglio 2021, le misure stabilite per la zona rossa si applicano anche nelle regioni e province autonome di Trento e Bolzano individuate con ordinanza del Ministro della salute ai sensi dell'articolo 1, comma 16-*bis*, del decreto-legge 16 maggio 2020, n. 33, convertito, con modificazioni, dalla legge 14 luglio 2020, n. 74, nelle quali l'incidenza cumulativa settimanale dei contagi è superiore a 250 casi ogni 100.000 abitanti, sulla base dei dati validati dell'ultimo monitoraggio disponibile.]

[4. Dal 1° maggio al 31 luglio 2021, i Presidenti delle regioni e delle province autonome di Trento e Bolzano possono disporre l'applicazione delle misure stabilite per la zona rossa, nonché ulteriori, motivate, misure più restrittive tra quelle previste dall'articolo 1, comma 2, del decreto-legge n. 19 del 2020, fatto salvo quanto previsto dall'articolo 3, comma 1, del presente decreto:

a) nelle province in cui l'incidenza cumulativa settimanale dei contagi è superiore a 250 casi ogni 100.000 abitanti;

b) nelle aree in cui la circolazione di varianti di SARS-CoV-2 determina alto rischio di diffusività o induce malattia grave.]

(*) *Articolo abrogato dall'art. 14 d.l. 24 marzo 2022, n. 24, conv., con modif., in l. 19 maggio 2022, n. 52, a decorrere dal 1° aprile 2022.*

[2 (*) **Misure relative agli spostamenti.**

1. Gli spostamenti in entrata e in uscita dai territori collocati in zona arancione o rossa sono consentiti, oltre che per comprovate esigenze lavorative o per situazioni di necessità o per motivi di salute, nonché per il rientro ai propri residenza, domicilio o abitazione, anche ai soggetti muniti di una delle certificazioni verdi COVID-19 da vaccinazione, guarigione o test, cosiddetto green pass base.

2. Dal 26 aprile al 15 giugno 2021, nella zona gialla e, in ambito comunale, nella zona arancione, è consentito lo spostamento verso una sola abitazione privata abitata, una volta al giorno, nel rispetto dei limiti orari agli spostamenti di cui ai provvedimenti adottati in attuazione dell'articolo 2 del decreto-legge 25 marzo 2020, n. 19, convertito, con modificazioni, dalla legge 22 maggio 2020, n. 35, come rideterminati dal presente articolo, e nel limite di quattro persone ulteriori rispetto a quelle ivi già conviventi, oltre ai minorenni sui quali tali persone esercitino la responsabilità genitoriale e alle persone con disabilità o non autosufficienti, conviventi. Lo spostamento di cui al presente comma non è consentito nei territori nei quali si applicano le misure stabilite per la zona rossa.

2-*bis*. Dal 18 maggio al 6 giugno 2021, in zona gialla, i limiti orari agli spostamenti di cui ai provvedimenti adottati in attuazione dell'articolo 2 del decreto-legge 25 marzo 2020, n. 19, convertito, con modificazioni, dalla legge 22 maggio 2020, n. 35, hanno inizio alle ore 23 e terminano alle ore 5 del giorno successivo, fatti salvi gli spostamenti motivati da comprovate esigenze lavorative, da situazioni di necessità ovvero per motivi di salute.

2-*ter*. Dal 7 giugno al 20 giugno 2021, in zona gialla, i limiti orari agli spostamenti di cui al comma 2-*bis* hanno inizio alle ore 24 e terminano alle ore 5 del giorno successivo.

2-*quater*. Con ordinanza del Ministro della salute possono essere stabiliti limiti orari agli spostamenti diversi da quelli di cui ai commi 2-*bis* e 2-*ter* per eventi di particolare rilevanza.

2-*quinquies*. Dal 21 giugno 2021, in zona gialla, cessano di applicarsi i limiti orari agli spostamenti previsti dai provvedimenti adottati in attuazione dell'articolo 2 del decreto-legge n. 19 del 2020, come rideterminati dal presente articolo.

2-*sexies*. Su tutto il territorio nazionale non si applicano i limiti orari agli spostamenti di cui al presente articolo.

3. I provvedimenti di cui all'articolo 2, comma 2, del decreto-legge n. 19 del 2020 individuano i casi nei quali le certificazioni verdi COVID-19, rilasciate o riconosciute ai sensi dell'articolo 9, consentono di derogare a divieti di spostamento da e per l'estero o a obblighi di sottoporsi a misure sanitarie in dipendenza dei medesimi spostamenti].

(*) *Articolo abrogato dall'art. 14 d.l. 24 marzo 2022, n. 24, conv., con modif., in l. 19 maggio 2022, n. 52, a decorrere dal 1° aprile 2022.*

[2-*ter* (*) **Protocollo per le relazioni con i familiari dei pazienti affetti da COVID-19 presso le strutture sanitarie.**

1. Entro trenta giorni dalla data di entrata in vigore della legge di conversione del presente decreto, sentito il Comitato tecnico-scientifico, il Ministero della salute, previa intesa in sede di Conferenza permanente per i rapporti tra lo Stato, le regioni e le province autonome di Trento e di Bolzano, adotta un protocollo uniforme per tutto il territorio nazionale che, nell'ambito della riorganizzazione della rete ospedaliera correlata al COVID-19, assicuri, in caso di pazienti affetti da COVID-19:

a) il mantenimento delle comunicazioni tra operatori e familiari, garantendo a questi ultimi la possibilità di ricevere informazioni puntuali e periodiche sullo stato di salute del proprio familiare attraverso una figura appositamente designata, all'interno dell'unità operativa di degenza, compreso il pronto soccorso;

b) lo svolgimento delle visite da parte dei familiari, secondo regole prestabilite consultabili da parte dei familiari ovvero, in subordine o in caso di impossibilità oggettiva di effettuare la visita o come opportunità aggiuntiva, l'adozione di strumenti alternativi alla visita in presenza, quali videochiamate organizzate dalla struttura sanitaria;

c) l'individuazione di ambienti dedicati che, in condizioni di sicurezza, siano adibiti all'accesso di almeno un familiare.

2. Dall'attuazione del presente articolo non devono derivare nuovi o maggiori oneri a carico della finanza pubblica. Le pubbliche amministrazioni competenti provvedono ai relativi adempimenti nei limiti delle risorse umane, strumentali e finanziarie disponibili a legislazione vigente].

(*) *Articolo abrogato dall'art. 14 d.l. 24 marzo 2022, n. 24, conv., con modif., in l. 19 maggio 2022, n. 52, a decorrere dal 1° aprile 2022.*

2-*quater* Misure concernenti le uscite temporanee degli ospiti dalle strutture residenziali.

1. **Fino al 31 dicembre 2022, alle persone ospitate** (*) presso strutture di ospitalità e lungodegenza, residenze sanitarie assistite, hospice, strutture riabilitative e strutture residenziali per anziani, autosufficienti e no, strutture residenziali socioassistenziali e altre strutture residenziali di cui al capo IV e all'articolo 44 del decreto del Presidente del Consiglio dei ministri 12 gennaio 2017, pubblicato nel supplemento ordinario alla Gazzetta Ufficiale n. 65 del 18 marzo 2017, sono consentite uscite temporanee, purché tali persone siano munite delle certificazioni verdi COVID-19 di cui all'articolo 9.

(*) *Le parole* « Fino al 31 dicembre 2022, alle persone ospitate » *sono state sostituite alle parole* « Alle persone ospitate » *dall'art. 6, comma 1, d.l. 24 marzo 2022, n. 24, conv., con modif., in l. 19 maggio 2022, n. 52, a decorrere dal 1° aprile 2022.*

3 (*) Disposizioni per il sistema educativo, scolastico e formativo, ivi comprese modalità di gestione dei casi di positività all'infezione da SARS-CoV-2.

1. A decorrere dal 1° aprile 2022, fino alla conclusione dell'anno scolastico 2021/2022, ferma restando per il personale scolastico l'applicazione del regime dell'autosorveglianza di cui all'articolo 10-ter del presente decreto, nella gestione dei contatti stretti tra gli alunni a seguito della positività all'infezione da SARS-CoV-2 nel sistema educativo, scolastico e formativo, ivi compresi le scuole paritarie e quelle non paritarie nonché i centri provinciali per l'istruzione degli adulti, si applicano le misure di cui ai commi 2 e 3. Resta fermo lo svolgimento in presenza delle attività educative e didattiche e la possibilità di svolgere uscite didattiche e viaggi di istruzione, ivi compresa la partecipazione a manifestazioni sportive. All'attuazione del presente comma si provvede con le risorse umane, finanziarie e strumentali disponibili a legislazione vigente.

2. Nelle istituzioni del sistema integrato di educazione e di istruzione di cui all'articolo 2, comma 2, del decreto legislativo 13 aprile 2017, n. 65, in presenza di almeno quattro casi di positività tra i bambini e gli alunni presenti nella sezione o gruppo classe, l'attività educativa e didattica prosegue in presenza per tutti e i docenti e gli educatori utilizzano i dispositivi di protezione delle vie respiratorie di tipo FFP2 per dieci giorni dall'ultimo contatto con un soggetto positivo al COVID-19. Alla prima comparsa dei sintomi e, se ancora sintomatici, al quinto giorno successivo all'ultimo contatto, va effettuato un test antigenico rapido o molecolare, anche in centri privati abilitati, o un test antigenico autosomministrato per la rilevazione dell'antigene SARS-CoV-2. In questo ultimo caso, l'esito negativo del test è attestato con una autocertificazione.

3. Nelle scuole primarie di cui all'articolo 4, comma 2, del decreto legislativo 19 febbraio 2004, n. 59, e nelle scuole secondarie di primo grado di cui all'articolo 4, comma 3, del decreto legislativo 19 febbraio 2004, n. 59, nonché nelle scuole secondarie di secondo grado e nel sistema di istruzione e formazione professionale di cui all'articolo 1, comma 1, del decreto legislativo 17 ottobre 2005, n. 226, in presenza di almeno quattro casi di positività tra gli alunni presenti in classe, l'attività didattica prosegue per tutti in presenza con l'utilizzo di dispositivi di protezione delle vie respiratorie di tipo FFP2 da parte dei docenti e degli alunni che abbiano superato i sei anni di età per dieci giorni dall'ultimo contatto con un soggetto positivo al COVID-19. Alla prima comparsa dei sintomi e, se ancora sintomatici, al quinto giorno successivo all'ultimo contatto, va effettuato un test antigenico rapido o molecolare, anche in centri privati abilitati, o un test antigenico autosomministrato per la rilevazione dell'antigene SARS-CoV-2. In questo ultimo caso, l'esito negativo del test è attestato con una autocertificazione.

4. Gli alunni delle scuole primarie, delle scuole secondarie di primo e secondo grado e del sistema di istruzione e formazione professionale in isolamento ai sensi dell'articolo 10-*ter* in seguito all'infezione da SARS-CoV-2, possono seguire l'attività scolastica nella modalità della didattica digitale integrata su richiesta della famiglia o dello studente, se maggiorenne. La riammissione in classe dei suddetti alunni è subordinata alla sola dimostrazione di avere effettuato un test antigenico rapido o molecolare con esito negativo, anche in centri privati a ciò abilitati.

5. Fino alla conclusione dell'anno scolastico 2021/2022, nelle istituzioni e nelle scuole di cui al presente articolo nonché negli istituti tecnici superiori continuano ad applicarsi le seguenti misure di sicurezza:

a) è fatto obbligo di utilizzo dei dispositivi di protezione delle vie respiratorie di tipo chirurgico, o di maggiore efficacia protettiva, fatta eccezione per i bambini accolti nel sistema integrato di educazione e di istruzione di cui all'articolo 2, comma 2, del decreto legislativo 13 aprile 2017, n. 65, per i soggetti con patologie o disabilità incompatibili con l'uso dei predetti dispositivi e per lo svolgimento delle attività sportive;

b) è raccomandato il rispetto di una distanza di sicurezza interpersonale di almeno un metro salvo che le condizioni strutturali-logistiche degli edifici non lo consentano;

c) resta fermo, in ogni caso, il divieto di accedere o permanere nei locali scolastici se positivi all'infezione da SARS-CoV-2 o se si presenta una sintomatologia respiratoria e temperatura corporea superiore a 37,5°.

(*) *Articolo così sostituito dall'art. 9, comma 1, d.l. 24 marzo 2022, n. 24, conv., con modif., in l. 19 maggio 2022, n. 52, a decorrere dal 1° aprile 2022. Il testo dell'articolo era il seguente:* « 3. (*Disposizioni urgenti per i servizi educativi per l'infanzia, per le attività scolastiche e didattiche delle scuole di ogni ordine e grado e per l'istruzione superiore*). — 1. Dal 26 aprile 2021 e fino alla conclusione dell'anno scolastico 2020-2021, è assicurato in presenza sull'intero territorio nazionale lo svolgimento dei servizi educativi per l'infanzia di cui all'articolo 2 del decreto legislativo 13 aprile 2017, n. 65, dell'attività scolastica e didattica della scuola dell'infanzia, della scuola primaria e della scuola secondaria di primo grado, nonché, almeno per il 50 per cento della popolazione studentesca, delle attività scolastiche e didattiche della scuola secondaria di secondo grado di cui al comma 2. Le disposizioni di cui al primo periodo non possono essere derogate da provvedimenti dei Presidenti delle regioni e delle province autonome di Trento e Bolzano e dei Sindaci. La predetta deroga è consentita solo in casi di eccezionale e straordinaria necessità dovuta alla presenza di focolai o al rischio estremamente elevato di diffusione del virus SARS-CoV-2 o di sue varianti nella popolazione scolastica. I provvedimenti di deroga sono motivatamente adottati sentite le competenti autorità sanitarie e nel rispetto dei principi di adeguatezza e proporzionalità, anche con riferimento alla possibilità di limitarne l'applicazione a specifiche aree del territorio. — 2. Dal 26 aprile 2021 e fino alla conclusione dell'anno scolastico 2020-2021, le istituzioni scolastiche secondarie di secondo grado adottano forme flessibili nell'organizzazione dell'attività didattica, ai sensi degli articoli 4 e 5 del decreto del Presidente della Repubblica 8 marzo 1999, n. 275, affinché, nella zona rossa, sia garantita l'attività didattica in presenza ad almeno il 50 per cento e fino al 75 per cento della popolazione studentesca e, nelle zone gialla e arancione, ad almeno il 70 per cento e fino al 100 per cento della popolazione studentesca. La restante parte della popolazione studentesca delle predette istituzioni scolastiche si avvale della didattica a distanza. — 3. Resta sempre garantita la possibilità di svolgere attività in presenza qualora sia necessario l'uso di laboratori o per mantenere una relazione educativa che realizzi l'effettiva inclusione scolastica degli alunni con disabilità e con bisogni educativi speciali, secondo quanto previsto dalle linee guida di cui al decreto del Ministro dell'istruzione n. 89 del 7 agosto 2020 e dall'ordinanza del Ministro dell'istruzione n. 134 del 9 ottobre 2020, garantendo comunque il collegamento telematico con gli alunni della classe che si avvalgono della didattica digitale integrata. — 4. Dal 26 aprile 2021 e fino al 31 luglio 2021, nelle zone gialla e arancione, le attività didattiche e curriculari delle università sono svolte prioritariamente in presenza secondo i piani di organizzazione della didattica e delle attività curricolari predisposti nel rispetto di linee guida adottate dal Ministero dell'università e della ricerca. Nel medesimo periodo, nella zona rossa, i piani di organizzazione della didattica e delle attività curriculari di cui al primo periodo possono prevedere lo svolgimento in presenza delle attività formative degli insegnamenti relativi al primo anno dei corsi di studio ovvero delle attività formative rivolte a classi con ridotto numero di studenti. Sull'intero territorio nazionale, i medesimi piani di organizzazione della didattica e delle attività curriculari prevedono, salva diversa valutazione delle università, lo svolgimento in presenza degli esami, delle prove e delle sedute di laurea, delle attività di orientamento e di tutorato, delle attività dei laboratori, nonché l'apertura delle biblioteche, delle sale di lettura e delle sale di studio, tenendo conto anche delle specifiche esigenze formative degli studenti con disabilità e degli studenti con disturbi specifici dell'apprendimento. — 5. Le disposizioni del comma 4 si applicano, per quanto compatibili, anche alle Istituzioni di alta formazione artistica musicale e coreutica, ferme restando le attività che devono necessariamente svolgersi in presenza, sentito il Comitato Universitario Regionale di riferimento che può acquisire il parere, per i Conservatori di Musica, del Comitato Territoriale di Coordinamento (CO.TE.CO.) e, per le Accademie e gli istituti superiori per le industrie artistiche, della competente Conferenza dei Direttori, nonché alle attività delle altre istituzioni di alta formazione collegate alle università ».

[3-*bis* (*) Corsi di formazione.

1. Dal 1° luglio 2021, in zona gialla, i corsi di formazione pubblici e privati possono svolgersi anche in presenza, nel rispetto di protocolli e linee guida adottati ai sensi dell'articolo 1, comma 14, del decreto-legge 16 maggio 2020, n. 33, convertito, con modificazioni, dalla legge 14 luglio 2020, n. 74].

(*) *Articolo abrogato dall'art. 14 d.l. 24 marzo 2022, n. 24, conv., con modif., in l. 19 maggio 2022, n. 52, a decorrere dal 1° aprile 2022.*

[4 (*) Attività dei servizi di ristorazione.

1. Dal 26 aprile 2021, nella zona gialla, sono consentite le attività dei servizi di ristorazione, svolte da qualsiasi esercizio, con consumo al tavolo esclusivamente all'aperto, anche a cena, nel rispetto dei limiti orari agli spostamenti di cui ai provvedimenti adottati in attuazione dell'articolo 2 del decreto-legge 25 marzo 2020, n. 19, convertito, con modificazioni, dalla legge 22 maggio 2020, n. 35, come rideterminati dall'articolo 2 del presente decreto, nonché di protocolli e linee guida adottati ai sensi dell'articolo 1, comma 14, del decreto-legge 16 maggio 2020, n. 33, convertito, con modificazioni, dalla legge 14 luglio 2020, n. 74. Resta consentita senza limiti di orario la ristorazione negli alberghi e in altre strutture ricettive limitatamente ai propri clienti, che siano ivi alloggiati.

2. Dal 1° giugno 2021, in zona gialla, le attività dei servizi di ristorazione, svolte da qualsiasi esercizio, sono consentite, anche al chiuso, nel rispetto dei limiti orari agli spostamenti di cui all'articolo 2 del presente decreto nonché di protocolli e linee guida adottati ai sensi dell' articolo 1, comma 14, del decreto-legge n. 33 del 2020].

(*) *Articolo abrogato dall'art. 14 d.l. 24 marzo 2022, n. 24, conv., con modif., in l. 19 maggio 2022, n. 52, a decorrere dal 1° aprile 2022.*

[4-*bis* (*) Attività commerciali all'interno di mercati e centri commerciali.

1. Dal 22 maggio 2021, in zona gialla, le attività degli esercizi commerciali presenti all'interno di mercati e di centri commerciali, di gallerie commerciali, di parchi commerciali e di altre strutture ad essi assimilabili possono svolgersi anche nei giorni festivi e prefestivi, nel rispetto di protocolli e linee guida adottati ai sensi dell'articolo 1, comma 14, del decreto-legge 16 maggio 2020, n. 33, convertito, con modificazioni, dalla legge 14 luglio 2020, n. 74].

(*) *Articolo abrogato dall'art. 14 d.l. 24 marzo 2022, n. 24, conv., con modif., in l. 19 maggio 2022, n. 52, a decorrere dal 1° aprile 2022.*

[5 (*) Spettacoli aperti al pubblico ed eventi sportivi.

1. In zona gialla, gli spettacoli aperti al pubblico in sale teatrali, sale da concerto, sale cinematografiche, locali di intrattenimento e musica dal vivo e in altri locali o spazi anche all'aperto, sono svolti esclusivamente con posti a sedere preassegnati e a condizione che sia assicurato il rispetto della distanza interperso-

nale di almeno un metro, sia per gli spettatori che non siano abitualmente conviventi, sia per il personale. In zona gialla la capienza consentita non può essere superiore al 50 per cento di quella massima autorizzata. In zona bianca, la capienza consentita è pari a quella massima autorizzata. In caso di spettacoli aperti al pubblico che si svolgono in luoghi ordinariamente destinati agli eventi e alle competizioni sportivi, si applicano le disposizioni di cui al comma 2 relative alla capienza consentita negli spazi destinati al pubblico. In ogni caso, per gli spettacoli all'aperto, quando il pubblico, anche solo in parte, vi accede senza posti a sedere preassegnati e senza limiti massimi di capienza autorizzati, gli organizzatori producono all'autorità competente ad autorizzare l'evento anche la documentazione concernente le misure adottate per la prevenzione della diffusione del contagio da COVID-19, tenuto conto delle dimensioni, dello stato e delle caratteristiche dei luoghi, nonché delle indicazioni stabilite in apposite linee guida adottate ai sensi dell'articolo 1, comma 14, del decreto-legge 16 maggio 2020, n. 33, convertito, con modificazioni, dalla legge 14 luglio 2020, n. 74. La predetta autorità comunica le misure individuate dagli organizzatori alla Commissione di cui all'articolo 80 del testo unico delle leggi di pubblica sicurezza, di cui al regio decreto 18 giugno 1931, n. 773, la quale ne tiene conto ai fini delle valutazioni di propria competenza, nel corso di sedute alle quali può invitare rappresentanti delle aziende sanitarie locali, specificamente competenti in materia di sanità pubblica, al fine di acquisire un parere circa l'idoneità delle predette misure. Le misure sono comunicate altresì al Prefetto ai fini delle eventuali misure da adottarsi per la tutela dell'ordine e della sicurezza pubblica, anche previa acquisizione del parere del Comitato provinciale di cui all'articolo 20 della legge 1° aprile 1981, n. 121. Restano sospesi gli spettacoli aperti al pubblico quando non è possibile assicurare il rispetto delle condizioni di cui al presente articolo, nonché, salvo quanto previsto dal comma 1-*bis* per la zona bianca, le attività che abbiano luogo in sale da ballo, discoteche e locali assimilati. In zona bianca sono consentite le feste popolari e le manifestazioni culturali all'aperto, anche con modalità itinerante e in forma dinamica, riconosciute di notevole interesse culturale ai sensi del codice dei beni culturali e del paesaggio, di cui al decreto legislativo 22 gennaio 2004, n. 42. Gli organizzatori producono all'autorità competente ad autorizzare l'evento la documentazione concernente le misure adottate per la prevenzione della diffusione del contagio da COVID-19 ai fini dell'inoltro alla Commissione di cui all'articolo 80 del testo unico delle leggi di pubblica sicurezza, di cui al regio decreto 18 giugno 1931, n. 773.

1-*bis*. In zona bianca le attività che abbiano luogo in sale da ballo, discoteche e locali assimilati sono consentite nel rispetto di protocolli e linee guida adottati ai sensi dell'articolo 1, comma 14, del decreto-legge 16 maggio 2020, n. 33, convertito, con modificazioni, dalla legge 14 luglio 2020, n. 74. L'accesso è consentito con tracciamento dell'accesso alle strutture. La capienza non può comunque essere superiore al 75 per cento all'aperto e al 50 per cento al chiuso rispetto a quella massima autorizzata. Nei locali al chiuso ove si svolgono le predette attività deve essere garantita la presenza di impianti di aereazione senza ricircolo dell'aria oppure di sistemi di filtrazione ad elevata efficienza mediante filtri HEPA o F9, in grado di ridurre la presenza nell'aria del virus SARS-CoV-2, e restano fermi gli obblighi di indossare il dispositivo di protezione delle vie respiratorie previsti dalla vigente normativa, ad eccezione del momento del ballo.

2. In zona gialla, le misure di cui al primo periodo del comma 1 si applicano anche per la partecipazione del pubblico sia agli eventi e alle competizioni di livello agonistico riconosciuti di preminente interesse nazionale con provvedimento del Comitato olimpico nazionale italiano (CONI) e del Comitato italiano paralimpico (CIP), riguardanti gli sport individuali e di squadra, organizzati dalle rispettive federazioni sportive nazionali, discipline sportive associate, enti di promozione sportiva ovvero da organismi sportivi internazionali, sia agli eventi e alle competizioni sportivi diversi da quelli sopra richiamati. In zona gialla, la capienza consentita non può essere superiore al 50 per cento all'aperto e al 35 per cento al chiuso rispetto a quella massima autorizzata. In zona bianca, la capienza consentita non può essere superiore al 75 per cento all'aperto e al 60 per cento al chiuso rispetto a quella massima autorizzata. Le percentuali massime di capienza di cui al presente comma si applicano a ciascuno dei settori dedicati alla presenza del pubblico nei luoghi di svolgimento degli eventi e competizioni sportivi. Le attività devono svolgersi nel rispetto delle linee guida adottate dalla Presidenza del Consiglio dei ministri - Dipartimento per lo sport, sentita la Federazione medico sportiva italiana, sulla base di criteri definiti dal Comitato tecnico-scientifico. Quando non è possibile assicurare il rispetto delle condizioni di cui al presente comma, gli eventi e le competizioni sportivi si svolgono senza la presenza di pubblico.

[2-*bis*. In zona gialla, dal 1° giugno 2021 all'aperto e dal 1° luglio 2021 anche al chiuso, è consentita la presenza di pubblico anche agli eventi e alle competizioni sportivi diversi da quelli di cui al comma 2, esclusivamente con posti a sedere preassegnati e a condizione che sia assicurato il rispetto della distanza interpersonale di almeno un metro sia per gli spettatori che non siano abitualmente conviventi sia per il personale. La capienza consentita non può essere superiore al 25 per cento di quella massima autorizzata e, comunque, il numero massimo di spettatori non può essere superiore a 1.000 per gli impianti all'aperto e a 500 per gli impianti al chiuso. Le attività devono svolgersi nel rispetto delle linee guida adottate dalla Presidenza del Consiglio dei ministri – Dipartimento per lo sport, sentita la Federazione medico sportiva italiana, sulla base di criteri definiti dal Comitato tecnico-scientifico. Quando non è possibile assicurare il rispetto delle condizioni di cui al presente comma, gli eventi e le competizioni sportivi si svolgono senza la presenza di pubblico].

3. In zona bianca e gialla, in relazione all'andamento della situazione epidemiologica e alle caratteristiche dei siti e degli eventi, può essere stabilita una diversa percentuale massima di capienza consentita, nel ri-

spetto dei principi fissati dal Comitato tecnico-scientifico, con linee guida idonee a prevenire o ridurre il rischio di contagio, adottate, per gli spettacoli di cui al comma 1, dalla Conferenza delle Regioni e delle Province autonome e, per gli eventi e le competizioni di cui al comma 2, dal Sottosegretario di Stato con delega in materia di sport.

3-*bis*. Dal 25 dicembre 2021 fino alla cessazione dello stato di emergenza epidemiologica da COVID-19, per gli spettacoli aperti al pubblico che si svolgono al chiuso o all'aperto in sale teatrali, sale da concerto, sale cinematografiche, locali di intrattenimento e musica dal vivo e in altri locali assimilati, nonché per gli eventi e le competizioni sportivi che si svolgono al chiuso o all'aperto, è fatto obbligo di indossare i dispositivi di protezione delle vie respiratorie di tipo FFP2. Nei suddetti luoghi, ad esclusione dei servizi di ristorazione svolti da qualsiasi esercizio, e per il medesimo periodo di tempo di cui al primo periodo è vietato il consumo di cibi e bevande al chiuso.

[4. Le linee guida di cui al comma 3 possono prevedere, con riferimento a particolari eventi, che l'accesso sia riservato soltanto ai soggetti in possesso delle certificazioni verdi COVID-19 di cui all'articolo 9.]

(*) *Articolo abrogato dall'art. 14 d.l. 24 marzo 2022, n. 24, conv., con modif., in l. 19 maggio 2022, n. 52, a decorrere dal 1° aprile 2022.*

[5-*bis* (*) Musei e altri istituti e luoghi della cultura.

1. In zona bianca e gialla, il servizio di apertura al pubblico dei musei e degli altri istituti e luoghi della cultura di cui all'articolo 101 del codice dei beni culturali e del paesaggio, di cui al decreto legislativo 22 gennaio 2004, n. 42, è assicurato a condizione che detti istituti e luoghi, tenendo conto delle dimensioni e delle caratteristiche dei locali aperti al pubblico nonché dei flussi di visitatori, garantiscano modalità di fruizione contingentata o comunque tali da evitare assembramenti di persone. Per gli istituti e i luoghi della cultura che nell'anno 2019 hanno registrato un numero di visitatori superiore a un milione, il sabato e i giorni festivi il servizio è assicurato a condizione che l'ingresso sia stato prenotato on line o telefonicamente con almeno un giorno di anticipo. Resta sospesa l'efficacia delle disposizioni dell'articolo 4, comma 2, secondo periodo, del regolamento di cui al decreto del Ministro per i beni culturali e ambientali 11 dicembre 1997, n. 507, in materia di libero accesso a tutti gli istituti e luoghi della cultura statali la prima domenica del mese. Alle medesime condizioni di cui al presente comma sono altresì aperte al pubblico le mostre].

(*) *Articolo abrogato dall'art. 14 d.l. 24 marzo 2022, n. 24, conv., con modif., in l. 19 maggio 2022, n. 52, a decorrere dal 1° aprile 2022.*

[6 (*) Piscine, centri natatori, palestre, sport di squadra e centri benessere.

1. A decorrere dal 15 maggio 2021 in zona gialla sono consentite le attività delle piscine all'aperto in conformità a protocolli e linee guida adottati dalla Presidenza del Consiglio dei ministri - Dipartimento dello sport, sentita la Federazione medico sportiva italiana (FMSI), sulla base di criteri definiti dal Comitato tecnico-scientifico.

1-*bis*. Dal 1° luglio 2021, in zona gialla, sono consentite le attività delle piscine e dei centri natatori anche in impianti coperti in conformità ai protocolli e alle linee guida adottati dalla Presidenza del Consiglio dei ministri – Dipartimento per lo sport, sentita la Federazione medico sportiva italiana, sulla base di criteri definiti dal Comitato tecnico-scientifico.

2. Dal 24 maggio 2021, in zona gialla, le attività delle palestre sono consentite in conformità ai protocolli e alle linee guida adottati dalla Presidenza del Consiglio dei ministri – Dipartimento per lo sport, sentita la Federazione medico sportiva italiana, sulla base di criteri definiti dal Comitato tecnico-scientifico.

3. A decorrere dal 26 aprile 2021, in zona gialla, nel rispetto delle linee guida adottate dalla Presidenza del Consiglio dei ministri - Dipartimento per lo sport, sentita la Federazione medico sportiva italiana (FMSI), sulla base di criteri definiti dal Comitato tecnico-scientifico, è consentito lo svolgimento all'aperto di qualsiasi attività sportiva anche di squadra e di contatto.

3-*bis*. Dal 1° luglio 2021, in zona gialla, sono consentite le attività dei centri benessere in conformità alle linee guida adottate ai sensi dell'articolo 1, comma 14, del decreto-legge 16 maggio 2020, n. 33, convertito, con modificazioni, dalla legge 14 luglio 2020, n. 74].

(*) *Articolo abrogato dall'art. 14 d.l. 24 marzo 2022, n. 24, conv., con modif., in l. 19 maggio 2022, n. 52, a decorrere dal 1° aprile 2022.*

[6-*bis* (*) Piscine, centri natatori, palestre, sport di squadra e centri benessere.

1. Dal 22 maggio 2021, in zona gialla, è consentita la riapertura degli impianti nei comprensori sciistici, nel rispetto delle linee guida adottate ai sensi dell'articolo 1, comma 14, del decreto-legge 16 maggio 2020, n. 33, convertito, con modificazioni, dalla legge 14 luglio 2020, n. 74].

(*) *Articolo abrogato dall'art. 14 d.l. 24 marzo 2022, n. 24, conv., con modif., in l. 19 maggio 2022, n. 52, a decorrere dal 1° aprile 2022.*

[7 (*) Fiere, convegni e congressi.

1. È consentito dal 15 giugno 2021, in zona gialla, lo svolgimento di fiere in presenza, anche su aree pubbliche, nel rispetto di protocolli e linee guida adottati ai sensi dell'articolo 1, comma 14, del decreto-legge 16 maggio 2020, n. 33, convertito, con modificazioni, dalla legge 14 luglio 2020, n. 74, ferma restando la possibilità di svolgere, anche in data anteriore, attività preparatorie che non prevedono afflusso di pubblico. L'ingresso nel territorio nazionale per partecipare a fiere di cui al presente comma è comunque consentito, fermi restando gli obblighi previsti in relazione al territorio estero di provenienza.

[2. Le linee guida di cui al comma 1 possono prevedere, con riferimento a particolari eventi di cui al medesimo comma 1, che l'accesso sia riservato soltanto ai soggetti in possesso delle certificazioni verdi COVID-19 di cui all'articolo 9].

3. Dal 1° luglio 2021, in zona gialla, sono altresì consentiti i convegni e i congressi, nel rispetto di protocolli e linee guida adottati ai sensi dell'articolo 1, comma 14, del decreto-legge n. 33 del 2020].

(*) *Articolo abrogato dall'art. 14 d.l. 24 marzo 2022, n. 24, conv., con modif., in l. 19 maggio 2022, n. 52, a decorrere dal 1° aprile 2022.*

[8 (*) Centri termali e parchi tematici e di divertimento.

1. Dal 1° luglio 2021 sono consentite, in zona gialla, le attività dei centri termali nel rispetto di protocolli e linee guida adottati ai sensi dell'articolo 1, comma 14, del decreto-legge 16 maggio 2020, n. 33, convertito, con modificazioni, dalla legge 14 luglio 2020, n. 74. Rimane consentita in ogni caso l'attività dei centri termali adibiti a presidio sanitario limitatamente all'erogazione delle prestazioni rientranti nei livelli essenziali di assistenza e per le attività riabilitative e terapeutiche.

2. Dal 15 giugno 2021, in zona gialla, sono consentite le attività dei parchi tematici e di divertimento, dei parchi giochi e delle ludoteche nonché degli spettacoli viaggianti, nel rispetto di protocolli e linee guida adottati ai sensi dell'articolo 1, comma 14, del decreto-legge n. 33 del 2020].

(*) *Articolo abrogato dall'art. 14 d.l. 24 marzo 2022, n. 24, conv., con modif., in l. 19 maggio 2022, n. 52, a decorrere dal 1° aprile 2022.*

[8-*bis* (*) Centri culturali, centri sociali e ricreativi, feste e cerimonie.

1. Dal 1° luglio 2021, in zona gialla, sono consentite le attività dei centri culturali, dei centri sociali e ricreativi e dei circoli associativi del Terzo settore, nel rispetto di protocolli e linee guida adottati ai sensi dell'articolo 1, comma 14, del decreto-legge 16 maggio 2020, n. 33, convertito, con modificazioni, dalla legge 14 luglio 2020, n. 74.

2. Dal 15 giugno 2021, in zona gialla, sono consentite le feste conseguenti alle cerimonie civili o religiose, anche al chiuso, anche organizzate mediante servizi di catering e banqueting, nel rispetto di protocolli e linee guida adottati ai sensi dell'articolo 1, comma 14, del decreto-legge n. 33 del 2020.

[2-*bis*. Nel rispetto delle misure di carattere generale e dei protocolli adottati per lo svolgimento dei riti religiosi e civili, i bambini di età inferiore a sei anni sono esentati dal requisito del possesso della certificazione verde COVID-19 di cui all'articolo 9 per la partecipazione ai banchetti nell'ambito di cerimonie e di eventi analoghi con meno di sessanta partecipanti.].

(*) *Articolo abrogato dall'art. 14 d.l. 24 marzo 2022, n. 24, conv., con modif., in l. 19 maggio 2022, n. 52, a decorrere dal 1° aprile 2022.*

[8-*ter* (*) Attività di sale giochi, sale scommesse, sale bingo e casinò.

1. Dal 1° luglio 2021, in zona gialla, sono consentite le attività di sale giochi, sale scommesse, sale bingo e casinò, anche se svolte all'interno di locali adibiti ad attività differente, nel rispetto di protocolli e linee guida adottati ai sensi dell'articolo 1, comma 14, del decreto-legge 16 maggio 2020, n. 33, convertito, con modificazioni, dalla legge 14 luglio 2020, n. 74].

(*) *Articolo abrogato dall'art. 14 d.l. 24 marzo 2022, n. 24, conv., con modif., in l. 19 maggio 2022, n. 52, a decorrere dal 1° aprile 2022.*

9 Certificazioni verdi COVID-19.

1. Ai fini della normativa emergenziale connessa al rischio sanitario della diffusione degli agenti virali da COVID-19, valgono le seguenti definizioni:

a) certificazioni verdi COVID-19: le certificazioni comprovanti lo stato di avvenuta vaccinazione contro il SARS-CoV-2 o guarigione dall'infezione da SARS-CoV-2, ovvero l'effettuazione di un test antigenico rapido o molecolare, quest'ultimo anche su campione salivare e nel rispetto dei criteri stabiliti con circolare del Ministero della salute, con esito negativo al virus SARS-CoV-2;

a-bis) certificazione verde COVID-19 da vaccinazione, guarigione o test, cosiddetto green pass base: una delle certificazioni di cui al comma 2;

a-ter) certificazione verde COVID-19 da vaccinazione o guarigione, cosiddetto green pass rafforzato: una delle certificazioni comprovanti lo stato di avvenuta vaccinazione per la prevenzione delle infezioni da SARS-CoV-2, di cui al comma 2, lettera *a*), ovvero l'avvenuta guarigione dalla predetta infezione, di cui al comma 2, lettere *b*) e *c-bis*);

b) vaccinazione: le vaccinazioni anti-SARS-CoV-2 e le vaccinazioni somministrate dalle autorità sanitarie nazionali competenti e riconosciute come equivalenti con circolare del Ministero della salute, effettuate nell'ambito del Piano strategico nazionale dei vaccini per la prevenzione delle infezioni da SARS-CoV-2 e le vaccinazioni riconosciute come equivalenti con circolare del Ministero della salute, somministrate dalle autorità sanitarie competenti per territorio;

c) test molecolare: test molecolare di amplificazione dell'acido nucleico (NAAT), quali le tecniche di reazione a catena della polimerasi-trascrittasi inversa (RT-PCR), amplificazione isotermica mediata da loop (LAMP) e amplificazione mediata da trascrizione (TMA), utilizzato per rilevare la presenza dell'acido ribonucleico (RNA) del SARS-CoV-2, riconosciuto dall'autorità sanitaria ed effettuato da operatori sanitari o da altri soggetti reputati idonei dal Ministero della salute;

d) test antigenico rapido: test basato sull'individuazione di proteine virali (antigeni) mediante immunodosaggio a flusso laterale, riconosciuto dall'autorità sanitaria ed effettuato da operatori sanitari o da altri soggetti reputati idonei dal Ministero della salute;

e) Piattaforma nazionale digital green certificate (Piattaforma nazionale-DGC) per l'emissione e validazione delle certificazioni verdi COVID-19: sistema informativo nazionale per il rilascio, la verifica e l'accettazione di certificazioni COVID-19 interoperabili a livello nazionale ed europeo realizzato, attraverso l'infrastruttura del Sistema Tessera Sanitaria, dalla società di cui all'articolo 83, comma 15, del decreto-legge 25 giugno 2008, n. 112, convertito, con modificazioni, dalla legge 6 agosto 2008, n. 133, e gestito dalla stessa società per conto del Ministero della salute, titolare del trattamento dei dati raccolti e generati dalla medesima piattaforma.

2. Le certificazioni verdi COVID-19 attestano una delle seguenti condizioni:

a) avvenuta vaccinazione anti-SARS-CoV-2, al termine del ciclo vaccinale primario o della somministrazione o a seguito della somministrazione della relativa dose di richiamo;

b) avvenuta guarigione da COVID-19, con contestuale cessazione dell'isolamento prescritto in seguito ad infezione da SARS-CoV-2, disposta in ottemperanza ai criteri stabiliti con le circolari del Ministero della salute;

c) effettuazione di test antigenico rapido o molecolare, quest'ultimo anche su campione salivare e nel rispetto dei criteri stabiliti con circolare del Ministero della salute, con esito negativo al virus SARS-CoV-2.

c-bis) avvenuta guarigione da COVID-19 dopo la somministrazione della prima dose di vaccino o al termine del ciclo vaccinale primario o della somministrazione o a seguito della somministrazione della relativa dose di richiamo.

3. La certificazione verde COVID-19 rilasciata sulla base della condizione prevista dal comma 2, lettera *a*), ha una validità di sei mesi a far data dal completamento del ciclo vaccinale primario ed è rilasciata automaticamente all'interessato, in formato cartaceo o digitale, dalla struttura sanitaria ovvero dall'esercente la professione sanitaria che effettua la vaccinazione e contestualmente alla stessa, al termine del predetto ciclo. In caso di somministrazione della dose di richiamo successivo al ciclo vaccinale primario, la certificazione verde COVID-19 ha validità a far data dalla medesima somministrazione senza necessità di ulteriori dosi di richiamo. La certificazione verde COVID-19 di cui al primo periodo è rilasciata anche contestualmente alla somministrazione della prima dose di vaccino e ha validità dal quindicesimo giorno successivo alla somministrazione fino alla data prevista per il completamento del ciclo vaccinale, la quale deve essere indicata nella certificazione all'atto del rilascio. La certificazione verde COVID-19 di cui al primo periodo è rilasciata altresì contestualmente all'avvenuta somministrazione di una sola dose di un vaccino dopo una precedente infezione da SARS-CoV-2, nei termini stabiliti con circolare del Ministero della salute, e ha validità dalla medesima somministrazione. Contestualmente al rilascio, la predetta struttura sanitaria, ovvero il predetto esercente la professione sanitaria, anche per il tramite dei sistemi informativi regionali, provvede a rendere disponibile detta certificazione nel fascicolo sanitario elettronico dell'interessato. La certificazione di cui al presente comma cessa di avere validità qualora, nel periodo di vigenza della stessa, l'interessato sia identificato come caso accertato positivo al SARS-CoV-2.

4. La certificazione verde COVID-19 rilasciata sulla base della condizione prevista dal comma 2, lettera *b*), ha una validità di sei mesi a far data dall'avvenuta guarigione di cui al comma 2, lettera *b*), ed è rilasciata, su richiesta dell'interessato, in formato cartaceo o digitale, dalla struttura presso la quale è avvenuto il ricovero del paziente affetto da COVID-19, ovvero, per i pazienti non ricoverati, dai medici di medicina generale e dai pediatri di libera scelta nonché dal dipartimento di prevenzione dell'azienda sanitaria locale territorialmente competente, ed è resa disponibile nel fascicolo sanitario elettronico dell'interessato. La certificazione di cui al presente comma cessa di avere validità qualora, nel periodo di vigenza semestrale, l'interessato venga identificato come caso accertato positivo al SARS-CoV-2. Le certificazioni di guarigione rilasciate precedentemente alla data di entrata in vigore del presente decreto sono valide per sei mesi a decorrere dalla data indicata nella certificazione, salvo che il soggetto venga nuovamente identificato come caso accertato positivo al SARS-CoV-2.

4-*bis*. A coloro che sono stati identificati come casi accertati positivi al SARS-CoV-2 oltre il quattordicesimo giorno dalla somministrazione della **prima dose di un vaccino con schedula vaccinale a due dosi** (*) è rilasciata, altresì, la certificazione verde COVID-19 di cui al comma 2, lettera *c-bis*), che ha validità di sei mesi a decorrere dall'avvenuta guarigione. A coloro che sono stati identificati come casi accertati positivi al SARS-CoV-2 a seguito del **ciclo vaccinale primario, che comprende anche la somministrazione di vaccini con schedula vaccinale a una dose** (*) o della somministrazione della relativa dose di richiamo è rilasciata, altresì, la certificazione verde COVID-19 di cui al comma 2, lettera *c-bis*), che ha validità a decorrere dall'avvenuta guarigione senza necessità di ulteriori dosi di richiamo.

5. La certificazione verde COVID-19 rilasciata sulla base della condizione prevista dal comma 2, lettera *c*), ha una validità di quarantotto ore dall'esecuzione del test antigenico rapido e di settantadue ore dall'esecuzione del test molecolare ed è prodotta, su richiesta dell'interessato, in formato cartaceo o digitale, dalle strutture sanitarie pubbliche, da quelle private autorizzate o accreditate e dalle farmacie che svolgono i test di cui al comma 1, lettere *c*) e *d*), ovvero dai medici di medicina generale o pediatri di libera scelta.

6. Nelle more dell'adozione del decreto di cui al comma 10, le certificazioni verdi COVID-19 rilasciate ai sensi del comma 2 riportano i dati indicati nelle analoghe certificazioni rilasciate secondo le indicazioni dei diversi servizi sanitari regionali.

6-*bis*. L'interessato ha diritto di chiedere il rilascio di una nuova certificazione verde COVID-19 se i dati personali riportati nella certificazione non sono, o non sono più, esatti o aggiornati, ovvero se la certificazione non è più a sua disposizione.

6-*ter*. Le informazioni contenute nelle certificazioni verdi COVID-19 di cui al comma 2, comprese le informazioni in formato digitale, sono accessibili alle persone con disabilità e sono riportate, in formato leggibile, in italiano e in inglese.

7. Coloro che abbiano già completato il ciclo di vaccinazione alla data di entrata in vigore del presente decreto, possono richiedere la certificazione verde COVID-19 alla struttura che ha erogato il trattamento sanitario ovvero alla Regione o alla Provincia autonoma in cui ha sede la struttura stessa.

8. Le certificazioni verdi COVID-19 rilasciate in conformità al diritto vigente negli Stati membri dell'Unio-

ne europea sono riconosciute come equivalenti a quelle disciplinate dal presente articolo e valide ai fini del presente decreto se conformi ai criteri definiti con circolare del Ministero della salute. Le certificazioni rilasciate in uno Stato terzo a seguito di una vaccinazione riconosciuta nell'Unione europea e validate da uno Stato membro dell'Unione sono riconosciute come equivalenti a quelle disciplinate dal presente articolo e valide ai fini del presente decreto se conformi ai criteri definiti con circolare del Ministero della salute.

8-*bis*. Per garantire che le famiglie in viaggio negli Stati membri dell'Unione europea restino unite, i minori che accompagnano il genitore o i genitori non sono tenuti a sottoporsi a quarantena o ad autoisolamento per motivi di viaggio se tale obbligo non è imposto al genitore o ai genitori perché in possesso di un certificato di vaccinazione o di un certificato di guarigione. L'obbligo di sottoporsi a test per l'infezione da SARS-CoV-2 per motivi di viaggio non si applica ai bambini di età inferiore a sei anni.

9. Le disposizioni dei commi da 1 a 8 continuano ad applicarsi ove compatibili con i regolamenti (UE) 2021/953 e 2021/954 del Parlamento europeo e del Consiglio del 14 giugno 2021.

9-*bis*. Ai soggetti provenienti da uno Stato estero in possesso di un certificato, rilasciato dalle competenti autorità sanitarie estere, di avvenuta guarigione o di avvenuta vaccinazione anti SARS-CoV-2 con un vaccino autorizzato o riconosciuto come equivalente in Italia, nel caso in cui siano trascorsi più di sei mesi dal completamento del ciclo vaccinale primario anti SARS-CoV-2 o dall'avvenuta guarigione dal COVID-19, è consentito l'accesso ai servizi e alle attività per i quali nel territorio nazionale sussiste l'obbligo di possedere una delle certificazioni verdi COVID-19 da vaccinazione o guarigione, di cui al comma 2, lettere *a*), *b*) e *c-bis*), cosiddetto green pass rafforzato, previa effettuazione di test antigenico rapido o molecolare con esito negativo al virus SARS-CoV-2, di cui al comma 2, lettera *c*), avente validità di quarantotto ore dall'esecuzione, se antigenico rapido, o di settantadue ore, se molecolare. L'effettuazione del test di cui al primo periodo non è obbligatoria in caso di avvenuta guarigione successiva al completamento del ciclo vaccinale primario. Nel caso di vaccinazioni con vaccini non autorizzati o non riconosciuti come equivalenti in Italia, l'accesso ai servizi e alle attività di cui al primo periodo è consentito in ogni caso previa effettuazione di test antigenico rapido o molecolare con esito negativo al virus SARS-CoV-2, di cui al comma 2, lettera *c*), avente validità di quarantotto ore dall'esecuzione, se antigenico rapido, o di settantadue ore, se molecolare.

9-*ter*. I titolari o i gestori dei servizi e delle attività di cui al comma 9-*bis* sono tenuti a verificare che l'accesso ai predetti servizi e attività avvenga nel rispetto delle prescrizioni di cui al medesimo comma 9-*bis*. Le verifiche delle certificazioni verdi COVID-19 sono effettuate anche con le modalità indicate dal decreto del Presidente del Consiglio dei ministri adottato ai sensi del comma 10. Nelle more della modifica del menzionato decreto del Presidente del Consiglio dei ministri sono autorizzati gli interventi di adeguamento necessari a consentire le verifiche.

10. Con decreto del Presidente del Consiglio dei ministri, adottato di concerto con i Ministri della salute, per l'innovazione tecnologica e la transizione digitale e dell'economia e delle finanze, sentito il Garante per la protezione dei dati personali, sono individuate le specifiche tecniche per assicurare l'interoperabilità tra le certificazioni verdi COVID-19 e la Piattaforma nazionale-DGC, nonché tra questa e le analoghe piattaforme istituite negli altri Stati membri dell'Unione europea, tramite il Gateway europeo. Con il medesimo decreto sono indicati i dati trattati dalla piattaforma e quelli da riportare nelle certificazioni verdi COVID-19, le modalità di aggiornamento delle certificazioni, le caratteristiche e le modalità di funzionamento della Piattaforma nazionale-DCG, la struttura dell'identificativo univoco delle certificazioni verdi COVID-19 e del codice a barre interoperabile che consente di verificare l'autenticità, la validità e l'integrità delle stesse, l'indicazione dei soggetti deputati al controllo delle certificazioni, i tempi di conservazione dei dati raccolti ai fini dell'emissione delle certificazioni, e le misure per assicurare la protezione dei dati personali contenuti nelle certificazioni. Per le finalità d'uso previste per le certificazioni verdi COVID-19 sono validi i documenti rilasciati a decorrere dalla data di entrata in vigore del presente decreto, ai sensi dei commi 3, 4 e 5, dalle strutture sanitarie pubbliche e private, dalle farmacie, dai laboratori di analisi, dai medici di medicina generale e dai pediatri di libera scelta che attestano o refertano una delle condizioni di cui al comma 2, lettere *a*), *b*) e *c*).

10-*bis*. Le certificazioni verdi COVID-19 possono essere utilizzate esclusivamente ai fini di cui agli articoli 2, comma 1, 2-*bis*, comma 1, 2-*quater*, 5, 9-*bis*, 9-*bis*.1, 9-*quinquies*, 9-*sexies* e 9-*septies* del presente decreto, nonché all'articolo 1-*bis* del decreto-legge 1° aprile 2021, n. 44, convertito, con modificazioni, dalla legge 28 maggio 2021, n. 76. Ogni diverso o nuovo utilizzo delle certificazioni verdi COVID-19 è disposto esclusivamente con legge dello Stato.

11. Dal presente articolo non devono derivare nuovi o maggiori oneri per la finanza pubblica e le amministrazioni interessate provvedono alla relativa attuazione nei limiti delle risorse disponibili a legislazione vigente.

(*) *Le parole* « prima dose di un vaccino con schedula vaccinale a due dosi » *sono state sostituite alle parole* « prima dose di vaccino », *e le parole* « ciclo vaccinale primario, che comprende anche la somministrazione di vaccini con schedula vaccinale a una dose » *sono state sostituite alle parole* « ciclo vaccinale primario » *dall'art.* 7-bis *d.l. 24 marzo 2022, n. 24, conv., con modif., in l. 19 maggio 2022, n. 52.*

9-*bis* Impiego delle certificazioni verdi COVID-19 da vaccinazione, guarigione o test, cosiddetto green pass base.

1. Dal 1° al 30 aprile 2022, è consentito sull'intero territorio nazionale esclusivamente ai soggetti muniti di una delle certificazioni verdi COVID-19 da vaccinazione, guarigione o test, cosiddetto green pass base, l'accesso ai seguenti servizi e attività:

***a*) mense e catering continuativo su base contrattuale;**

b) servizi di ristorazione svolti al banco o al tavolo, al chiuso, da qualsiasi esercizio, ad eccezione dei servizi di ristorazione all'interno di alberghi e di altre strutture ricettive riservati esclusivamente ai clienti ivi alloggiati;

***c*) concorsi pubblici;**

***d*) corsi di formazione pubblici e privati, fermo restando quanto previsto dall'articolo 9-*ter*.1 del presente decreto e dagli articoli 4-*ter*.1 e 4-*ter*.2 del decreto-legge 1° aprile 2021, n. 44, convertito, con modificazioni, dalla legge 28 maggio 2021, n. 76;**

***e*) colloqui visivi in presenza con i detenuti e gli internati, all'interno degli istituti penitenziari per adulti e minori;**

***f*) partecipazione del pubblico agli spettacoli aperti al pubblico, nonché agli eventi e alle competizioni sportivi, che si svolgono all'aperto** (*).

[1-*bis*. Fino al 31 marzo 2022, è consentito esclusivamente ai soggetti in possesso di una delle certificazioni verdi COVID-19, di cui all'articolo 9, comma 2, l'accesso ai seguenti servizi e attività, nell'ambito del territorio nazionale:

***a*) servizi alla persona;**

***b*) pubblici uffici, servizi postali, bancari e finanziari, attività commerciali, fatti salvi quelli necessari per assicurare il soddisfacimento di esigenze essenziali e primarie della persona, individuate con decreto del Presidente del Consiglio dei ministri, adottato su proposta del Ministro della salute, d'intesa con i Ministri dell'economia e delle finanze, della giustizia, dello sviluppo economico e per la pubblica amministrazione, entro quindici giorni dalla data di entrata in vigore della presente disposizione;**

***c*) colloqui visivi in presenza con i detenuti e gli internati, all'interno degli istituti penitenziari per adulti e minori.]** (**).

[1-*ter*. Le disposizioni di cui al comma 1-*bis*, lettere *a*) e *c*),si applicano dal 20 gennaio 2022. La disposizione di cui al comma 1-*bis*, lettera *b*), si applica dal 1° febbraio 2022, o dalla data di efficacia del decreto del Presidente del Consiglio dei ministri di cui alla medesima lettera, se diversa. Le verifiche oltre ad accertare che l'accesso ai servizi, alle attività e agli uffici di cui al comma 1-*bis* avvenga nel rispetto delle prescrizioni di cui al medesimo comma sono effettuate dai relativi titolari, gestori o responsabili ai sensi del comma 4] (**).

[2. Le disposizioni di cui al comma 1 si applicano anche nelle zone gialla, arancione e rossa, laddove i servizi e le attività di cui al comma 1 siano consentiti e alle condizioni previste per le singole zone, salvo quanto previsto al comma 2-*bis*].

[2-*bis*. Nelle zone gialla, arancione e rossa, la fruizione dei servizi, lo svolgimento delle attività e gli spostamenti, limitati o sospesi ai sensi della normativa vigente, sono consentiti esclusivamente ai soggetti in possesso di una delle certificazioni verdi COVID-19 di cui all'articolo 9, comma 2, lettere *a*), *b*) e *c-bis*), e ai soggetti di cui al comma 3, primo periodo, nel rispetto della disciplina della zona bianca. Ai servizi di ristorazione di cui al comma 1, lettera *a*), nelle predette zone, si applica il presente comma ad eccezione dei servizi di ristorazione all'interno di alberghi e di altre strutture ricettive riservati esclusivamente ai clienti ivi alloggiati e delle mense e del catering continuativo su base contrattuale, ai quali si applicano le disposizioni di cui al comma 1].

3. Le disposizioni di cui **al comma 1** (***) non si applicano ai soggetti di età inferiore ai dodici anni e ai soggetti esenti dalla campagna vaccinale sulla base di idonea certificazione medica rilasciata secondo i criteri definiti con circolare del Ministero della salute. Con decreto del Presidente del Consiglio dei ministri, adottato di concerto con i Ministri della salute, per l'innovazione tecnologica e la transizione digitale, e dell'economia e delle finanze, sentito il Garante per la protezione dei dati personali, sono individuate le specifiche tecniche per trattare in modalità digitale le predette certificazioni, al fine di consentirne la verifica digitale, assicurando contestualmente la protezione dei dati personali in esse contenuti. Nelle more dell'adozione del predetto decreto, per le finalità di cui al presente articolo possono essere utilizzate le certificazioni rilasciate in formato cartaceo.

4. I titolari o i gestori dei servizi e delle attività di cui al comma 1 sono tenuti a verificare che l'accesso ai predetti servizi e attività avvenga nel rispetto delle prescrizioni di cui al medesimo comma 1. Le verifiche delle certificazioni verdi COVID-19 sono effettuate con le modalità indicate dal decreto del Presidente del Consiglio dei ministri adottato ai sensi dell'articolo 9, comma 10. [Nel caso di sagre e fiere locali che si svolgano all'aperto, in spazi privi di varchi di accesso, gli organizzatori informano il pubblico, con apposita segnaletica, dell'obbligo del possesso della certificazione verde COVID-19 prescritta ai sensi del comma 1, lettera *e*), per l'accesso all'evento.][In caso di controlli a campione, le sanzioni di cui all'articolo 13 si applicano al solo soggetto privo di certificazione e non anche agli organizzatori che abbiano rispettato gli obblighi informativi].

5. Il Ministro della salute con propria ordinanza può definire eventuali misure necessarie in fase di attuazione del presente articolo.

(*) *Comma così sostituito dall'art. 6, comma 2, lett.* a) *d.l. 24 marzo 2022, n. 24, conv., con modif., in l. 19 maggio 2022, n. 52, a decorrere dal 1° aprile 2022. Il testo del comma era il seguente:* « 1. Fino al 31 marzo 2022, termine di cessazione dello stato di emergenza epidemiologica da COVID-19, è consentito sull'intero territorio nazionale esclusivamente ai soggetti muniti di una delle certificazioni verdi COVID-19 da vaccinazione, guarigione o test, cosiddetto green pass base, l'accesso ai seguenti servizi e attività, nel rispetto della disciplina della zona bianca e dei protocolli e delle linee guida adottati ai sensi dell'articolo 1, comma 14, del decreto-legge 16 maggio 2020, n. 33, convertito, con modificazioni, dalla legge 14 luglio 2020, n. 74: *a*) mense e catering continuativo su base contrattuale; *b*) concorsi pubblici; *c*) corsi di formazione pubblici e privati, fermo restando quanto previsto dall'articolo 9-*ter*.1 del presente decreto e dall'articolo 4-*ter* del decreto-legge 1° aprile 2021, n. 44, convertito, con modificazioni, dalla legge 28 maggio 2021, n. 76 ».

(**) *Comma abrogato dall'art. 6, comma 2, lett.* b) *d.l. n. 24, cit.*

(***) *Le parole* « al comma 1 » *sono state sostituite alle parole* « ai commi 1 e 1-*bis* » *dall'art. 6, comma 2, lett.* c) *d.l. n. 24, cit.*

9-*bis*.1 Impiego delle certificazioni verdi COVID-19 da vaccinazione o guarigione, cosiddetto green pass rafforzato.

1. Dal 1° al 30 aprile 2022, sull'intero territorio

nazionale, è consentito esclusivamente ai soggetti in possesso delle certificazioni verdi COVID-19 da vaccinazione o guarigione, cosiddetto green pass rafforzato, l'accesso ai seguenti servizi e attività:

***a*) piscine, centri natatori, palestre, sport di squadra e di contatto, centri benessere, anche all'interno di strutture ricettive, per le attività che si svolgono al chiuso, nonché spazi adibiti a spogliatoi e docce, con esclusione dell'obbligo di certificazione per gli accompagnatori delle persone non autosufficienti in ragione dell'età o di disabilità;**

***b*) convegni e congressi;**

***c*) centri culturali, centri sociali e ricreativi, per le attività che si svolgono al chiuso e con esclusione dei centri educativi per l'infanzia, compresi i centri estivi, e le relative attività di ristorazione;**

***d*) feste comunque denominate, conseguenti e non conseguenti alle cerimonie civili o religiose, nonché eventi a queste assimilati che si svolgono al chiuso;**

***e*) attività di sale gioco, sale scommesse, sale bingo e casinò;**

***f*) attività che abbiano luogo in sale da ballo, discoteche e locali assimilati;**

***g*) partecipazione del pubblico agli spettacoli aperti al pubblico, nonché agli eventi e alle competizioni sportivi, che si svolgono al chiuso** (*).

2. Le disposizioni di cui al comma 1 non si applicano ai soggetti di età inferiore ai dodici anni e ai soggetti esenti dalla campagna vaccinale sulla base di idonea certificazione medica rilasciata secondo i criteri definiti con circolare del Ministero della salute. Con decreto del Presidente del Consiglio dei ministri, adottato di concerto con i Ministri della salute, per l'innovazione tecnologica e la transizione digitale e dell'economia e delle finanze, sentito il Garante per la protezione dei dati personali, sono individuate le specifiche tecniche per trattare in modalità digitale le predette certificazioni, al fine di consentirne la verifica digitale, assicurando contestualmente la protezione dei dati personali in esse contenuti.

3. I titolari o i gestori dei servizi e delle attività di cui al comma 1 sono tenuti a verificare che l'accesso ai predetti servizi e attività avvenga nel rispetto delle prescrizioni di cui al medesimo comma 1. Le verifiche delle certificazioni verdi COVID-19 sono effettuate con le modalità indicate dal decreto del Presidente del Consiglio dei ministri adottato ai sensi dell'articolo 9, comma 10. **[Nel caso di sagre e fiere locali che si svolgano all'aperto, in spazi privi di varchi di accesso, gli organizzatori informano il pubblico, con apposita segnaletica, dell'obbligo del possesso della certificazione verde COVID-19 prescritta ai sensi del comma 1, lettera *e*), per l'accesso all'evento. In caso di controlli a campione, le sanzioni di cui all'articolo 13 si applicano al solo soggetto privo di certificazione e non anche agli organizzatori che abbiano rispettato gli obblighi informativi]** (**).

4. Il Ministro della salute con propria ordinanza può definire eventuali misure necessarie in fase di attuazione del presente articolo.

(*) *Comma così sostituito dall'art. 7, comma 1, lett.* a) *d.l. 24 marzo 2022, n. 24, conv., con modif., in l. 19 maggio 2022, n. 52, a decorrere dal 1° aprile 2022. Il testo del comma era il seguente:* « 1. Fino al 31 marzo 2022, sull'intero territorio nazionale, è consentito esclusivamente ai soggetti in possesso delle certificazioni verdi COVID-19 da vaccinazione o guarigione, cosiddetto green pass rafforzato, l'accesso ai seguenti servizi e attività, nel rispetto della disciplina della zona bianca e dei protocolli e delle linee guida adottati ai sensi dell'articolo 1, comma 14, del decreto-legge 16 maggio 2020, n. 33, convertito, con modificazioni, dalla legge 14 luglio 2020, n. 74: *a*) servizi di ristorazione svolti al banco o al tavolo, all'aperto o al chiuso, da qualsiasi esercizio di cui all'articolo 4, a eccezione delle mense e del catering continuativo su base contrattuale, ai quali si applicano le disposizioni di cui all'articolo 9-*bis*; *b*) alberghi e altre strutture ricettive, nonché servizi di ristorazione prestati all'interno degli stessi anche se riservati ai clienti ivi alloggiati; *c*) musei, altri istituti e luoghi della cultura e mostre, di cui all'articolo 5-*bis*; *d*) piscine, centri natatori, palestre, sport di squadra e di contatto, centri benessere, anche all'interno di strutture ricettive, di cui all'articolo 6, per le attività che si svolgono al chiuso e all'aperto, nonché spazi adibiti a spogliatoi e docce, con esclusione dell'obbligo di certificazione per gli accompagnatori delle persone non autosufficienti in ragione dell'età o di disabilità; *e*) sagre e fiere, convegni e congressi; *f*) centri termali, salvo che per gli accessi necessari all'erogazione delle prestazioni rientranti nei livelli essenziali di assistenza e allo svolgimento di attività riabilitative o terapeutiche, parchi tematici e di divertimento; *g*) centri culturali, centri sociali e ricreativi, di cui all'articolo 8-*bis*, comma 1, per le attività che si svolgono al chiuso e all'aperto e con esclusione dei centri educativi per l'infanzia, compresi i centri estivi, e le relative attività di ristorazione; *h*) feste comunque denominate, conseguenti e non conseguenti alle cerimonie civili o religiose, nonché eventi a queste assimilati; *i*) attività di sale gioco, sale scommesse, sale bingo e casinò, di cui all'articolo 8-*ter*; *l*) impianti di risalita con finalità turistico-commerciale, anche se ubicati in comprensori sciistici; *m*) partecipazione, nel pubblico, agli spettacoli aperti al pubblico, nonché agli eventi e alle competizioni sportivi, di cui all'articolo 5; *n*) attività che abbiano luogo in sale da ballo, discoteche e locali assimilati di cui all'articolo 5; *o*) partecipazione, nel pubblico, a cerimonie pubbliche ».

(**) *Terzo e quarto periodo soppressi dall'art. 7, comma 1, lett.* b) *d.l. n. 24, cit.*

9-*ter*.1 Impiego delle certificazioni verdi COVID-19 per l'accesso in ambito scolastico, educativo e formativo.

1. Fino al **30 aprile 2022** (*), al fine di tutelare la salute pubblica, chiunque accede alle strutture del sistema nazionale di istruzione, delle scuole non paritarie, dei servizi educativi per l'infanzia di cui all'articolo 2 del decreto legislativo 13 aprile 2017, n. 65, dei centri provinciali per l'istruzione degli adulti, dei sistemi regionali di istruzione e formazione professionale e dei sistemi regionali che realizzano i percorsi di istruzione e formazione tecnica superiore e degli istituti tecnici superiori deve possedere ed è tenuto a esibire la certificazione verde COVID-19 da vaccinazione, guarigione o test, cosiddetto green pass base. Le disposizioni del primo periodo non si applicano ai bambini, agli alunni e agli studenti nonché a coloro che frequentano i sistemi regionali di formazione, a eccezione di coloro che prendono parte ai percorsi formativi degli istituti tecnici superiori e degli istituti di istruzione e formazione tecnica superiore. Resta fermo quanto previsto **dall'articolo 4-*ter*.2** (**), del decreto-legge 1° aprile 2021, n. 44, convertito, con modificazioni, dalla legge 28 maggio 2021, n. 76.

2. Le disposizioni del comma 1 non si applicano ai soggetti esenti dalla campagna vaccinale sulla base di idonea certificazione medica rilasciata secondo i criteri definiti con circolare del Ministero della salute.

3. Il rispetto delle prescrizioni di cui al comma 1 è verificato dai responsabili delle istituzioni di cui al medesimo comma o da altro personale da questi a tal fine

delegato. Le verifiche delle certificazioni verdi COVID-19 da vaccinazione, guarigione o test, cosiddetto green pass base, sono effettuate a campione, secondo modalità di controllo che non consentono la visibilità delle informazioni che ne hanno determinato l'emissione, compreso l'utilizzo dell'applicazione mobile prevista dall'articolo 13 del decreto del Presidente del Consiglio dei ministri 17 giugno 2021, pubblicato nella Gazzetta Ufficiale n. 143 del 17 giugno 2021. Nel caso in cui l'accesso alle strutture sia motivato da ragioni di servizio o di lavoro, la verifica del rispetto delle disposizioni di cui al comma 1, oltre che, a campione, dai soggetti di cui al primo periodo del presente comma, deve essere effettuata anche dai rispettivi datori di lavoro o dai loro delegati.

4. La violazione delle disposizioni dei commi 1 e 3 del presente articolo è sanzionata ai sensi dell'articolo 4, commi 1 e 5, del decreto-legge 25 marzo 2020, n. 19, convertito, con modificazioni, dalla legge 22 maggio 2020, n. 35. Resta fermo quanto previsto dall'articolo 2, comma 2-*bis*, del decreto-legge 16 maggio 2020, n. 33, convertito, con modificazioni, dalla legge 14 luglio 2020, n. 74. La sanzione è irrogata dal prefetto e si applicano, per quanto non stabilito dal presente comma, le disposizioni delle sezioni I e II del capo I della legge 24 novembre 1981, n. 689, in quanto compatibili. L'accertamento della violazione dell'obbligo di cui al comma 1 e dell'obbligo di cui al comma 3, con esclusivo riferimento al datore di lavoro, spetta ai dirigenti scolastici e ai responsabili delle istituzioni scolastiche, educative e formative di cui al medesimo comma 1. L'accertamento della violazione dell'obbligo di cui al comma 3 da parte dei dirigenti scolastici e dei responsabili delle scuole paritarie spetta ai direttori degli uffici scolastici regionali territorialmente competenti. L'accertamento della violazione dell'obbligo di cui al comma 3 da parte dei responsabili delle altre istituzioni di cui al comma 1 spetta alle autorità degli enti locali e regionali territorialmente competenti.

4-*bis*. Nei casi in cui la certificazione verde COVID-19 di cui al comma 1 non sia stata generata e non sia stata rilasciata all'avente diritto in formato cartaceo o digitale, le disposizioni di cui al comma 1 si intendono comunque rispettate a seguito della presentazione da parte dell'interessato di un certificato rilasciato dalla struttura sanitaria ovvero dall'esercente la professione sanitaria che ha effettuato la vaccinazione o dal medico di medicina generale dell'interessato, che attesta che il soggetto soddisfa una delle condizioni di cui all'articolo 9, comma 2..

(*) *Le parole* « 30 aprile 2022 » *sono state sostituite alle parole* « 31 marzo 2022, termine di cessazione dello stato di emergenza » *dall'art. 6, comma 3, d.l. 24 marzo 2022, n. 24, conv., con modif., in l. 19 maggio 2022, n. 52, a decorrere dal 1° aprile 2022.*

(**) *Le parole* « dall'articolo 4-*ter*.2 » *sono state sostituite alle parole* « dall'articolo 4-*ter*, comma 1, lettera *a*) » *dall'art. 8, comma 8, lett. a), d.l. n. 24, cit.*

9-*ter*.2 Impiego delle certificazioni verdi COVID-19 per l'accesso alle strutture della formazione superiore.

1. Fino al **30 aprile 2022** (*), al fine di tutelare la salute pubblica, chiunque accede alle strutture appartenenti alle istituzioni universitarie e di alta formazione artistica, musicale e coreutica, nonché alle altre istituzioni di alta formazione collegate alle università, compresi gli studenti delle predette istituzioni, deve possedere ed è tenuto a esibire la certificazione verde COVID-19 da vaccinazione, guarigione o test, cosiddetto green pass base. **[Resta fermo quanto previsto dall'articolo 4-*ter*, comma 1-*bis*, del decreto-legge 1° aprile 2021, n. 44, convertito, con modificazioni, dalla legge 28 maggio 2021, n. 76]** (**).

2. Le disposizioni del comma 1 non si applicano ai soggetti esenti dalla campagna vaccinale sulla base di idonea certificazione medica rilasciata secondo i criteri definiti con circolare del Ministero della salute.

3. Il rispetto delle prescrizioni di cui al comma 1 è verificato dai responsabili delle istituzioni di cui al medesimo comma o da altro personale da questi a tal fine delegato. Le verifiche delle certificazioni verdi COVID-19 da vaccinazione, guarigione o test, cosiddetto green pass base, sono effettuate a campione, secondo modalità di controllo che non consentono la visibilità delle informazioni che ne hanno determinato l'emissione, compreso l'utilizzo dell'applicazione mobile prevista dall'articolo 13 del decreto del Presidente del Consiglio dei ministri 17 giugno 2021, pubblicato nella Gazzetta Ufficiale n. 143 del 17 giugno 2021. Per le medesime finalità, le università e le altre istituzioni di cui al comma 1 sono autorizzate alla raccolta e alla conservazione dei dati strettamente necessari per la verifica del rispetto delle disposizioni di cui al medesimo comma 1. Nel caso in cui l'accesso alle strutture sia motivato da ragioni di servizio o di lavoro, la verifica del rispetto delle disposizioni di cui al comma 1, oltre che, a campione, dai soggetti di cui al primo periodo del presente comma, deve essere effettuata anche dai rispettivi datori di lavoro o dai loro delegati.

3-*bis*. Nei casi in cui la certificazione verde COVID-19 di cui al comma 1 non sia stata generata e non sia stata rilasciata all'avente diritto in formato cartaceo o digitale, le disposizioni di cui al comma 1 si intendono comunque rispettate a seguito della presentazione da parte dell'interessato di un certificato rilasciato dalla struttura sanitaria ovvero dall'esercente la professione sanitaria che ha effettuato la vaccinazione o dal medico di medicina generale dell'interessato, che attesta che il soggetto soddisfa una delle condizioni di cui all'articolo 9, comma 2.

4. La violazione delle disposizioni dei commi 1 e 3 del presente articolo è sanzionata ai sensi dell'articolo 4, commi 1 e 5, del decreto-legge 25 marzo 2020, n. 19, convertito, con modificazioni, dalla legge 22 maggio 2020, n. 35. Resta fermo quanto previsto dall'articolo 2, comma 2-*bis*, del decreto-legge 16 maggio 2020, n. 33, convertito, con modificazioni, dalla legge 14 luglio 2020, n. 74. La sanzione è irrogata dal prefetto e si applicano, per quanto non stabilito dal presente comma, le disposizioni delle sezioni I e II del capo I della legge 24 novembre 1981, n. 689, in quanto compatibili. L'accertamento della violazione dell'obbligo di cui al comma 1 e dell'obbligo di cui al comma 3, con esclusivo riferimento al datore di lavoro, spetta ai responsabili delle istituzioni di cui al medesimo comma 1.

(*) *Le parole* « 30 aprile 2022 » *sono state sostituite alle parole* « 31 marzo 2022, termine di cessazione dello stato di emergenza » *dall'art. 6, comma 4, d.l. 24 marzo 2022, n. 24, conv., con modif., in l. 19 maggio 2022, n. 52, a decorrere dal 1° aprile 2022.*

(**) *Periodo soppressso dall'art. 8, comma 8, lett.* b), *d.l. n. 24, cit.*

9-*quater* Impiego delle certificazioni verdi COVID-19 nei mezzi di trasporto.

1. Dal 1° al 30 aprile 2022, è consentito sull'intero territorio nazionale esclusivamente ai soggetti muniti di una delle certificazioni verdi COVID-19 da vaccinazione, guarigione o test, cosiddetto green pass base, l'accesso ai seguenti mezzi di trasporto e il loro utilizzo:

***a*) aeromobili adibiti a servizi commerciali di trasporto di persone;**

***b*) navi e traghetti adibiti a servizi di trasporto interregionale, ad esclusione di quelli impiegati per i collegamenti marittimi nello Stretto di Messina e di quelli impiegati nei collegamenti marittimi da e per l'arcipelago delle Isole Tremiti;**

***c*) treni impiegati nei servizi di trasporto ferroviario passeggeri di tipo interregionale, Intercity, Intercity Notte e Alta Velocità;**

***d*) autobus adibiti a servizi di trasporto di persone, ad offerta indifferenziata, effettuati su strada in modo continuativo o periodico su un percorso che collega più di due regioni ed aventi itinerari, orari, frequenze e prezzi prestabiliti;**

***e*) autobus adibiti a servizi di noleggio con conducente** (*).

2. Le disposizioni di cui al comma 1 non si applicano ai soggetti di età inferiore ai dodici anni e ai soggetti esenti dalla campagna vaccinale sulla base di idonea certificazione medica rilasciata secondo i criteri definiti con circolare del Ministero della salute.

[2-*bis*. Dal 25 dicembre 2021 fino alla cessazione dello stato di emergenza epidemiologica da COVID-19, è fatto obbligo di indossare i dispositivi di protezione delle vie respiratorie di tipo FFP2 per l'accesso ai mezzi di trasporto di cui al comma 1 e il loro utilizzo] (**).

[2-*ter*. A decorrere dal 10 gennaio 2022 e fino alla cessazione dello stato di emergenza epidemiologica da COVID-19, l'accesso ai mezzi di trasporto aerei, marittimi e terrestri e il loro utilizzo, per gli spostamenti da e per le isole con il resto del territorio italiano, è consentito anche ai soggetti in possesso di una delle certificazioni verdi COVID-19 da vaccinazione, guarigione o test, cosiddetto green pass base] (**).

3. I vettori aerei, marittimi e terrestri, nonché i loro delegati, sono tenuti a verificare che l'utilizzo dei servizi di cui al comma 1 avvenga nel rispetto delle prescrizioni di cui al medesimo comma 1, **fermo restando quanto previsto dall'articolo 10-*quater*, comma 6** (***). Le verifiche delle certificazioni verdi COVID-19 sono effettuate con le modalità indicate dal decreto del Presidente del Consiglio dei ministri adottato ai sensi dell'articolo 9, comma 10. Per i mezzi del trasporto pubblico locale o regionale le predette verifiche possono essere svolte secondo modalità a campione.

3-*bis*. **Le misure** (****) di contenimento e di contrasto dei rischi sanitari derivanti dalla diffusione del COVID-19, come definite dalle linee guida e dai protocolli di cui all'articolo 10-*bis* del presente decreto, integrano, senza nuovi o maggiori oneri per la finanza pubblica, ad ogni effetto di legge **[e fino al 31 marzo 2022, termine di cessazione dello stato di emergenza nazionale]** (****), il contenuto degli obblighi di servizio pubblico gravanti sui vettori e sui gestori di infrastrutture o di stazioni destinati all'erogazione ovvero alla fruizione di servizi di trasporto pubblico di persone e di merci, automobilistico, ferroviario, aereo, marittimo, nelle acque interne, anche non di linea, regolati da atti, autorizzazioni, licenze, permessi, nulla osta, contratti, convenzioni, disciplinari, appalti o concessioni.

4. La violazione delle disposizioni di cui ai commi 1**[, 2-*bis*]** (*****) e 3 è sanzionata ai sensi dell'articolo 4 del decreto-legge 25 marzo 2020, n. 19, convertito, con modificazioni, dalla legge 22 maggio 2020, n. 35. Resta fermo quanto previsto dall'articolo 2, comma 2-*bis*, del decreto-legge 16 maggio 2020, n. 33, convertito, con modificazioni, dalla legge 14 luglio 2020, n. 74.

(*) *Comma così sostituito dall'art. 6, comma 5, lett.* a), *d.l. 24 marzo 2022, n. 24, conv., con modif., in l. 19 maggio 2022, n. 52, a decorrere dal 1° aprile 2022. Il testo del comma era il seguente:* « 1. Fino al 31 marzo 2022, è consentito esclusivamente ai soggetti in possesso di una delle certificazioni verdi COVID-19 da vaccinazione o guarigione, cosiddetto green pass rafforzato, l'accesso ai seguenti mezzi di trasporto e il loro utilizzo: *a*) aeromobili adibiti a servizi commerciali di trasporto di persone; *b*) navi e traghetti adibiti a servizi di trasporto interregionale; *c*) treni impiegati nei servizi di trasporto ferroviario passeggeri di tipo interregionale, Intercity, Intercity Notte e Alta Velocità; *d*) autobus adibiti a servizi di trasporto di persone, ad offerta indifferenziata, effettuati su strada in modo continuativo o periodico su un percorso che collega più di due regioni ed aventi itinerari, orari, frequenze e prezzi prestabiliti; *e*) autobus adibiti a servizi di noleggio con conducente; [*e-bis*) funivie, cabinovie e seggiovie, qualora utilizzate con la chiusura delle cupole paravento, con finalità turistico-commerciale e anche ove ubicate in comprensori sciistici, senza limitazioni alla vendita dei titoli di viaggio]; *e-ter*) mezzi impiegati nei servizi di trasporto pubblico locale o regionale ».

(**) *Comma abrogato dall'art. 6, comma 5, lett.* b), *d.l. n. 24, cit., a decorrere dal 1° aprile 2022.*

(***) *Le parole* « , fermo restando quanto previsto dall'articolo 10-*quater*, comma 6 » *sono state sostituite alle parole* « e al comma 2-*bis* » *dall'art. 6, comma 5, lett.* c), *d.l. n. 24, cit., a decorrere dal 1° aprile 2022.*

(****) *Le parole* « Le misure » *sono state sostituite alle parole* « Fermo restando quanto previsto dall'articolo 4 del decreto-legge 25 marzo 2020, n. 19, convertito, con modificazioni, dalla legge 22 maggio 2020, n. 35, le misure », *e le parole* « e fino al 31 marzo 2022, termine di cessazione dello stato di emergenza nazionale » *sono state soppresse dall'art. 6, comma 5, lett.* d), *d.l. n. 24, cit., a decorrere dal 1° aprile 2022.*

(*****) *Le parole* « , 2-*bis* » *sono state soppresse dall'art. 6, comma 5, lett.* e), *d.l. n. 24, cit., a decorrere dal 1° aprile 2022.*

[9-*quater.1* (*) Spostamenti da e per le isole minori lagunari e lacustri e trasporto scolastico dedicato.

1. Fatto salvo quanto previsto dal comma 2 dell'articolo 9-*quater*, a decorrere dalla data di entrata in vigore della presente disposizione fino al 31 marzo 2022, l'accesso e l'utilizzo dei mezzi di trasporto pubblico per gli spostamenti da e per le isole di cui all'allegato A alla legge 28 dicembre 2001, n. 448, ovvero da e per le isole lagunari e lacustri, per documentati motivi di salute e, per gli studenti di età pari o superiore a dodici anni, di frequenza dei corsi di scuola primaria e secondaria di

primo grado e di secondo grado, sono consentiti anche ai soggetti muniti di una delle certificazioni verdi COVID-19, comprovante l'effettuazione di un test antigenico rapido o molecolare, con esito negativo al virus SARS-CoV-2, di cui all'articolo 9, comma 2, lettera *c*), avente validità di quarantotto ore dall'esecuzione, se antigenico rapido, o di settantadue ore, se molecolare.

2. Per il medesimo periodo di cui al comma 1, agli studenti della scuola primaria e secondaria di primo e di secondo grado sono consentiti l'accesso ai mezzi di trasporto scolastico dedicato e il loro utilizzo, in deroga a quanto previsto dall'articolo 9-quater, fermi restando l'obbligo di indossare i dispositivi di protezione delle vie respiratorie di tipo FFP2 e il rispetto delle linee guida per il trasporto scolastico dedicato, di cui all'allegato 16 al decreto del Presidente del Consiglio dei ministri 2 marzo 2021, pubblicato nel supplemento ordinario alla Gazzetta Ufficiale n. 52 del 2 marzo 2021].

(*) *Articolo abrogato dall'art. 14 d.l. 24 marzo 2022, n. 24, conv., con modif., in l. 19 maggio 2022, n. 52, a decorrere dal 1° aprile 2022. Precedentemente l'articolo era stato inserito dall'art. 3-*bis*, comma 1 d.l. 7 gennaio 2022, n. 1, conv., con modif., in l. 4 marzo 2022, n. 18.*

9-*quinquies* Impiego delle certificazioni verdi COVID-19 nel settore pubblico.

1. Dal 15 ottobre 2021 e fino al **30 aprile 2022** (*), al fine di prevenire la diffusione dell'infezione da SARS-CoV-2, al personale delle amministrazioni pubbliche di cui all'articolo 1, comma 2, del decreto legislativo 30 marzo 2001, n. 165, al personale di cui all'articolo 3 del predetto decreto legislativo, al personale delle Autorità amministrative indipendenti, ivi comprese la Commissione nazionale per le società e la borsa e la Commissione di vigilanza sui fondi pensione, della Banca d'Italia, nonché degli enti pubblici economici e degli organi di rilievo costituzionale, ai fini dell'accesso ai luoghi di lavoro, nell'ambito del territorio nazionale, in cui il predetto personale svolge l'attività lavorativa, è fatto obbligo di possedere e di esibire, su richiesta, una delle certificazioni verdi COVID-19 da vaccinazione, guarigione o test, cosiddetto green pass base. Resta fermo quanto previsto dagli articoli 9-*ter*.1 e 9-*ter*.2 del presente decreto, nonché dagli articoli 4, 4-*bis*, 4-*ter* **e 4-*ter*.2** (**) del decreto-legge 1° aprile 2021, n. 44, convertito, con modificazioni, dalla legge 28 maggio 2021, n. 76.

2. La disposizione di cui al comma 1 si applica altresì a tutti i soggetti che svolgono, a qualsiasi titolo, la propria attività lavorativa o di formazione o di volontariato presso le amministrazioni di cui al comma 1, anche sulla base di contratti esterni.

3. Le disposizioni di cui ai commi 1 e 2 non si applicano ai soggetti esentati dalla somministrazione del vaccino sulla base di idonea certificazione medica rilasciata secondo i criteri definiti con circolare del Ministero della salute.

4. I datori di lavoro del personale di cui al comma 1 sono tenuti a verificare il rispetto delle prescrizioni di cui ai commi 1 e 2. Per i lavoratori di cui al comma 2 la verifica del rispetto delle prescrizioni di cui al comma 1, oltre che dai soggetti di cui al primo periodo, è effettuata anche dai rispettivi datori di lavoro.

5. I datori di lavoro di cui al comma 4, primo periodo, definiscono, entro il 15 ottobre 2021, le modalità operative per l'organizzazione delle verifiche di cui al comma 4, anche a campione, prevedendo prioritariamente, ove possibile, che i controlli siano effettuati al momento dell'accesso ai luoghi di lavoro, e individuano con atto formale i soggetti incaricati dell'accertamento e della contestazione delle violazioni degli obblighi di cui ai commi 1 e 2. I datori di lavoro forniscono idonea informativa ai lavoratori e alle rispettive rappresentanze circa la predisposizione delle nuove modalità organizzative adottate per le verifiche di cui al comma 4. Le verifiche delle certificazioni verdi COVID-19 sono effettuate con le modalità indicate dal decreto del Presidente del Consiglio dei ministri adottato ai sensi dell'articolo 9, comma 10. Il Presidente del Consiglio dei ministri, su proposta dei Ministri per la pubblica amministrazione e della salute, può adottare linee guida per la omogenea definizione delle modalità organizzative di cui al primo periodo. Per le regioni, le province autonome e gli enti locali le predette linee guida, ove adottate, sono definite d'intesa con la Conferenza unificata di cui all'articolo 8 del decreto legislativo 28 agosto 1997, n. 281. Al fine di semplificare e razionalizzare le verifiche di cui al presente comma, i lavoratori possono richiedere di consegnare al proprio datore di lavoro copia della propria certificazione verde COVID-19. I lavoratori che consegnano la predetta certificazione, per tutta la durata della relativa validità, sono esonerati dai controlli da parte dei rispettivi datori di lavoro.

6. Il personale di cui al comma 1, nel caso in cui comunichi di non essere in possesso della certificazione verde COVID-19 o qualora risulti privo della predetta certificazione al momento dell'accesso al luogo di lavoro, al fine di tutelare la salute e la sicurezza dei lavoratori nel luogo di lavoro, è considerato assente ingiustificato fino alla presentazione della predetta certificazione e, comunque, non oltre il **30 aprile 2022** (*), termine di cessazione dello stato di emergenza, senza conseguenze disciplinari e con diritto alla conservazione del rapporto di lavoro. Per i giorni di assenza ingiustificata di cui al primo periodo non sono dovuti la retribuzione né altro compenso o emolumento, comunque denominati.

7. L'accesso del personale ai luoghi di lavoro di cui al comma 1 in violazione degli obblighi di cui ai commi 1 e 2, è punito con la sanzione di cui al comma 8 e restano ferme le conseguenze disciplinari secondo i rispettivi ordinamenti di appartenenza.

8. In caso di violazione delle disposizioni di cui al comma 4, di mancata adozione delle misure organizzative di cui al comma 5 nel termine previsto, nonché per la violazione di cui al comma 7, si applica l'articolo 4, commi 1, 3, 5 e 9, del decreto-legge 25 marzo 2020, n. 19, convertito, con modificazioni, dalla legge 22 maggio 2020, n. 35. Resta fermo quanto previsto dall'articolo 2, comma 2-*bis*, del decreto-legge 16 maggio 2020, n. 33, convertito, con modificazioni, dalla legge 14 luglio 2020, n. 74. Per le violazioni di cui al comma 7, la sanzione amministrativa prevista dal comma 1 del citato

articolo 4 del decreto-legge n. 19 del 2020 è stabilita nel pagamento di una somma da euro 600 a euro 1.500.

9. Le sanzioni di cui al comma 8 sono irrogate dal Prefetto. I soggetti incaricati dell'accertamento e della contestazione delle violazioni di cui al medesimo comma 8 trasmettono al Prefetto gli atti relativi alla violazione.

10. Al personale di cui al comma 1 dell'articolo 9-*sexies*, collocato fuori ruolo presso le amministrazioni di cui al comma 1, si applicano le disposizioni di cui al medesimo articolo 9-*sexies*, commi 2 e 3, fermo restando quanto previsto dal comma 8 del presente articolo.

11. Fermo restando quanto previsto al comma 12, ai soggetti titolari di cariche elettive o di cariche istituzionali di vertice, si applicano le disposizioni di cui ai commi 1, 3, 4, 5 e 8.

12. Gli organi costituzionali, ciascuno nell'ambito della propria autonomia, adeguano il proprio ordinamento alle disposizioni di cui al presente articolo.

13. Le amministrazioni di cui al comma 1 provvedono alle attività di cui al presente articolo con le risorse umane, finanziarie e strumentali disponibili a legislazione vigente e senza nuovi o maggiori oneri a carico della finanza pubblica..

(*) *Le parole* « 30 aprile 2022 » *sono state sostituite alle parole* « 31 marzo 2022, termine di cessazione dello stato di emergenza » *dall'art. 6, comma 6, d.l. 24 marzo 2022, n. 24, conv., con modif., in l. 19 maggio 2022, n. 52, a decorrere dal 1° aprile 2022.*

(**) *Le parole* « e 4-*ter*.2 » *sono state sostituite alle parole* « , 4-*quater* e 4-*quinquies* » *dall'art. 8, comma 8, lett.* c), *d.l. n. 24, cit., a decorrere dal 1° aprile 2022.*

9-*sexies* Impiego delle certificazioni verdi COVID-19 da parte dei magistrati negli uffici giudiziari.

1. Dal 15 ottobre 2021 e fino al **30 aprile 2022** (*), al fine di tutelare la salute pubblica e mantenere adeguate condizioni di sicurezza, i magistrati ordinari, amministrativi, contabili e militari nonché i componenti delle commissioni tributarie non possono accedere agli uffici giudiziari ove svolgono la loro attività lavorativa se non possiedono e, su richiesta, non esibiscono una delle certificazioni verdi COVID-19 da vaccinazione, guarigione o test, cosiddetto green pass base. Resta fermo quanto previsto dagli articoli 4,4-*bis*, 4-*ter* **e 4-*ter*.2** (**) del decreto-legge 1° aprile 2021, n. 44, convertito, con modificazioni, dalla legge 28 maggio 2021, n. 76.

2. L'assenza dall'ufficio conseguente al mancato possesso o alla mancata esibizione della certificazione verde COVID-19 da parte dei soggetti di cui al comma 1 è considerata assenza ingiustificata con diritto alla conservazione del rapporto di lavoro. Per i giorni di assenza ingiustificata di cui al primo periodo non sono dovuti la retribuzione né altro compenso o emolumento, comunque denominati.

3. L'accesso dei soggetti di cui al comma 1 del presente articolo agli uffici giudiziari in violazione della disposizione di cui al medesimo comma 1 integra illecito disciplinare ed è sanzionato per i magistrati ordinari ai sensi dell'articolo 12, comma 1, del decreto legislativo 23 febbraio 2006, n. 109, e per gli altri soggetti di cui al medesimo comma 1 del presente articolo secondo i rispettivi ordinamenti di appartenenza. Il verbale di accertamento della violazione è trasmesso senza ritardo al titolare dell'azione disciplinare.

4. Le disposizioni di cui ai commi 1 e 6 e, in quanto compatibili, quelle di cui ai commi 2 e 3 si applicano anche al magistrato onorario e ai giudici popolari, nonché ai difensori, ai consulenti, ai periti e agli altri ausiliari del magistrato estranei all'amministrazione della giustizia.

5. Il responsabile della sicurezza delle strutture in cui si svolge l'attività giudiziaria, individuato per la magistratura ordinaria nel procuratore generale presso la corte di appello, è tenuto a verificare il rispetto delle prescrizioni di cui al comma 1, anche avvalendosi di delegati. Le verifiche delle certificazioni verdi COVID-19 sono effettuate con le modalità di cui al comma 5 dell'articolo 9-*quinquies*. Con circolare del Ministero della giustizia, per i profili di competenza, possono essere stabilite ulteriori modalità di verifica.

6. Fermo restando quanto previsto ai commi 3 e 4, l'accesso agli uffici giudiziari in violazione della disposizione di cui al comma 1 e la violazione delle disposizioni di cui al comma 5 sono sanzionati ai sensi del comma 8 dell'articolo 9-*quinquies*.

7. Si applicano le disposizioni di cui ai commi 3, 9 e 13 dell'articolo 9-*quinquies*.

8. Le disposizioni del presente articolo non si applicano ai testimoni e alle parti del processo.

8-*bis*. L'assenza del difensore conseguente al mancato possesso o alla mancata esibizione della certificazione verde COVID-19 di cui al comma 1 non costituisce impossibilità di comparire per legittimo impedimento.

(*) *Le parole* « 30 aprile 2022 » *sono state sostituite alle parole* « 31 marzo 2022, termine di cessazione dello stato di emergenza » *dall'art. 6, comma 7, d.l. 24 marzo 2022, n. 24, conv., con modif., in l. 19 maggio 2022, n. 52, a decorrere dal 1° aprile 2022.*

(**) *Le parole* « e 4-*ter*.2 » *sono state sostituite alle parole* « , 4-*quater* e 4-*quinquies* » *dall'art. 8, comma 8, lett.* d), *d.l. n. 24, cit., a decorrere dal 1° aprile 2022.*

9-*septies* Impiego delle certificazioni verdi COVID-19 nel settore privato.

1. Dal 15 ottobre 2021 e fino al **30 aprile 2022** (*), termine di cessazione dello stato di emergenza, al fine di prevenire la diffusione dell'infezione da SARS-CoV-2, a chiunque svolge una attività lavorativa nel settore privato è fatto obbligo, ai fini dell'accesso ai luoghi in cui la predetta attività è svolta, di possedere e di esibire, su richiesta, la certificazione verde COVID-19 di cui all'articolo 9, comma 2. Resta fermo quanto previsto dagli articoli 9-*ter*.1 e 9-*ter*.2 del presente decreto, nonché dagli articoli 4,4-*bis*, 4-*ter* **e 4-*ter*.2** (**) del decreto-legge 1° aprile 2021, n. 44, convertito, con modificazioni, dalla legge 28 maggio 2021, n. 76.

2. La disposizione di cui al comma 1 si applica altresì a tutti i soggetti che svolgono, a qualsiasi titolo, la propria attività lavorativa o di formazione, anche in qualità di discenti, o di volontariato nei luoghi di cui al comma 1, anche sulla base di contratti esterni.

3. Le disposizioni di cui ai commi 1 e 2 non si applicano ai soggetti esentati dalla somministrazione del

vaccino sulla base di idonea certificazione medica rilasciata secondo i criteri definiti con circolare del Ministero della salute.

4. I datori di lavoro di cui al comma 1 sono tenuti a verificare il rispetto delle prescrizioni di cui ai commi 1 e 2. Per i lavoratori di cui al comma 2 la verifica del rispetto delle prescrizioni di cui al comma 1, oltre che dai soggetti di cui al primo periodo, è effettuata anche dai rispettivi datori di lavoro. Per i lavoratori in somministrazione la verifica del rispetto delle prescrizioni di cui al comma 1 compete all'utilizzatore; è onere del somministratore informare i lavoratori circa la sussistenza delle predette prescrizioni.

5. I datori di lavoro di cui al comma 1 definiscono, entro il 15 ottobre 2021, le modalità operative per l'organizzazione delle verifiche di cui al comma 4, anche a campione, prevedendo prioritariamente, ove possibile, che i controlli siano effettuati al momento dell'accesso ai luoghi di lavoro, e individuano con atto formale i soggetti incaricati dell'accertamento delle violazioni degli obblighi di cui ai commi 1 e 2. Le verifiche delle certificazioni verdi COVID-19 sono effettuate con le modalità indicate dal decreto del Presidente del Consiglio dei ministri adottato ai sensi dell'articolo 9, comma 10. Al fine di semplificare e razionalizzare le verifiche di cui al presente comma, i lavoratori possono richiedere di consegnare al proprio datore di lavoro copia della propria certificazione verde COVID-19. I lavoratori che consegnano la predetta certificazione, per tutta la durata della relativa validità, sono esonerati dai controlli da parte dei rispettivi datori di lavoro.

6. I lavoratori di cui al comma 1, nel caso in cui comunichino di non essere in possesso della certificazione verde COVID-19 o qualora risultino privi della predetta certificazione al momento dell'accesso al luogo di lavoro, al fine di tutelare la salute e la sicurezza dei lavoratori nel luogo di lavoro, sono considerati assenti ingiustificati fino alla presentazione della predetta certificazione e, comunque, non oltre il **30 aprile 2022** (*), termine di cessazione dello stato di emergenza, senza conseguenze disciplinari e con diritto alla conservazione del rapporto di lavoro. Per i giorni di assenza ingiustificata di cui al primo periodo non sono dovuti la retribuzione né altro compenso o emolumento, comunque denominato.

7. Nelle imprese, dopo il quinto giorno di assenza ingiustificata di cui al comma 6, il datore di lavoro può sospendere il lavoratore per la durata corrispondente a quella del contratto di lavoro stipulato per la sostituzione, comunque per un periodo non superiore a dieci giorni lavorativi, rinnovabili fino al predetto termine del **30 aprile 2022** (***), senza conseguenze disciplinari e con diritto alla conservazione del posto di lavoro per il lavoratore sospeso. È in ogni caso consentito il rientro immediato nel luogo di lavoro non appena il lavoratore entri in possesso della certificazione necessaria, purché il datore di lavoro non abbia già stipulato un contratto di lavoro per la sua sostituzione.

8. L'accesso di lavoratori ai luoghi di lavoro di cui al comma 1 in violazione degli obblighi di cui ai commi 1 e 2 è punito con la sanzione di cui al comma 9 e restano ferme le conseguenze disciplinari secondo i rispettivi ordinamenti di settore.

9. In caso di violazione delle disposizioni di cui al comma 4 o di mancata adozione delle misure organizzative di cui al comma 5 nel termine previsto, nonché per la violazione di cui al comma 8, si applica l'articolo 4, commi 1, 3, 5 e 9, del decreto-legge 25 marzo 2020, n. 19, convertito, con modificazioni, dalla legge 22 maggio 2020, n. 35. Resta fermo quanto previsto dall'articolo 2, comma 2-*bis*, del decreto-legge 16 maggio 2020, n. 33, convertito, con modificazioni, dalla legge 14 luglio 2020, n. 74. Per le violazioni di cui al comma 8, la sanzione amministrativa prevista dal comma 1 del citato articolo 4 del decreto-legge n. 19 del 2020 è stabilita nel pagamento di una somma da euro 600 a euro 1.500.

10. Le sanzioni di cui al comma 9 sono irrogate dal Prefetto. I soggetti incaricati dell'accertamento e della contestazione delle violazioni di cui al medesimo comma 9 trasmettono al Prefetto gli atti relativi alla violazione.

(*) *Le parole* « 30 aprile 2022 » *sono state sostituite alle parole* « 31 marzo 2022, termine di cessazione dello stato di emergenza » *dall'art. 6, comma 8, lett.* a), *d.l. 24 marzo 2022, n. 24, conv., con modif., in l. 19 maggio 2022, n. 52, a decorrere dal 1° aprile 2022.*

(**) *Le parole* « e 4-*ter*.2 » *sono state sostituite alle parole* « , 4-*quater* e 4-*quinquies* » *dall'art. 8, comma 8, lett.* e), *d.l. n. 24, cit., a decorrere dal 1° aprile 2022.*

(***) *Le parole* « 30 aprile 2022 » *sono state sostituite alle parole* « 31 marzo 2022 » *dall'art. 6, comma 8, lett.* b), *d.l. n. 24, cit., a decorrere dal 1° aprile 2022.*

10-*bis* Disciplina del potere di ordinanza del Ministro della salute in materia di ingressi nel territorio nazionale e per la adozione di linee guida e protocolli connessi alla pandemia di COVID-19 (*).

1. Fermo restando quanto previsto dall'articolo 32 della legge 23 dicembre 1978, n. 833, a decorrere dal 1° aprile 2022 e fino al 31 dicembre 2022, in conseguenza della cessazione dello stato di emergenza e in relazione all'andamento epidemiologico, il Ministro della salute, nel rispetto dei principi di adeguatezza e di proporzionalità, con propria ordinanza:

a) di concerto con i Ministri competenti per materia o d'intesa con la Conferenza delle regioni e delle province autonome, può adottare e aggiornare linee guida e protocolli volti a regolare lo svolgimento in sicurezza dei servizi e delle attività economiche, produttive e sociali;

b) sentiti i Ministri competenti per materia, può introdurre limitazioni agli spostamenti da e per l'estero, nonché imporre misure sanitarie in dipendenza dei medesimi spostamenti.

(*) *Articolo così sostituito dall'art. 3, comma 1, d.l. 24 marzo 2022, n. 24, conv., con modif., in l. 19 maggio 2022, n. 52, a decorrere dal 1° aprile 2022. Il testo dell'articolo era il seguente:* « 10. (*Linee guida e protocolli*). — 1. I protocolli e le linee guida di cui all'articolo 1, comma 14, del decreto-legge 16 maggio 2020, n. 33, convertito, con modificazioni, dalla legge 14 luglio 2020, n. 74, sono adottati e aggiornati con ordinanza del Ministro della salute, di concerto con i Ministri competenti per materia o d'intesa con la Conferenza delle regioni e delle province autonome ».

10-*ter* Isolamento e autosorveglianza (*).

1. A decorrere dal 1° aprile 2022 è fatto divieto di mobilità dalla propria abitazione o dimora alle persone sottoposte alla misura dell'isolamento per provvedimento dell'autorità sanitaria in quanto risultate positive al SARS-CoV-2, fino all'accertamento della guarigione, salvo che per il ricovero in una struttura sanitaria o altra struttura allo scopo destinata.

2. A decorrere dalla medesima data di cui al comma 1, a coloro che hanno avuto contatti stretti con soggetti confermati positivi al SARS-CoV-2 è applicato il regime dell'autosorveglianza, consistente nell'obbligo di indossare dispositivi di protezione delle vie respiratorie di tipo FFP2, al chiuso o in presenza di assembramenti e con esclusione delle ipotesi di cui all'articolo 10-*quater*, comma 4, lettere *a*), *b*) e, limitatamente alle attività sportive all'aperto o al chiuso, se svolte in condizioni di sicurezza rispetto al rischio di contagio, c), e comma 5, fino al decimo giorno successivo alla data dell'ultimo contatto stretto con soggetti confermati positivi al SARS-CoV-2 e di effettuare un test antigenico rapido o molecolare per la rilevazione di SARS-CoV-2, anche presso centri privati a ciò abilitati, alla prima comparsa dei sintomi e, se ancora sintomatici, al quinto giorno successivo alla data dell'ultimo contatto.

3. Con circolare del Ministero della salute sono definite le modalità attuative dei commi 1 e 2. La cessazione del regime di isolamento di cui al comma 1 consegue all'esito negativo di un test antigenico rapido o molecolare per la rilevazione di SARS-CoV-2, effettuato anche presso centri privati a ciò abilitati. In quest'ultimo caso, la trasmissione, con modalità anche elettroniche, al dipartimento di prevenzione territorialmente competente del referto, con esito negativo, determina la cessazione del regime dell'isolamento.

(*) *Articolo inserito dall'art. 4 d.l. 24 marzo 2022, n. 24, conv., con modif., in l. 19 maggio 2022, n. 52, a decorrere dal 1° aprile 2022.*

10-*quater* Dispositivi di protezione delle vie respiratorie (*).

1. Fermo restando quanto previsto dall'articolo 3 per il sistema educativo, scolastico e formativo, è fatto obbligo di indossare i dispositivi di protezione delle vie respiratorie di tipo FFP2 nei seguenti casi:

a) fino al 15 giugno 2022, per l'accesso ai seguenti mezzi di trasporto e per il loro utilizzo:

1) aeromobili adibiti a servizi commerciali di trasporto di persone;

2) navi e traghetti adibiti a servizi di trasporto interregionale;

3) treni impiegati nei servizi di trasporto ferroviario passeggeri di tipo interregionale, Intercity, Intercity Notte e Alta Velocità;

4) autobus adibiti a servizi di trasporto di persone, ad offerta indifferenziata, effettuati su strada in modo continuativo o periodico su un percorso che collega più di due regioni ed aventi itinerari, orari, frequenze e prezzi prestabiliti;

5) autobus adibiti a servizi di noleggio con conducente;

6) mezzi impiegati nei servizi di trasporto pubblico locale o regionale;

7) mezzi di trasporto scolastico dedicato agli studenti di scuola primaria, secondaria di primo grado e di secondo grado;

b) fino al 30 aprile 2022, per l'accesso a funivie, cabinovie e seggiovie, qualora utilizzate con la chiusura delle cupole paravento, con finalità turistico-commerciale e anche ove ubicate in comprensori sciistici;

c) fino al 30 aprile 2022, per gli spettacoli aperti al pubblico che si svolgono al chiuso o all'aperto in sale teatrali, sale da concerto, sale cinematografiche, locali di intrattenimento e musica dal vivo e in altri locali assimilati, nonché per gli eventi e le competizioni sportivi; dal 1° maggio 2022 al 15 giugno 2022, per gli spettacoli aperti al pubblico che si svolgono al chiuso in sale teatrali, sale da concerto, sale cinematografiche, locali di intrattenimento e musica dal vivo e in altri locali assimilati, nonché per gli eventi e le competizioni sportivi che si svolgono al chiuso.

2. Fino al 30 aprile 2022 in tutti i luoghi al chiuso diversi da quelli di cui al comma 1 e con esclusione delle abitazioni private, è fatto obbligo, sull'intero territorio nazionale, di indossare dispositivi di protezione delle vie respiratorie. Fino al 15 giugno 2022, hanno l'obbligo di indossare dispositivi di protezione delle vie respiratorie i lavoratori, gli utenti e i visitatori delle strutture sanitarie, socio-sanitarie e socio-assistenziali, comprese le strutture di ospitalità e lungodegenza, le residenze sanitarie assistenziali, gli hospice, le strutture riabilitative, le strutture residenziali per anziani, anche non autosufficienti, e comunque le strutture residenziali di cui all'articolo 44 del decreto del Presidente del Consiglio dei ministri 12 gennaio 2017, pubblicato nel supplemento ordinario alla Gazzetta Ufficiale n. 65 del 18 marzo 2017.

3. Fino al 30 aprile 2022, in sale da ballo, discoteche e locali assimilati, al chiuso, è fatto obbligo di indossare i dispositivi di protezione delle vie respiratorie, ad eccezione del momento del ballo.

4. Non hanno l'obbligo di indossare il dispositivo di protezione delle vie respiratorie:

a) i bambini di età inferiore ai sei anni;

b) le persone con patologie o disabilità incompatibili con l'uso della mascherina, nonché le persone che devono comunicare con una persona con disabilità in modo da non poter fare uso del dispositivo;

c) i soggetti che stanno svolgendo attività sportiva.

5. L'obbligo di cui al comma 2 non sussiste quando, per le caratteristiche dei luoghi o per le circostanze di fatto, sia garantito in modo continuativo l'isolamento da persone non conviventi.

6. I vettori aerei, marittimi e terrestri, nonché i loro delegati, sono tenuti a verificare che l'utilizzo dei servizi di cui al comma 1, lettera *a*), avvenga nel rispetto delle prescrizioni di cui al medesimo comma 1.

7. I titolari o i gestori dei servizi e delle attività di cui ai commi 1, lettere *b*) e *c*), 2 e 3 sono tenuti a verificare il rispetto delle prescrizioni di cui ai medesimi commi 1, 2 e 3.

8. Fino al 30 aprile 2022 sull'intero territorio nazionale, per i lavoratori, sono considerati dispositivi di

protezione individuale (DPI) di cui all'articolo 74, comma 1, del decreto legislativo 9 aprile 2008, n. 81, le mascherine chirurgiche. Le disposizioni di cui al presente comma si applicano anche ai lavoratori addetti ai servizi domestici e familiari. Le disposizioni di cui al presente comma continuano ad applicarsi ai lavoratori delle strutture di cui al comma 2, secondo periodo, del presente articolo fino al 15 giugno 2022.

(*) *Articolo inserito dall'art. 5 d.l. 24 marzo 2022, n. 24, conv., con modif., in l. 19 maggio 2022, n. 52, a decorrere dal 1° aprile 2022.*

13 Sanzioni.

1. La violazione delle disposizioni di cui agli articoli 9, commi 9-*bis* e 9-*ter*, 9-*bis*, 9-*bis*.1, 10-*ter* comma 2, 10-*quater*, nonché delle ordinanze di cui all'articolo 10-*bis*, comma 1, lettera *b*), è sanzionata ai sensi dell'articolo 4 del decreto-legge 25 marzo 2020, n. 19, convertito, con modificazioni, dalla legge 22 maggio 2020, n. 35. Dopo due violazioni delle disposizioni di cui al comma 9-*ter* dell'articolo 9, al comma 4 dell'articolo 9-*bis*, al comma 3 dell'articolo 9-*bis*.1 e al comma 7, dell'articolo 10-*quater*, commesse in giornate diverse, si applica, a partire dalla terza violazione, la sanzione amministrativa accessoria della chiusura dell'esercizio o dell'attività da uno a dieci giorni. Dopo una violazione delle disposizioni di cui all'articolo 9-*bis*.1, comma 1, lettere *f*) e *g*), in relazione al possesso di una delle certificazioni verdi COVID-19 da vaccinazione o guarigione, cosiddetto green pass rafforzato, si applica, a partire dalla seconda violazione, commessa in giornata diversa, la sanzione amministrativa accessoria della chiusura da uno a dieci giorni (*).

2. Alle condotte previste dagli articoli 476, 477, 479, 480, 481, 482 e 489 del codice penale, anche se relative ai documenti informatici di cui all'articolo 491-*bis* del medesimo codice, aventi ad oggetto le certificazioni verdi COVID-19 in formato digitale o analogico, si applicano le pene stabilite nei detti articoli.

2-*bis*. Salvo che il fatto costituisca reato punibile ai sensi dell'articolo 452 del codice penale o comunque più grave reato, la violazione della misura di cui all'articolo 10-*ter*, comma 1, è punita ai sensi dell'articolo 260 del regio decreto 27 luglio 1934, n. 1265 (**).

(*) *Comma così sostituito dall'art. 11, comma 1, lett.* a) *d.l. 24 marzo 2022, n. 24, conv., con modif., in l. 19 maggio 2022, n. 52, a decorrere dal 1° aprile 2022. Il testo del comma era il seguente:* « 1. La violazione delle disposizioni di cui agli articoli 1, 2, 3, 3-*bis*, 4, 4-*bis*, 5, 6, 6-*bis*, 7, 8, 8-*bis*, 8-*ter*, 9, commi 9-*bis* e 9-*ter*, 9-*bis* e 9-*bis*.1 è sanzionata ai sensi dell'articolo 4 del decreto-legge 25 marzo 2020, n. 19, convertito, con modificazioni, dalla legge 22 maggio 2020, n. 35. Resta fermo quanto previsto dall'articolo 2, comma 2-*bis*, del decreto-legge 16 maggio 2020, n. 33, convertito, con modificazioni, dalla legge 14 luglio 2020, n. 74. Dopo due violazioni delle disposizioni di cui al comma 9-ter dell'articolo 9 e al comma 4 dell'articolo 9-*bis*, al comma 3 dell'articolo 9-*bis*.1 e al comma 3-*bis* dell'articolo 5, commesse in giornate diverse, si applica, a partire dalla terza violazione, la sanzione amministrativa accessoria della chiusura dell'esercizio o dell'attività da uno a dieci giorni. Ferma restando l'applicazione delle eventuali sanzioni previste dall'ordinamento sportivo, dopo una violazione delle disposizioni di cui all'articolo 5, commi 1, 1-*bis* e 2, relative alla capienza consentita e all'articolo 9-*bis*.1, comma 1, lettere *m*), *n*) e *o*), in relazione al possesso di una delle certificazioni verdi COVID-19 da vaccinazione o guarigione, cosiddetto green pass rafforzato, si applica, a partire dalla seconda violazione, commessa in giornata diversa, la sanzione amministrativa accessoria della chiusura da uno a dieci giorni ».

(**) *Comma aggiunto dall'art. 11, comma 1, lett.* b) *d.l. n. 24, cit.*

16. Decreto legge 24 marzo 2022, n. 24, convertito, con modificazioni, in legge 19 maggio 2022, n. 52. — Disposizioni urgenti per il superamento delle misure di contrasto alla diffusione dell'epidemia da COVID-19, in conseguenza della cessazione dello stato di emergenza.

Pubblicato nella Gazzetta Ufficiale n. 70 del 24 marzo 2022; la legge di conversione è stata pubblicata nella Gazzetta Ufficiale n. 119 del 22 maggio 2022.

1 Disposizioni volte a favorire il rientro nell'ordinario in seguito alla cessazione dello stato di emergenza da COVID-19.

1. Allo scopo di adeguare all'evoluzione dello stato della pandemia di COVID-19 le misure di contrasto in ambito organizzativo, operativo e logistico emanate con ordinanze di protezione civile durante la vigenza dello stato di emergenza dichiarato con deliberazione del Consiglio dei ministri del 31 gennaio 2020, da ultimo prorogato fino al 31 marzo 2022, preservando, fino al 31 dicembre 2022, la necessaria capacità operativa e di pronta reazione delle strutture durante la fase di progressivo rientro nell'ordinario, possono essere adottate una o più ordinanze ai sensi di quanto previsto dall'articolo 26 del codice di cui al decreto legislativo 2 gennaio 2018, n. 1. Le citate ordinanze, da adottare, nel rispetto dei principi di adeguatezza e di proporzionalità, entro il medesimo termine del 31 dicembre 2022, su richiesta motivata delle Amministrazioni competenti, possono contenere misure derogatorie negli ambiti di cui al primo periodo, individuate nel rispetto dei principi generali dell'ordinamento giuridico e delle norme dell'Unione europea, con efficacia limitata fino al 31 dicembre 2022. Le ordinanze di cui al presente articolo sono adottate nel limite delle risorse finanziarie disponibili a legislazione vigente e sono comunicate tempestivamente alle Camere.

2 Misure urgenti connesse alla cessazione delle funzioni del Commissario straordinario per l'attuazione e il coordinamento delle misure di contenimento e contrasto dell'emergenza epidemiologica COVID-19.

1. Al fine di continuare a disporre, anche successi-

vamente alla data del 31 marzo 2022, di una struttura con adeguate capacità di risposta a possibili aggravamenti del contesto epidemiologico nazionale in ragione della epidemia di COVID-19, nei limiti delle risorse umane, strumentali e finanziarie disponibili a legislazione vigente, dal 1° aprile 2022 [,] è temporaneamente istituita un'Unità per il completamento della campagna vaccinale e per l'adozione di altre misure di contrasto della pandemia, che opera fino al 31 dicembre 2022. Il direttore dell'Unità è nominato con decreto del Presidente del Consiglio dei ministri, ai sensi dell'articolo 122 del decreto-legge 17 marzo 2020, n. 18, convertito, con modificazioni, dalla legge 24 aprile 2020, n. 27, senza nuovi o maggiori oneri a carico della finanza pubblica. Il direttore agisce con i poteri attribuiti al Commissario straordinario dal predetto articolo 122 del decreto-legge n. 18 del 2020 e, con proprio provvedimento, definisce la struttura dell'Unità, avvalendosi di una parte del personale della Struttura di supporto alle attività del citato Commissario straordinario, nonché di personale in servizio presso il Ministero della salute, secondo le modalità indicate dallo stesso Ministero, senza nuovi o maggiori oneri a carico della finanza pubblica. Con decreto del Presidente del Consiglio dei ministri, su proposta del Ministro della salute, è nominato un dirigente di prima fascia, appartenente ai ruoli del Ministero della salute, al quale sono attribuite le funzioni vicarie, che opera in coordinamento e a supporto del direttore dell'Unità di cui al presente comma, senza nuovi o maggiori oneri a carico della finanza pubblica. L'Unità subentra in tutti i rapporti attivi e passivi facenti capo al Commissario straordinario per l'attuazione e il coordinamento delle misure di contenimento e contrasto dell'emergenza epidemiologica COVID-19 e, in raccordo con il Ministero della salute e con il supporto tecnico dell'Ispettorato generale della sanità militare, cura la definizione e, ove possibile, la conclusione delle attività amministrative, contabili e giuridiche ancora in corso alla data del 31 marzo 2022, già attribuite alla competenza del predetto Commissario straordinario. Al direttore dell'Unità è assegnata la titolarità della contabilità speciale e del conto corrente bancario, di cui al comma 9 dell'articolo 122 del decreto-legge n. 18 del 2020. Alla medesima Unità si applicano, ove compatibili, le disposizioni di cui al citato articolo 122 del decreto-legge n. 18 del 2020.

2. Al 31 dicembre 2022, l'Unità procede alla chiusura della contabilità speciale e del conto corrente di cui al comma 1, ai sensi dell'articolo 44-ter della legge 31 dicembre 2009, n. 196, e le eventuali somme ivi giacenti sono versate all'entrata del bilancio dello Stato per essere riassegnate in tutto o in parte, anche con profilo pluriennale, mediante decreto del Ragioniere Generale dello Stato, ai pertinenti stati di previsione della spesa. Le eventuali risorse non più necessarie sono acquisite all'erario. A decorrere dal 1° gennaio 2023, l'Unità di cui al comma 1 è soppressa e il Ministero della salute subentra nelle funzioni e in tutti i rapporti attivi e passivi facenti capo all'Unità di cui al comma 1.

3. Al fine di rafforzare l'efficienza operativa delle proprie strutture per garantire le azioni di supporto nel contrasto alle pandemie in favore dei sistemi sanitari regionali, assicurando gli approvvigionamenti di farmaci e vaccini per la cura delle patologie epidemico-pandemiche emergenti e di dispositivi di protezione individuale, anche in relazione agli obiettivi ed agli interventi connessi, nell'immediato, alla attuazione del piano strategico nazionale dei vaccini di cui all'articolo 1, commi 457 e seguenti, della legge 30 dicembre 2020, n. 178, il Ministero della salute è autorizzato ad assumere, a decorrere dal 1°ottobre 2022, con contratto di lavoro subordinato a tempo indeterminato, in aggiunta alle vigenti facoltà assunzionali, un contingente di personale così composto: 3 dirigenti di seconda fascia, 3 dirigenti sanitari; 50 unità di personale non dirigenziale con professionalità anche tecnica, da inquadrare nell'area III, posizione economica F1, del comparto funzioni centrali. La dotazione organica del Ministero della salute è incrementata di 3 dirigenti di II fascia, di 3 dirigenti sanitari e di 50 unità di personale non dirigenziale appartenenti all'area III. Le assunzioni del presente comma sono autorizzate in deroga all'articolo 6, comma 7, del decreto-legge 9 giugno 2021, n. 80, convertito, con modificazioni, dalla legge 6 agosto 2021, n. 113, nonché in deroga all'articolo 6, comma 6, del decreto legislativo 30 marzo 2001, n. 165. Per l'attuazione del presente comma è autorizzata la spesa di euro 760.837 per l'anno 2022 ed euro 3.043.347 annui a decorrere dall'anno 2023.

4. Al reclutamento del contingente di personale di cui al comma 3 si provvede mediante l'indizione di concorsi pubblici, senza obbligo di previo espletamento delle procedure di mobilità, con le modalità semplificate previste dall'articolo 10 del decreto-legge 1°aprile 2021, n. 44, convertito, con modificazioni, dalla legge 28 maggio 2021, n. 76, anche avvalendosi della Commissione per l'attuazione del progetto di riqualificazione delle pubbliche amministrazioni, di cui all'articolo 35, comma 5, del decreto legislativo 30 marzo 2001, n. 165, nonché tramite l'utilizzo di vigenti graduatorie di concorsi pubblici o attraverso procedure di mobilità volontaria ai sensi dell'articolo 30 del citato decreto legislativo n. 165 del 2001. Il personale assunto è progressivamente assegnato, fino al 31 dicembre 2022, all' Unità di cui al comma 1, in sostituzione del personale appartenente ad altre amministrazioni [,] in servizio presso la predetta Unità. Per l'attuazione del presente comma è autorizzata, per l'anno 2022, una spesa pari ad euro 200.000 per la gestione delle procedure concorsuali e una spesa pari ad euro 124.445 per le maggiori spese di funzionamento derivanti dall'assunzione del predetto contingente di personale.

5. Il Ministero della salute provvede entro il 31 dicembre 2022 alla definizione del nuovo assetto organizzativo. Le funzioni attribuite al predetto Ministero dal presente articolo, nelle more della riorganizzazione, sono assicurate dal Segretariato generale di cui all'articolo 2 del decreto del Presidente del Consiglio dei ministri 11 febbraio 2014, n. 59 o da altra direzione generale individuata con decreto del Ministro della salute.

6. (*Omissis*).

7. Ai fini dell'immediata attuazione del presente articolo, il Ministro dell'economia e delle finanze è au-

torizzato ad apportare, con propri decreti, le occorrenti variazioni di bilancio.

8. (*Omissis*).

PARTE OTTAVA
RIPRESA ECONOMICA E PIANO NAZIONALE PER LA RIPRESA E LA RESILIENZA (PNRR)

SEZIONE PRIMA
MISURE PER LA RIPRESA ECONOMICA E PER L'ATTUAZIONE DEL PIANO NAZIONALE PER LA RIPRESA E LA RESILIENZA (PNRR)

1. Decreto legge 16 luglio 2020, n. 76, convertito, con modificazioni, in legge 11 settembre 2020, n. 120. — Misure urgenti per la semplificazione e l'innovazione digitale (DECRETO SEMPLIFICAZIONI).

Pubblicato nella Gazzetta Ufficiale n. 178 del 16 luglio 2020; la legge di conversione è stata pubblicata nella Gazzetta Ufficiale n. 228 del 14 settembre 2020.

26 Piattaforma per la notificazione digitale degli atti della pubblica amministrazione.

1. La piattaforma di cui all'articolo 1, comma 402, della legge 27 dicembre 2019, n. 160, e le sue modalità di funzionamento sono disciplinate dalla presente disposizione.

2. Ai fini del presente articolo, si intende per:

a) « gestore della piattaforma », la società di cui all'articolo 8, comma 2, del decreto-legge 14 dicembre 2018, n. 135, convertito, con modificazioni, dalla legge 11 febbraio 2019, n. 12;

b) « piattaforma », la piattaforma digitale di cui al comma 1, utilizzata dalle amministrazioni per effettuare, con valore legale, le notifiche di atti, provvedimenti, avvisi e comunicazioni;

c) « amministrazioni », le pubbliche amministrazioni di cui all'articolo 1, comma 2, del decreto legislativo 30 marzo 2001, n. 165, gli agenti della riscossione e, limitatamente agli atti emessi nell'esercizio di attività ad essi affidate ai sensi dell'articolo 52 del decreto legislativo 15 dicembre 1997, n. 446, i soggetti di cui all'articolo 52, comma 5, lettera *b*), numeri 1), 2), 3) e 4), del medesimo decreto legislativo;

d) « destinatari », le persone fisiche, le persone giuridiche, gli enti, le associazioni e ogni altro soggetto pubblico o privato, residenti o aventi sede legale nel territorio italiano ovvero all'estero ove titolari di codice fiscale attribuito ai sensi del decreto del Presidente della Repubblica 29 settembre 1973, n. 605, ai quali le amministrazioni notificano atti, provvedimenti, avvisi e comunicazioni;

e) « delegati », le persone fisiche, le persone giuridiche, gli enti, le associazioni e ogni altro soggetto pubblico o privato, ivi inclusi i soggetti di cui all'articolo 12, comma 3, del decreto legislativo 31 dicembre 1992, n. 546, ai quali i destinatari conferiscono il potere di accedere alla piattaforma per reperire, consultare e acquisire, per loro conto, atti, provvedimenti, avvisi e comunicazioni notificati dalle amministrazioni;

f) « delega », l'atto con il quale i destinatari conferiscono ai delegati il potere di accedere, per loro conto, alla piattaforma;

g) « avviso di avvenuta ricezione », l'atto formato dal gestore della piattaforma, con il quale viene dato avviso al destinatario in ordine alle modalità di acquisizione del documento informatico oggetto di notificazione;

h) « identificativo univoco della notificazione (IUN) », il codice univoco attribuito dalla piattaforma a ogni singola notificazione richiesta dalle amministrazioni;

i) « avviso di mancato recapito », l'atto formato dal gestore della piattaforma con il quale viene dato avviso al destinatario in ordine alle ragioni della mancata consegna dell'avviso di avvenuta ricezione in formato elettronico e alle modalità di acquisizione del documento informatico oggetto di notificazione.

3. Ai fini della notificazione di atti, provvedimenti, avvisi e comunicazioni, in alternativa alle modalità previste da altre disposizioni di legge, anche in materia tributaria, le amministrazioni possono rendere disponibili telematicamente sulla piattaforma i corrispondenti documenti informatici. La formazione, trasmissione, copia, duplicazione, riproduzione e validazione temporale dei documenti informatici resi disponibili sulla piattaforma avviene nel rispetto del decreto legislativo 7 marzo 2005, n. 82, e delle Linee guida adottate in attuazione del medesimo decreto legislativo. Eventualmente anche con l'applicazione di « tecnologie basate su registri distribuiti », come definite dall'articolo 8-*ter* del decreto-legge 14 dicembre 2018, n. 135, convertito, con modificazioni, dalla legge 11 febbraio 2019, n. 12, il gestore della piattaforma assicura l'autenticità, l'integrità, l'immodificabilità, la leggibilità e la reperibilità dei documenti informatici resi disponibili dalle amministrazioni e, a sua volta, li rende disponibili ai destinatari, ai quali assicura l'accesso alla piattaforma,

personalmente o a mezzo delegati, per il reperimento, la consultazione e l'acquisizione dei documenti informatici oggetto di notificazione. Ciascuna amministrazione, nel rispetto delle disposizioni del decreto legislativo n. 82 del 2005 e delle Linee guida adottate in attuazione del medesimo decreto legislativo, individua le modalità per garantire l'attestazione di conformità agli originali analogici delle copie informatiche di atti, provvedimenti, avvisi e comunicazioni, anche attraverso certificazione di processo nei casi in cui siano adottate tecniche in grado di garantire la corrispondenza della forma e del contenuto dell'originale e della copia. Gli agenti della riscossione e i soggetti di cui all'articolo 52, comma 5, lettera *b*), numeri 1), 2), 3) e 4), del decreto legislativo 15 dicembre 1997, n. 446 individuano e nominano i dipendenti incaricati di attestare la conformità agli originali analogici delle copie informatiche di atti, provvedimenti, avvisi e comunicazioni. I dipendenti incaricati di attestare la conformità di cui al presente comma, sono pubblici ufficiali ai sensi e per gli effetti di cui all'articolo 23, comma 2, del decreto legislativo 7 marzo 2005, n. 82. La piattaforma può essere utilizzata anche per la trasmissione di atti, provvedimenti, avvisi e comunicazioni per i quali non è previsto l'obbligo di notificazione al destinatario.

4. Il gestore della piattaforma, con le modalità previste dal decreto di cui al comma 15, per ogni atto, provvedimento, avviso o comunicazione oggetto di notificazione reso disponibile dall'amministrazione, invia al destinatario l'avviso di avvenuta ricezione, con il quale comunica l'esistenza e l'identificativo univoco della notificazione (IUN), nonché le modalità di accesso alla piattaforma e di acquisizione del documento oggetto di notificazione.

5. L'avviso di avvenuta ricezione, in formato elettronico, è inviato con modalità telematica ai destinatari titolari di un indirizzo di posta elettronica certificata o di un servizio elettronico di recapito certificato qualificato:

a) inserito in uno degli elenchi di cui agli articoli 6-*bis*, 6-*ter* e 6-*quater* del decreto legislativo 7 marzo 2005, n. 82;

b) eletto, ai sensi dell'articolo 3-*bis*, comma 4-*quinquies*, del decreto legislativo 7 marzo 2005, n. 82 o di altre disposizioni di legge, come domicilio speciale per determinati atti o affari, se a tali atti o affari è riferita la notificazione;

c) eletto per la ricezione delle notificazioni delle pubbliche amministrazioni effettuate tramite piattaforma secondo le modalità previste dai decreti di cui al comma 15.

5-*bis*. Ai destinatari di cui al comma 5, ove abbiano comunicato un indirizzo email non certificato, un numero di telefono o altro analogo recapito digitale diverso da quelli di cui al comma 5, il gestore della piattaforma invia anche un avviso di cortesia in modalità informatica contenente le stesse informazioni dell'avviso di avvenuta ricezione. L'avviso di cortesia è reso disponibile altresì tramite il punto di accesso di cui all'articolo 64-*bis* del decreto legislativo 7 marzo 2005, n. 82.

6. Se la casella di posta elettronica certificata o il servizio elettronico di recapito certificato qualificato risultano saturi, il gestore della piattaforma effettua un secondo tentativo di consegna decorsi almeno sette giorni dal primo invio. Se anche a seguito di tale tentativo la casella di posta elettronica certificata o il servizio elettronico di recapito certificato qualificato risultano saturi oppure se l'indirizzo elettronico del destinatario non risulta valido o attivo, il gestore della piattaforma rende disponibile in apposita area riservata, per ciascun destinatario della notificazione, l'avviso di mancato recapito del messaggio, secondo le modalità previste dal decreto di cui al comma 15. Il gestore della piattaforma inoltre dà notizia al destinatario dell'avvenuta notificazione dell'atto a mezzo di lettera raccomandata, senza ulteriori adempimenti a proprio carico. In tale ultimo caso, il gestore della piattaforma invia anche l'avviso di cortesia di cui al comma 5-*bis*, ove sussistano i presupposti ivi previsti.

7. Ai destinatari diversi da quelli di cui al comma 5, l'avviso di avvenuta ricezione è notificato senza ritardo, in formato cartaceo, a mezzo posta direttamente dal gestore della piattaforma, con le modalità previste dalla legge 20 novembre 1982, n. 890 e con applicazione degli articoli 7, 8, 9 e 14 della stessa legge. In tutti i casi in cui la legge consente la notifica a mezzo posta con raccomandata con avviso di ricevimento, la notificazione dell'avviso di avvenuta ricezione avviene senza ritardo, in formato cartaceo e in busta chiusa, a mezzo posta direttamente dal gestore della piattaforma, mediante invio di raccomandata con avviso di ricevimento. Ove all'indirizzo indicato non sia possibile il recapito del plico contenente l'avviso di avvenuta ricezione per cause diverse dalla temporanea assenza o dal rifiuto del destinatario o delle altre persone alle quali può essere consegnato il plico, l'addetto al recapito postale svolge in loco ogni opportuna indagine per accertare l'indirizzo dell'abitazione, ufficio o sede del destinatario irreperibile. Gli accertamenti svolti e il relativo esito sono verbalizzati e comunicati al gestore della piattaforma. Ove dagli accertamenti svolti dall'addetto al recapito postale ovvero dalla consultazione del registro dell'anagrafe della popolazione residente o dal registro delle imprese sia possibile individuare un indirizzo del destinatario diverso da quello al quale è stato tentato il precedente recapito, il gestore della piattaforma invia a tale diverso indirizzo l'avviso di avvenuta ricezione; in caso contrario, deposita l'avviso di avvenuta ricezione sulla piattaforma e lo rende così disponibile al destinatario. Quest'ultimo può in ogni caso acquisire copia dell'avviso di avvenuta ricezione tramite il fornitore di cui al successivo comma 20, con le modalità fissate dal decreto di cui al comma 15. La notifica dell'avviso di avvenuta ricezione si perfeziona nel decimo giorno successivo a quello di deposito nella piattaforma. Il destinatario che incorra in decadenze e dimostri di non aver ricevuto la notifica per causa ad esso non imputabile può essere rimesso in termini. L'avviso contiene l'indicazione delle modalità con le quali è possibile accedere alla piattaforma e l'identificativo univoco della notificazione (IUN) mediante il quale, con le modalità previste dal decreto di cui al comma 15, il destinatario può ottenere la copia cartacea degli atti oggetto di notificazione. Agli stessi destinatari, ove abbiano comunicato un indirizzo email non

certificato, un numero di telefono o un altro analogo recapito digitale diverso da quelli di cui al comma 5, il gestore della piattaforma invia un avviso di cortesia in modalità informatica contenente le stesse informazioni dell'avviso di avvenuta ricezione. L'avviso di cortesia è reso disponibile altresì tramite il punto di accesso di cui all'articolo 64-*bis* del decreto legislativo 7 marzo 2005, n. 82.

8. L'autenticazione alla piattaforma ai fini dell'accesso avviene tramite il sistema pubblico per la gestione dell'identità digitale di cittadini e imprese (SPID) di cui all'articolo 64 del decreto legislativo 7 marzo 2005, n. 82 ovvero tramite la Carta d'identità elettronica (CIE) di cui all'articolo 66 del medesimo decreto legislativo. L'accesso all'area riservata, ove sono consentiti il reperimento, la consultazione e l'acquisizione dei documenti informatici oggetto di notifica, è assicurato anche tramite il punto di accesso di cui all'articolo 64-*bis* del decreto legislativo 7 marzo 2005, n. 82. Con le modalità previste dal decreto di cui al comma 15, i destinatari possono conferire apposita delega per l'accesso alla piattaforma a uno o più delegati.

9. La notificazione si perfeziona:

a) per l'amministrazione, nella data in cui il documento informatico è reso disponibile sulla piattaforma;

b) per il destinatario:

1) il settimo giorno successivo alla data di consegna dell'avviso di avvenuta ricezione in formato elettronico, risultante dalla ricevuta che il gestore della casella di posta elettronica certificata o del servizio elettronico di recapito certificato qualificato del destinatario trasmette al gestore della piattaforma o, nei casi di casella postale satura, non valida o non attiva, il quindicesimo giorno successivo alla data del deposito dell'avviso di mancato recapito di cui al comma 6. Se l'avviso di avvenuta ricezione è consegnato al destinatario dopo le ore 21.00, il termine di sette giorni si computa a decorrere dal giorno successivo;

2) il decimo giorno successivo al perfezionamento della notificazione dell'avviso di avvenuta ricezione in formato cartaceo;

3) in ogni caso, se anteriore, nella data in cui il destinatario, o il suo delegato, ha accesso, tramite la piattaforma, al documento informatico oggetto di notificazione.

10. La messa a disposizione ai fini della notificazione del documento informatico sulla piattaforma impedisce qualsiasi decadenza dell'amministrazione e interrompe il termine di prescrizione correlato alla notificazione dell'atto, provvedimento, avviso o comunicazione.

11. Il gestore della piattaforma, con le modalità previste dal decreto di cui al comma 15, forma e rende disponibili sulla piattaforma, alle amministrazioni e ai destinatari, le attestazioni opponibili ai terzi relative:

a) alla data di messa a disposizione dei documenti informatici sulla piattaforma da parte delle amministrazioni;

b) all'indirizzo del destinatario risultante, alla data dell'invio dell'avviso di avvenuta ricezione, da uno degli elenchi di cui agli articoli 6-*bis*, 6-*ter* e 6-*quater* del decreto legislativo 7 marzo 2005, n. 82 o eletto ai sensi del comma 5, lettera *c*);

c) alla data di invio e di consegna al destinatario dell'avviso di avvenuta ricezione in formato elettronico; e alla data di ricezione del messaggio di mancato recapito alle caselle di posta elettronica certificata o al servizio elettronico di recapito certificato qualificato risultanti sature, non valide o non attive;

d) alla data in cui il gestore della piattaforma ha reso disponibile l'avviso di mancato recapito del messaggio ai sensi del comma 6;

e) alla data in cui il destinatario ha avuto accesso al documento informatico oggetto di notificazione;

f) al periodo di malfunzionamento della piattaforma ai sensi del comma 13;

g) alla data di ripristino delle funzionalità della piattaforma ai sensi del comma 13.

12. Il gestore della piattaforma rende altresì disponibile la copia informatica dell'avviso di avvenuta ricezione cartaceo e degli atti relativi alla notificazione effettuata con le modalità di cui al comma 7, dei quali attesta la conformità agli originali.

13. Il malfunzionamento della piattaforma, attestato dal gestore con le modalità previste dal comma 15, lettera *d*), qualora renda impossibile l'inoltro telematico, da parte dell'amministrazione, dei documenti informatici destinati alla notificazione ovvero, al destinatario e al delegato, l'accesso, il reperimento, la consultazione e l'acquisizione dei documenti informatici messi a disposizione, comporta:

a) la sospensione del termine di prescrizione dei diritti dell'amministrazione correlati agli atti, provvedimenti, avvisi e comunicazioni oggetto di notificazione, scadente nel periodo di malfunzionamento, sino al settimo giorno successivo alla comunicazione di avvenuto ripristino delle funzionalità della piattaforma;

b) la proroga del termine di decadenza di diritti, poteri o facoltà dell'amministrazione o del destinatario, correlati agli atti, provvedimenti, avvisi e comunicazioni oggetto di notificazione, scadente nel periodo di malfunzionamento, sino al settimo giorno successivo alla comunicazione di avvenuto ripristino delle funzionalità della piattaforma.

14. Le spese di notificazione degli atti, provvedimenti, avvisi e comunicazioni oggetto di notificazione tramite piattaforma sono poste a carico del destinatario e sono destinate alle amministrazioni, al fornitore del servizio universale di cui all'articolo 3 del decreto legislativo 22 luglio 1999, n. 261 e al gestore della piattaforma. Con decreto del Presidente del Consiglio dei ministri, o del Ministro delegato per l'innovazione tecnologica e la digitalizzazione, di concerto con il Ministro dell'economia e delle finanze, sono disciplinate le modalità di determinazione e anticipazione delle spese e i criteri di riparto.

15. Con uno o più decreti del Presidente del Consiglio dei ministri, o del Ministro delegato per l'innovazione tecnologica e la digitalizzazione, sentiti il Ministro dell'economia e delle finanze e il Garante per la protezione dei dati personali per gli aspetti di competenza, acquisito il parere in sede di Conferenza unificata di cui all'articolo 8 del decreto legislativo 28 agosto 1997, n. 281, da adottare entro centoventi giorni dalla

data di entrata in vigore del presente articolo, nel rispetto del decreto legislativo 7 marzo 2005, n. 82:

a) sono definiti l'infrastruttura tecnologica della piattaforma e il piano dei test per la verifica del corretto funzionamento. La piattaforma è sviluppata applicando i criteri di accessibilità di cui alla legge 9 gennaio 2004, n. 4 nel rispetto dei principi di usabilità, completezza di informazione, chiarezza di linguaggio, affidabilità, semplicità di consultazione, qualità, omogeneità e interoperabilità;

b) sono stabilite le regole tecniche e le modalità con le quali le amministrazioni identificano i destinatari e rendono disponibili telematicamente sulla piattaforma i documenti informatici oggetto di notificazione;

c) sono stabilite le modalità con le quali il gestore della piattaforma attesta e certifica, con valore legale opponibile ai terzi, la data e l'ora in cui i documenti informatici delle amministrazioni sono depositati sulla piattaforma e resi disponibili ai destinatari attraverso la piattaforma, nonché il domicilio del destinatario risultante dagli elenchi di cui al comma 5, lettera *a*) alla data della notificazione;

d) sono individuati i casi di malfunzionamento della piattaforma, nonché le modalità con le quali il gestore della piattaforma attesta il suo malfunzionamento e comunica il ripristino della sua funzionalità;

e) sono stabilite le modalità di accesso alla piattaforma e di consultazione degli atti, provvedimenti, avvisi e comunicazioni da parte dei destinatari e dei delegati, nonché le modalità con le quali il gestore della piattaforma attesta la data e l'ora in cui il destinatario o il delegato accedono, tramite la piattaforma, all'atto oggetto di notificazione;

f) sono stabilite le modalità con le quali i destinatari eleggono il domicilio digitale presso la piattaforma e, anche attraverso modelli semplificati, conferiscono o revocano ai delegati la delega per l'accesso alla piattaforma, nonché le modalità di accettazione e rinunzia delle deleghe;

g) sono stabiliti i tempi e le modalità di conservazione dei documenti informatici resi disponibili sulla piattaforma;

h) sono stabilite le regole tecniche e le modalità con le quali i destinatari indicano il recapito digitale ai fini della ricezione dell'avviso di cortesia di cui ai commi 5-*bis*, 6 e 7;

i) sono individuate le modalità con le quali i destinatari dell'avviso di avvenuta ricezione notificato in formato cartaceo ottengono la copia cartacea degli atti oggetto di notificazione o, nei casi previsti dal comma 7, sesto periodo, dell'avviso di avvenuta ricezione;

l) sono disciplinate le modalità di adesione delle amministrazioni alla piattaforma.

l-bis) sono disciplinate le modalità con le quali gli addetti al recapito postale comunicano al gestore della piattaforma l'esito degli accertamenti di cui al comma 7, quarto periodo;

***l-ter*) sono individuate le modalità di adozione di un manuale operativo contenente le specifiche tecniche di attuazione dei decreti di cui al presente comma** (*).

16. Con atto del Capo della competente struttura della Presidenza del Consiglio dei ministri, ultimati i test e le prove tecniche di corretto funzionamento della piattaforma, è fissato il termine a decorrere dal quale le amministrazioni possono aderire alla piattaforma.

17. La notificazione a mezzo della piattaforma di cui al comma 1 non si applica:

a) agli atti del processo civile, penale, per l'applicazione di misure di prevenzione, amministrativo, tributario e contabile e ai provvedimenti e alle comunicazioni ad essi connessi;

b) agli atti della procedura di espropriazione forzata disciplinata dal titolo II, capi II e IV, del decreto del Presidente della Repubblica 29 settembre 1973, n. 602, diversi da quelli di cui agli articoli 50, commi 2 e 3, e 77, comma 2-*bis*, del medesimo decreto;

c) agli atti dei procedimenti di competenza delle autorità provinciali di pubblica sicurezza relativi a pubbliche manifestazioni, misure di prevenzione personali e patrimoniali, autorizzazioni e altri provvedimenti a contenuto abilitativo, soggiorno, espulsione e allontanamento dal territorio nazionale degli stranieri e dei cittadini dell'Unione europea, o comunque agli atti di ogni altro procedimento a carattere preventivo in materia di pubblica sicurezza, e ai provvedimenti e alle comunicazioni ad essi connessi.

18. All'articolo 50, comma 3, del decreto del Presidente della Repubblica 29 settembre 1973, n. 602, le parole "trascorsi centottanta giorni" sono sostituite dalle seguenti: "trascorso un anno".

19. All'articolo 1, comma 402, della legge 27 dicembre 2019, n. 160, il secondo periodo è sostituito dal seguente: "La società di cui al primo periodo affida, in tutto o in parte, lo sviluppo della piattaforma al fornitore del servizio universale di cui all'articolo 3 del decreto legislativo 22 luglio 1999, n. 261, anche attraverso il riuso dell'infrastruttura tecnologica esistente di proprietà del suddetto fornitore."

20. Il gestore si avvale del fornitore del servizio universale di cui all'articolo 3 del decreto legislativo 22 luglio 1999, n. 261, anche per effettuare la consegna della copia cartacea degli atti oggetto di notificazione previste dal comma 7 e garantire, su tutto il territorio nazionale, l'accesso universale alla piattaforma e al nuovo servizio di notificazione digitale.

21. Per l'adesione alla piattaforma, le amministrazioni utilizzano le risorse umane, finanziarie e strumentali previste a legislazione vigente, senza nuovi o maggiori oneri per la finanza pubblica.

22. Per la realizzazione della piattaforma di cui al comma 1 e l'attuazione della presente disposizione sono utilizzate le risorse di cui all'articolo 1, comma 403, della legge 27 dicembre 2019, n. 160.

(*) *Lettera inserita dall'art. 32, comma 1, lett. c) d.l. 30 aprile 2022, n. 36, in corso di conversione in legge.*

4. Decreto legge 31 maggio 2021, n. 77, convertito, con modificazioni, in legge 29 luglio 2021, n. 108. — Governance del Piano nazionale di rilancio e resilienza e prime misure di rafforzamento delle strutture amministrative e di accelerazione e snellimento delle procedure.

Pubblicato nella Gazzetta Ufficiale n. 129 del 31 maggio 2021; la legge di conversione è stata pubblicata nella Gazzetta Ufficiale n. 181 del 30 luglio 2021.

9 Attuazione degli interventi del PNRR.

1. Alla realizzazione operativa degli interventi previsti dal PNRR provvedono le Amministrazioni centrali, le Regioni, le Province autonome di Trento e di Bolzano e gli enti locali, sulla base delle specifiche competenze istituzionali, ovvero della diversa titolarità degli interventi definita nel PNRR, attraverso le proprie strutture, ovvero avvalendosi di soggetti attuatori esterni individuati nel PNRR, ovvero con le modalità previste dalla normativa nazionale ed europea vigente. Per gli interventi di importo non superiore alla soglia comunitaria su beni di proprietà delle diocesi e degli enti ecclesiastici civilmente riconosciuti, i medesimi enti proprietari possono essere individuati quali soggetti attuatori esterni. **L'intervento è attuato nel rispetto delle disposizioni normative vigenti in materia di affidamento ed esecuzione di contratti pubblici, secondo modalità definite in apposito atto adottato dal soggetto attuatore pubblico titolare dell'investimento e previa sottoscrizione di un disciplinare di obblighi nei confronti dell'amministrazione titolare dell'investimento** (*).

2. Al fine di assicurare l'efficace e tempestiva attuazione degli interventi del PNRR, le amministrazioni di cui al comma 1 possono avvalersi del supporto tecnico-operativo assicurato per il PNRR da società a prevalente partecipazione pubblica, rispettivamente, statale, regionale e locale, dagli enti del sistema camerale e da enti vigilati.

3. Gli atti, i contratti ed i provvedimenti di spesa adottati dalle amministrazioni per l'attuazione degli interventi del PNRR sono sottoposti ai controlli ordinari di legalità e ai controlli amministrativo- contabili previsti dalla legislazione nazionale applicabile.

4. Le amministrazioni di cui al comma 1 assicurano la completa tracciabilità delle operazioni e la tenuta di una apposita codificazione contabile per l'utilizzo delle risorse del PNRR secondo le indicazioni fornite dal Ministero dell'economia e delle finanze. Conservano tutti gli atti e la relativa documentazione giustificativa su supporti informatici adeguati e li rendono disponibili per le attività di controllo e di audit.

(*) *Periodo inserito dall'art. 36, comma 1, d.l. 30 aprile 2022, n. 36, in corso di conversione in legge.*

14 Estensione della disciplina del PNRR al Piano complementare.

1. Le misure e le procedure di accelerazione e semplificazione per l'efficace e tempestiva attuazione degli interventi di cui al presente decreto, incluse quelle relative al rafforzamento della capacità amministrativa delle amministrazioni e delle stazioni appaltanti nonché al meccanismo di superamento del dissenso e ai poteri sostitutivi, si applicano anche agli investimenti contenuti nel Piano nazionale complementare di cui all'articolo 1 del decreto legge 6 maggio 2021, n. 59, e ai contratti istituzionali di sviluppo di cui all'articolo 6 del decreto legislativo 31 maggio 2011, n. 88. Resta ferma l'applicazione delle disposizioni del presente decreto agli interventi di cui al citato articolo 1 del decreto-legge n. 59 del 2021, cofinanziati dal PNRR.

1-*bis*. Con riferimento agli interventi previsti dal Piano di investimenti strategici su siti del patrimonio culturale, edifici e aree naturali, di cui all'articolo 1, comma 2, lettera *d*), del decreto-legge 6 maggio 2021, n. 59, convertito, con modificazioni, dalla legge 1° luglio 2021, n. 101, nell'ambito del Piano nazionale per gli investimenti complementari al Piano nazionale di ripresa e resilienza, le funzioni di tutela dei beni culturali e paesaggistici sono svolte in ogni caso dalla Soprintendenza speciale per il Piano nazionale di ripresa e resilienza e per il Piano nazionale per gli investimenti complementari al Piano nazionale di ripresa e resilienza di cui all'articolo 29 (*).

2. Alla gestione delle risorse del Fondo per lo sviluppo e la coesione, periodo di programmazione 2021-2027, di cui all'articolo 1, comma 177, della legge 30 dicembre 2020, n. 178, che concorrono al finanziamento degli interventi previsti dal PNRR, si provvede in deroga alle specifiche normative di settore, con le procedure finanziarie del PNRR stabilite con le modalità di cui all'articolo 1, commi da 1038 a 1049 della citata legge 30 dicembre 2020, n. 178.

2-*bis*. La disposizione di cui al comma 2 si applica anche alla gestione delle risorse del Fondo per lo sviluppo e la coesione, periodo di programmazione 2014-2020, di cui all'articolo 1, comma 6, della legge 27 dicembre 2013, n. 147. A tale scopo con apposita delibera del CIPESS, da adottare entro il 31 luglio 2022, si provvede alla ricognizione complessiva degli interventi del Fondo per lo sviluppo e la coesione, periodo di programmazione 2014- 2020, rientranti nei progetti in essere del PNRR, ai quali non si applica il termine di cui ai commi 7, lettera b), e 7-bis dell'articolo 44 del decreto-legge 30 aprile 2019, n. 34, convertito, con modificazioni, dalla legge 28 giugno 2019, n. 58. Nell'ambito di tali interventi, sono individuati quelli per i quali trova applicazione il primo periodo (**).

(*) *Comma inserito dall'art. 36, comma 2, d.l. 30 aprile 2022, n. 36, in corso di conversione in legge.*

(**) *Comma inserito dall'art. 56, comma 4, d.l. 17 maggio 2022, n. 50, in corso di conversione in legge.*

48 Semplificazioni in materia di affidamento dei contratti pubblici PNRR e PNC.

1. In relazione alle procedure afferenti agli investimenti pubblici, **anche suddivisi in lotti funzionali,** (*) finanziati, in tutto o in parte, con le risorse previste dal PNRR e dal PNC e dai programmi cofinanziati dai fondi strutturali dell'Unione europea, si applicano le disposizioni del presente titolo, l'articolo 207, comma 1, del decreto-legge 19 maggio 2020, n. 34, convertito, con modificazioni, dalla legge 17 luglio 2020, n. 77, nonché le disposizioni di cui al presente articolo.

2. È nominato, per ogni procedura, un responsabile unico del procedimento che, con propria determinazione adeguatamente motivata, valida e approva ciascuna fase progettuale o di esecuzione del contratto, anche in corso d'opera, fermo restando quanto previsto dall'articolo 26, comma 6, del decreto legislativo 18 aprile 2016, n. 50.

3. Le stazioni appaltanti possono altresì ricorrere alla procedura di cui all'articolo 63 del decreto legislativo n. 50 del 2016, per i settori ordinari, e di cui all'articolo 125, per i settori speciali, nella misura strettamente necessaria, quando, per ragioni di estrema urgenza derivanti da circostanze imprevedibili, non imputabili alla stazione appaltante, l'applicazione dei termini, anche abbreviati, previsti dalle procedure ordinarie può compromettere la realizzazione degli obiettivi o il rispetto dei tempi di attuazione di cui al PNRR nonché al PNC e ai programmi cofinanziati dai fondi strutturali dell'Unione Europea. Al solo scopo di assicurare la trasparenza, le stazioni appaltanti danno evidenza dell'avvio delle procedure negoziate di cui al presente comma mediante i rispettivi siti internet istituzionali. Ferma restando la possibilità, per gli operatori economici, di manifestare interesse a essere invitati alla procedura, la pubblicazione di cui al periodo precedente non costituisce ricorso a invito, avviso o bando di gara a seguito del quale qualsiasi operatore economico può presentare un'offerta.

4. In caso di impugnazione degli atti relativi alle procedure di affidamento di cui al comma 1, si applica l'articolo 125 del codice del processo amministrativo di cui al decreto legislativo 2 luglio 2010, n. 104.

5. Per le finalità di cui al comma 1, in deroga a quanto previsto dall'articolo 59, commi 1, 1-*bis* e 1-*ter*, del decreto legislativo n. 50 del 2016, è ammesso l'affidamento di progettazione ed esecuzione dei relativi lavori anche sulla base del progetto di fattibilità tecnica ed economica di cui all'articolo 23, comma 5, del decreto legislativo n. 50 del 2016. Sul progetto di fattibilità tecnica ed economica posto a base di gara, è sempre convocata la conferenza di servizi di cui all'articolo 14, comma 3, della legge 7 agosto 1990, n. 241. L'affidamento avviene mediante acquisizione del progetto definitivo in sede di offerta ovvero, in alternativa, mediante offerte aventi a oggetto la realizzazione del progetto definitivo, del progetto esecutivo e il prezzo. In entrambi i casi, l'offerta relativa al prezzo indica distintamente il corrispettivo richiesto per la progettazione definitiva, per la progettazione esecutiva e per l'esecuzione dei lavori. In ogni caso, alla conferenza di servizi indetta ai fini dell'approvazione del progetto definitivo partecipa anche l'affidatario dell'appalto, che provvede, ove necessario, ad adeguare il progetto alle eventuali prescrizioni susseguenti ai pareri resi in sede di conferenza di servizi. A tal fine, entro cinque giorni dall'aggiudicazione ovvero dalla presentazione del progetto definitivo da parte dell'affidatario, qualora lo stesso non sia stato acquisito in sede di gara, il responsabile unico del procedimento avvia le procedure per l'acquisizione dei pareri e degli atti di assenso necessari per l'approvazione del progetto.

6. Le stazioni appaltanti che procedono agli affidamenti di cui al comma 1, possono prevedere, nel bando di gara o nella lettera di invito, l'assegnazione di un punteggio premiale per l'uso nella progettazione dei metodi e strumenti elettronici specifici di cui all'articolo 23, comma 1, lettera *h*), del decreto legislativo n. 50 del 2016. Tali strumenti utilizzano piattaforme interoperabili a mezzo di formati aperti non proprietari, al fine di non limitare la concorrenza tra i fornitori di tecnologie e il coinvolgimento di specifiche progettualità tra i progettisti. Entro trenta giorni dalla data di entrata in vigore del presente decreto, con provvedimento del Ministero delle infrastrutture e della mobilità sostenibili, sono stabilite le regole e specifiche tecniche per l'utilizzo dei metodi e strumenti elettronici di cui al primo periodo, assicurandone il coordinamento con le previsioni di cui al decreto non regolamentare adottato ai sensi del comma 13 del citato articolo 23.

7. Per gli interventi di cui al comma 1, in deroga a quanto previsto dall'articolo 215 del decreto legislativo n. 50 del 2016, il parere del Consiglio Superiore dei lavori pubblici è reso esclusivamente sui progetti di fattibilità tecnica ed economica di lavori pubblici di competenza statale, o comunque finanziati per almeno il 50 per cento dallo Stato, di importo pari o superiore ai 100 milioni di euro. In tali casi, il parere reso dal Consiglio Superiore, in deroga a quanto previsto dall'articolo 1, comma 9, del decreto-legge 18 aprile 2019, n. 32, convertito, con modificazioni, dalla legge 14 giugno 2019, n. 55, non riguarda anche la valutazione di congruità del costo. In relazione agli investimenti di cui al primo periodo di importo inferiore ai 100 milioni di euro, dalla data di entrata in vigore del presente decreto e fino al 31 dicembre 2026, si prescinde dall'acquisizione del parere di cui all'articolo 215, comma 3, del decreto legislativo n. 50 del 2016. Con provvedimento del Presidente del Consiglio Superiore dei lavori pubblici, adottato entro sessanta giorni dalla data di entrata in vigore del presente decreto, sono individuate le modalità di presentazione delle richieste di parere di cui al presente comma, è indicato il contenuto essenziale dei documenti e degli elaborati di cui all'articolo 23, commi 5 e 6, del decreto legislativo n. 50 del 2016, occorrenti per l'espressione del parere, e sono altresì disciplinate, fermo quanto previsto dall'articolo 44 del presente decreto, procedure semplificate per la verifica della completezza della documentazione prodotta e, in caso positivo, per la conseguente definizione accelerata del procedimento.

(*) *Le parole «, anche suddivisi in lotti funzionali, » sono state inserite dall'art. 35, comma 1, d.l. 30 aprile 2022, n. 36, in corso di conversione in legge.*

5. Decreto legge 9 giugno 2021, n. 80, convertito, con modificazioni, in legge 6 agosto 2021, n. 113. — Misure urgenti per il rafforzamento della capacità amministrativa delle pubbliche amministrazioni funzionale all'attuazione del Piano nazionale di ripresa e resilienza (PNRR) e per l'efficienza della giustizia.

Pubblicato nella Gazzetta Ufficiale n. 136 del 9 giugno 2021; la legge di conversione è stata pubblicata nella Gazzetta Ufficiale n. 188 del 7 agosto 2021.

1 Modalità speciali per il reclutamento del personale e il conferimento di incarichi professionali per l'attuazione del PNRR da parte delle amministrazioni pubbliche.

1. Al di fuori delle assunzioni di personale già espressamente previste nel Piano nazionale di ripresa e resilienza, di seguito « PNRR », presentato alla Commissione europea ai sensi degli articoli 18 e seguenti del regolamento (UE) 2021/241 del Parlamento europeo e del Consiglio, del 12 febbraio 2021, le amministrazioni titolari di interventi previsti nel PNRR possono porre a carico del PNRR esclusivamente le spese per il reclutamento di personale specificamente destinato a realizzare i progetti di cui hanno la diretta titolarità di attuazione, nei limiti degli importi che saranno previsti dalle corrispondenti voci di costo del quadro economico del progetto. A tal fine, con circolare del Ministero dell'economia e delle finanze sono stabiliti le modalità, le condizioni e i criteri in base ai quali le amministrazioni titolari dei singoli interventi possono imputare nel relativo quadro economico i costi per il predetto personale da rendicontare a carico del PNRR. Il predetto reclutamento è effettuato in deroga ai limiti di spesa di cui all'articolo 9, comma 28, del decreto-legge 31 maggio 2010, n. 78, convertito, con modificazioni, dalla legge 30 luglio 2010, n. 122 e alla dotazione organica delle amministrazioni interessate. L'ammissibilità di ulteriori spese di personale a carico del PNRR rispetto a quelle di cui al secondo periodo è oggetto di preventiva verifica da parte dell'Amministrazione centrale titolare dell'intervento di cui all'articolo 8, comma 1, del decreto-legge 31 maggio 2021, n. 77, di concerto con il Dipartimento della ragioneria generale dello Stato - Servizio centrale per il PNRR del Ministero dell'economia e delle finanze. La medesima procedura si applica per le spese relative ai servizi di supporto e consulenza esterni. Per i reclutamenti di cui ai commi 4 e 5, ciascuna amministrazione, previa verifica di cui al presente comma, individua, in relazione ai progetti di competenza, il fabbisogno di personale necessario all'attuazione degli stessi. In caso di verifica negativa le Amministrazioni possono assumere il personale o conferire gli incarichi entro i limiti delle facoltà assunzionali verificate.

2. Al fine di accelerare le procedure per il reclutamento del personale a tempo determinato da impiegare per l'attuazione del PNRR, le amministrazioni di cui al comma 1 **e i soggetti attuatori di interventi previsti dal medesimo Piano** (*) possono ricorrere alle modalità di selezione stabilite dal presente articolo. A tal fine, i contratti di lavoro a tempo determinato e i contratti di collaborazione di cui al presente articolo possono essere stipulati per un periodo complessivo anche superiore a trentasei mesi, ma non eccedente la durata di attuazione dei progetti di competenza delle singole amministrazioni e comunque non eccedente il 31 dicembre 2026. Tali contratti indicano, a pena di nullità, il progetto del PNRR al quale è riferita la prestazione lavorativa e possono essere rinnovati o prorogati, anche per una durata diversa da quella iniziale, per non più di una volta. Il mancato conseguimento dei traguardi e degli obiettivi, intermedi e finali, previsti dal progetto costituisce giusta causa di recesso dell'amministrazione dal contratto ai sensi dell'articolo 2119 del codice civile. **Il presente comma si applica anche ai contratti stipulati dagli enti pubblici economici con il personale da assegnare all'assistenza tecnica dei programmi pluriennali cofinanziati con fondi dell'Unione europea, per un periodo non eccedente la durata di attuazione dei medesimi programmi** (**).

3. Al fine di valorizzare l'esperienza professionale maturata nei rapporti di lavoro a tempo determinato di cui ai commi 4 e 5, lettera *b*), le amministrazioni di cui al comma 1 prevedono, nei bandi di concorso per il reclutamento di personale a tempo indeterminato, una riserva di posti non superiore al 40 per cento, destinata al predetto personale che, alla data di pubblicazione del bando, abbia svolto servizio per almeno trentasei mesi. I bandi di concorso per il reclutamento di personale a tempo indeterminato sono pubblicati come documenti in formato aperto ed organizzati in una base di dati ricercabile in ogni campo sul portale del reclutamento di cui all'articolo 3, comma 7, della legge 19 giugno 2019, n. 56.

3-*bis*. All'articolo 20 del decreto legislativo 25 maggio 2017, n. 75, le parole: "31 dicembre 2021", ovunque ricorrono, sono sostituite dalle seguenti: "31 dicembre 2022".

4. Fermo restando quanto stabilito ai commi 1 e 2 per le finalità ivi previste, le amministrazioni, previa verifica di cui al comma 1, possono svolgere le procedure concorsuali relative al reclutamento di personale con contratto di lavoro a tempo determinato per l'attuazione dei progetti del PNRR mediante le modalità digitali, decentrate e semplificate di cui **all'articolo 35-*quater* del decreto legislativo 30 marzo 2001, n. 165** (***), prevedendo, oltre alla valutazione dei titoli ai sensi del citato articolo 10, lo svolgimento della sola prova scritta. Se due o più candidati ottengono pari punteggio, a conclusione delle operazioni di valutazione dei titoli e delle prove di esame, è preferito il candidato più giovane di età, ai sensi dell'articolo 3, comma 7, della

legge 15 maggio 1997, n. 127. **I bandi di concorso per il reclutamento del personale di cui al presente comma sono pubblicati come documenti in formato aperto ed organizzati in una base di dati ricercabile in ogni campo sul portale del reclutamento di cui** all'articolo 3, comma 7, della legge 19 giugno 2019, n. 56.

4-*bis*. Le modalità di selezione di cui al comma 4 possono essere utilizzate per le assunzioni a tempo determinato anche dalle amministrazioni di cui all'articolo 1, comma 2, del decreto legislativo 30 marzo 2001, n. 165, non interessate dall'attuazione del PNRR.

5. Ai medesimi fini di cui al comma 1, il Dipartimento della funzione pubblica della Presidenza del Consiglio dei ministri, attraverso il portale del reclutamento di cui all'articolo 3, comma 7, della legge 19 giugno 2019, n. 56, istituisce uno o più elenchi ai quali possono iscriversi, rispettivamente:

a) professionisti, ivi compresi i professionisti come definiti ai sensi dell'articolo 1 della legge 14 gennaio 2013, n. 4, in possesso dell'attestazione di qualità e di qualificazione professionale dei servizi ai sensi dell'articolo 7 della legge 14 gennaio 2013, n. 4, rilasciato da un'associazione professionale inserita nell'elenco del Ministero dello sviluppo economico, o in possesso di certificazione in conformità alla norma tecnica UNI ai sensi dell'articolo 9 della legge 14 gennaio 2013, n. 4, » e le parole: « per il conferimento incarichi » sono sostituite dalle seguenti: « per il conferimento di incarichi ed esperti per il conferimento incarichi di collaborazione con contratto di lavoro autonomo di cui all'articolo 7, comma 6, del decreto legislativo 30 marzo 2001, n. 165;

b) personale in possesso di un'alta specializzazione per l'assunzione con contratto di lavoro a tempo determinato.

6. Ciascun elenco è suddiviso in sezioni corrispondenti alle diverse professioni e specializzazioni e agli eventuali ambiti territoriali e prevede l'indicazione, da parte dell'iscritto, dell'ambito territoriale di disponibilità all'impiego. Le modalità per l'istituzione dell'elenco e la relativa gestione, l'individuazione dei profili professionali e delle specializzazioni, il limite al cumulo degli incarichi, le modalità di aggiornamento dell'elenco e le modalità semplificate di selezione comparativa e pubblica sono definite con decreto del Ministro per la pubblica amministrazione da adottarsi entro centoventi giorni dalla data di entrata in vigore del presente decreto, previa intesa con la Conferenza unificata di cui all'articolo 8 del decreto legislativo 28 agosto 1997, n. 281. Tutte le fasi della procedura di cui al presente comma sono tempestivamente pubblicate nel sito internet istituzionale di ciascuna amministrazione. Le informazioni di cui al presente comma sono pubblicate sul portale del reclutamento di cui all'articolo 3, comma 7, della legge 19 giugno 2019, n. 56, con collegamento ipertestuale alla corrispondente pagina del sito internet istituzionale dell'amministrazione.

7. Per il conferimento degli incarichi di cui al comma 5, lettera *a*), il decreto di cui al comma 6 individua quali requisiti per l'iscrizione nell'elenco:

a) (*Omissis*)

b) essere iscritto al rispettivo albo, collegio o ordine professionale comunque denominato;

c) non essere in quiescenza.

7-*bis*. Per il conferimento degli incarichi di cui al comma 5, lettera *a*), il decreto di cui al comma 6 definisce gli ulteriori requisiti, le modalità e i termini per la presentazione delle domande di iscrizione all'elenco di cui al medesimo comma 5, lettera *a*), anche per i professionisti di cui alla legge 14 gennaio 2013, n. 4.

7-*ter*. Al fine di incentivare il reclutamento delle migliori professionalità per l'attuazione dei progetti del Piano nazionale di ripresa e resilienza (PNRR), per i professionisti assunti a tempo determinato con le modalità di cui ai commi 4 e 5, lettera *b*), non è richiesta la cancellazione dall'albo, collegio o ordine professionale di appartenenza e l'eventuale assunzione non determina in nessun caso la cancellazione d'ufficio. Per gli incarichi conferiti ai sensi del comma 5 non si applicano i divieti di cui all'articolo 53, comma 16-*ter*, del decreto legislativo 30 marzo 2001, n. 165.

7-*quater*. I professionisti assunti dalle pubbliche amministrazioni ai sensi del comma 7-*ter* possono mantenere l'iscrizione, ove presente, ai regimi previdenziali obbligatori di cui al decreto legislativo 30 giugno 1994, n. 509, e al decreto legislativo 10 febbraio 1996, n. 103. È in ogni caso escluso qualsiasi onere a carico del professionista per la ricongiunzione dei periodi di lavoro prestati ai sensi dei commi 4 e 5, lettera *b*), nel caso in cui lo stesso non opti per il mantenimento dell'iscrizione alla cassa previdenziale di appartenenza. Le modalità di applicazione del presente comma sono disciplinate con decreto del Ministro del lavoro e delle politiche sociali, di concerto con il Ministro dell'economia e delle finanze e con il Ministro per la pubblica amministrazione, sentiti gli enti previdenziali di diritto privato istituiti ai sensi del decreto legislativo 30 giugno 1994, n. 509, e del decreto legislativo 10 febbraio 1996, n. 103, da adottare entro sessanta giorni dalla data di entrata in vigore della presente disposizione.

8. Il decreto di cui al comma 6 valorizza le documentate esperienze professionali maturate nonché il possesso di titoli di specializzazione ulteriori rispetto a quelli abilitanti all'esercizio della professione, purché a essa strettamente conferenti. Le amministrazioni, sulla base delle professionalità che necessitano di acquisire, invitano almeno quattro professionisti o esperti, e comunque in numero tale da assicurare la parità di genere, tra quelli iscritti nel relativo elenco e li sottopongono ad un colloquio selettivo per il conferimento degli incarichi di collaborazione.

9. L'iscrizione negli elenchi di cui al comma 5, lettera *b*), avviene previo svolgimento di procedure idoneative svolte ai sensi dell'articolo 10 del decreto-legge 1° aprile 2021, n. 44, convertito, con modificazioni, dalla legge 28 maggio 2021, n. 76, con previsione della sola prova scritta, alle quali consegue esclusivamente il diritto all'inserimento nei predetti elenchi in ordine di graduatoria, sulla base della quale le amministrazioni attingono ai fini della stipula dei contratti.

10. Ai fini di cui al comma 5, lettera *b*), per alta specializzazione si intende il possesso della laurea magistrale o specialistica e di almeno uno dei seguenti

titoli, in settori scientifici o ambiti professionali strettamente correlati all'attuazione dei progetti:

a) dottorato di ricerca o master universitario di secondo livello;

b) documentata esperienza professionale qualificata e continuativa, di durata almeno triennale, maturata presso enti pubblici nazionali ovvero presso organismi internazionali o dell'Unione europea.

11. Per le amministrazioni pubbliche di cui al comma 1, le procedure concorsuali di cui al comma 4 possono essere organizzate dal Dipartimento della funzione pubblica della Presidenza del Consiglio dei ministri ai sensi del comma 3-*quinquies* dell'articolo 4 del decreto-legge 31 agosto 2013, n. 101, convertito, con modificazioni, dalla legge 30 ottobre 2013, n. 125, anche avvalendosi dell'Associazione Formez PA e del portale del reclutamento di cui all'articolo 3, comma 7, della legge 19 giugno 2019, n. 56. Nel bando è definito il cronoprogramma relativo alle diverse fasi di svolgimento della procedura.

12. Fermo restando l'articolo 57 del decreto legislativo 30 marzo 2001, n. 165, le commissioni esaminatrici delle procedure di cui al presente articolo sono composte nel rispetto del principio della parità di genere.

13. Il personale assunto con contratto di lavoro a tempo determinato ai sensi del comma 5, lettera *b*), è equiparato, per quanto attiene al trattamento economico fondamentale e accessorio e ad ogni altro istituto contrattuale, al profilo dell'Area III, posizione economica F3, del contratto collettivo nazionale di lavoro del personale del comparto Funzioni centrali, sezione Ministeri. Si applicano, ove necessario, le tabelle di corrispondenza fra i livelli economici di inquadramento previsti dai contratti collettivi relativi ai diversi comparti di contrattazione, di cui al decreto del Presidente del Consiglio dei ministri 26 giugno 2015, pubblicato nella Gazzetta Ufficiale n. 216 del 17 settembre 2015.

14. Le amministrazioni di cui al comma 1, nei limiti ivi stabiliti e per le medesime finalità, possono procedere ad assunzioni a tempo determinato anche mediante utilizzo di graduatorie concorsuali vigenti anche di concorsi per assunzioni a tempo determinato.

14-*bis*. Alle assunzioni previste dal presente articolo non si applicano gli articoli 34, comma 6, e 34-*bis* del decreto legislativo 30 marzo 2001, n. 165.

14-*ter*. Al comma 8 dell'articolo 3 della legge 19 giugno 2019, n. 56, le parole: "nel triennio 2019-2021" sono sostituite dalle seguenti: "fino al 31 dicembre 2024".

15. Le amministrazioni di cui all'articolo 1, comma 2, del decreto legislativo 30 marzo 2001 n. 165, impegnate nell'attuazione del PNRR possono derogare, fino a raddoppiarle, alle percentuali di cui all'articolo 19, comma 6, del decreto legislativo 30 marzo 2001, n. 165, ai fini della copertura delle posizioni dirigenziali vacanti relative a compiti strettamente e direttamente funzionali all'attuazione degli interventi del Piano. Gli incarichi di cui al presente comma sono conferiti a valere sulle risorse finanziarie disponibili e nei limiti delle facoltà assunzionali previste a legislazione vigente per ciascuna amministrazione interessata. In alternativa a quanto previsto al primo periodo, le stesse amministrazioni possono conferire, in deroga ai limiti percentuali previsti dall'articolo 19, comma 6, del decreto legislativo 30 marzo 2001, n. 165, gli incarichi dirigenziali di cui all'articolo 8, comma 1, del decreto-legge 31 maggio 2021, n. 77. Gli incarichi di cui al presente comma sono conferiti per la durata espressamente prevista per ciascun incarico, e comunque non eccedente il 31 dicembre 2026. Le amministrazioni possono riservare una quota degli incarichi ai laureati in discipline scientifiche, tecnologiche, ingegneristiche e matematiche.

15-*bis*. Al fine di garantire all'Agenzia per la coesione territoriale la piena operatività organizzativa e funzionale in relazione ai compiti connessi con l'attuazione degli interventi del programma Next Generation EU e della programmazione cofinanziata dai fondi strutturali per il ciclo di programmazione 2021-2027, fino al 2027 gli incarichi di funzione dirigenziale di livello generale previsti nella dotazione organica dell'Agenzia possono essere conferiti a dirigenti di seconda fascia appartenenti ai ruoli della medesima Agenzia in deroga al limite percentuale di cui all'articolo 19, comma 4, del decreto legislativo 30 marzo 2001, n. 165.

15-*ter*. All'articolo 1, comma 179, della legge 30 dicembre 2020, n. 178, sono apportate le seguenti modificazioni:

a) dopo le parole: "correlate professionalità" sono inserite le seguenti: "o di adeguato titolo di studio coerente con i profili da selezionare";

b) è aggiunto, in fine, il seguente periodo: "Al personale reclutato è assicurata, a cura dell'Agenzia per la coesione territoriale e nei limiti delle risorse disponibili di cui al presente comma, una formazione specifica in relazione ai profili rivestiti e alle funzioni da svolgere".

15-*quater*. All'articolo 10, comma 4, del decreto-legge 1° aprile 2021, n. 44, convertito, con modificazioni, dalla legge 28 maggio 2021, n. 76, le parole: "anche ai fini dell'ammissione alle successive fasi, il cui punteggio concorre alla formazione del punteggio finale" sono sostituite dalle seguenti: "ai fini del punteggio finale" e dopo il terzo periodo è inserito il seguente:

"Il bando può prevedere che il punteggio per il titolo di studio richiesto per l'accesso sia aumentato fino al doppio, qualora il titolo di studio sia stato conseguito non oltre quattro anni prima del termine ultimo per la presentazione della domanda di partecipazione alla procedura di reclutamento".

15-*quinquies*. All'articolo 2, comma 5, della legge 19 giugno 2019, n. 56, sono apportate le seguenti modificazioni:

a) le parole: "Per l'attuazione degli interventi previsti ai commi 1 e 4 nonché" sono soppresse;

b) dopo le parole: "concorsi pubblici" sono inserite le seguenti: "nonché di assistere gli enti locali nell'organizzazione delle procedure concorsuali anche ai sensi dell'articolo 10 del decreto-legge 1° aprile 2021, n. 44, convertito, con modificazioni, dalla legge 28 maggio 2021, n. 76".

16. Alle attività di cui al presente articolo il Dipartimento della funzione pubblica provvede con le risorse umane, strumentali e finanziarie disponibili a legislazione vigente.

17. Per la realizzazione degli investimenti di cui hanno la diretta titolarità di attuazione, le disposizioni

del presente articolo si applicano, con la procedura di cui al comma 1, anche alle pubbliche amministrazioni titolari di interventi finanziati esclusivamente a carico del Piano nazionale per gli investimenti complementari al PNRR, di cui all'articolo 1 del decreto-legge 6 maggio 2021, n. 59, convertito, con modificazioni, dalla legge 1° luglio 2021, n. 101,limitatamente agli incarichi di collaborazione di cui al comma 5, lettera *a*), necessari all'assistenza tecnica. Fermo restando quanto previsto al comma 1, le disposizioni di cui al presente articolo costituiscono principi fondamentali ai sensi del l'articolo 117, terzo comma, della Costituzione.

17-*bis*. I bandi delle procedure di reclutamento e di mobilità del personale pubblico sono pubblicati sul portale del reclutamento secondo lo schema predisposto dal Dipartimento della funzione pubblica. Il portale garantisce l'acquisizione della documentazione relativa a tali procedure da parte delle amministrazioni pubbliche in formato aperto e organizza la pubblicazione in modo accessibile e ricercabile secondo parametri utili ai cittadini che intendono partecipare a tali procedure. All'attuazione delle disposizioni del presente comma si provvede nell'ambito delle risorse umane, finanziarie e strumentali disponibili a legislazione vigente e, comunque, senza nuovi o maggiori oneri per la finanza pubblica.

(*) *Le parole « e i soggetti attuatori di interventi previsti dal medesimo Piano » sono state inserite dall'art. 10, comma 3, d.l. 30 aprile 2022, n. 36, in corso di conversione in legge.*

(**) *Le parole « all'articolo 35-*quater *del decreto legislativo 30 marzo 2001, n. 165, » sono state sostituite alle parole « all'articolo 10 del decreto-legge 1° aprile 2021, n. 44, convertito, con modificazioni, dalla legge 28 maggio 2021, n.76, » dall'art. 3, comma 3, d.l. n. 36, cit.*

(***) *Periodo inserito dall'art. 19-*ter*, comma 3 d.l. 21 marzo 2022, n. 21, conv., con modif., in l. 20 maggio 2021, n. 51.*

6 Piano integrato di attività e organizzazione.

1. Per assicurare la qualità e la trasparenza dell'attività amministrativa e migliorare la qualità dei servizi ai cittadini e alle imprese e procedere alla costante e progressiva semplificazione e reingegnerizzazione dei processi anche in materia di diritto di accesso, le pubbliche amministrazioni, con esclusione delle scuole di ogni ordine e grado e delle istituzioni educative, di cui all'articolo 1, comma 2, del decreto legislativo 30 marzo 2001, n. 165, con più di cinquanta dipendenti, entro il 31 gennaio di ogni anno adottano il Piano integrato di attività e organizzazione, di seguito denominato Piano, nel rispetto delle vigenti discipline di settore e, in particolare, del decreto legislativo 27 ottobre 2009, n. 150 e della legge 6 novembre 2012, n. 190.

2. Il Piano ha durata triennale, viene aggiornato annualmente e definisce:

a) gli obiettivi programmatici e strategici della performance secondo i principi e criteri direttivi di cui all'articolo 10 del decreto legislativo 27 ottobre 2009, n. 150, stabilendo il necessario collegamento della performance individuale ai risultati della performance organizzativa.

b) la strategia di gestione del capitale umano e di sviluppo organizzativo, anche mediante il ricorso al lavoro agile, e gli obiettivi formativi annuali e pluriennali, finalizzati ai processi di pianificazione secondo le logiche del project management, al raggiungimento della completa alfabetizzazione digitale, allo sviluppo delle conoscenze tecniche e delle competenze trasversali e manageriali e all'accrescimento culturale e dei titoli di studio del personale, correlati all'ambito d'impiego e alla progressione di carriera del personale;

c) compatibilmente con le risorse finanziarie riconducibili al piano triennale dei fabbisogni di personale, di cui all'articolo 6 del decreto legislativo 30 marzo 2001, n. 165, gli strumenti e gli obiettivi del reclutamento di nuove risorse e della valorizzazione delle risorse interne, prevedendo, oltre alle forme di reclutamento ordinario, la percentuale di posizioni disponibili nei limiti stabiliti dalla legge destinata alle progressioni di carriera del personale, anche tra aree diverse, e le modalità di valorizzazione a tal fine dell'esperienza professionale maturata e dell'accrescimento culturale conseguito anche attraverso le attività poste in essere ai sensi della lettera *b*), assicurando adeguata informazione alle organizzazioni sindacali.

d) gli strumenti e le fasi per giungere alla piena trasparenza dei risultati dell'attività e dell'organizzazione amministrativa nonché per raggiungere gli obiettivi in materia di contrasto alla corruzione, secondo quanto previsto dalla normativa vigente in materia e in conformità agli indirizzi adottati dall'Autorità nazionale anticorruzione (ANAC) con il Piano nazionale anticorruzione.

e) l'elenco delle procedure da semplificare e reingegnerizzare ogni anno, anche mediante il ricorso alla tecnologia e sulla base della consultazione degli utenti, nonché la pianificazione delle attività inclusa la graduale misurazione dei tempi effettivi di completamento delle procedure effettuata attraverso strumenti automatizzati;

f) le modalità e le azioni finalizzate a realizzare la piena accessibilità alle amministrazioni, fisica e digitale, da parte dei cittadini ultrasessantacinquenni e dei cittadini con disabilità;

g) le modalità e le azioni finalizzate al pieno rispetto della parità di genere, anche con riguardo alla composizione delle commissioni esaminatrici dei concorsi.

3. Il Piano definisce le modalità di monitoraggio degli esiti, con cadenza periodica, inclusi gli impatti sugli utenti, anche attraverso rilevazioni della soddisfazione degli utenti stessi mediante gli strumenti di cui al decreto legislativo 27 ottobre 2009, n. 150, nonché le modalità di monitoraggio dei procedimenti attivati ai sensi del decreto legislativo 20 dicembre 2009, n. 198.

4. Le pubbliche amministrazioni di cui al comma 1 del presente articolo pubblicano il Piano e i relativi aggiornamenti entro il 31 gennaio di ogni anno nel proprio sito internet istituzionale e li inviano al Dipartimento della funzione pubblica della Presidenza del Consiglio dei ministri per la pubblicazione sul relativo portale.

5. Entro il 31 marzo 2022, con uno o più decreti del Presidente della Repubblica, adottati ai sensi dell'articolo 17, comma 2, della legge 23 agosto 1988, n. 400, previa intesa in sede di Conferenza unificata, ai sensi dell'articolo 9, comma 2, del decreto legislativo 28 agosto 1997, n. 281, sono individuati e abrogati gli adem-

pimenti relativi ai piani assorbiti da quello di cui al presente articolo.

6. Entro il medesimo termine di cui al comma 5, con decreto del Ministro per la pubblica amministrazione, di concerto con il Ministro dell'economia e delle finanze, previa intesa in sede di Conferenza unificata, ai sensi dell'articolo 9, comma 2, del decreto legislativo 28 agosto 1997, n. 281, è adottato un Piano tipo, quale strumento di supporto alle amministrazioni di cui al comma 1. Nel Piano tipo sono definite modalità semplificate per l'adozione del Piano di cui al comma 1 da parte delle amministrazioni con meno di cinquanta dipendenti.

6-*bis*. In sede di prima applicazione il Piano è adottato **entro il 30 giugno 2022** (*) e fino al predetto termine non si applicano le sanzioni previste dalle seguenti disposizioni:

a) articolo 10, comma 5, del decreto legislativo 27 ottobre 2009, n. 150;

b) articolo 14, comma 1, della legge 7 agosto 2015, n. 124;

c) articolo 6, comma 6, del decreto legislativo 30 marzo 2001, n. 165.

7. In caso di mancata adozione del Piano trovano applicazione le sanzioni di cui all'articolo 10, comma 5, del decreto legislativo 27 ottobre 2009, n. 150, ferme restando quelle previste dall'articolo 19, comma 5, lettera *b*), del decreto-legge 24 giugno 2014, n. 90, convertito, con modificazioni, dalla legge 11 agosto 2014, n. 114.

7-*bis*. Le Regioni, per quanto riguarda le aziende e gli enti del Servizio sanitario nazionale, adeguano i rispettivi ordinamenti ai principi di cui al presente articolo e ai contenuti del Piano tipo definiti con il decreto di cui al comma 6 (**).

8. All'attuazione delle disposizioni di cui al presente articolo le amministrazioni interessate provvedono con le risorse umane, strumentali e finanziarie disponibili a legislazione vigente. Gli enti locali con meno di 15.000 abitanti provvedono al monitoraggio dell'attuazione del presente articolo e al monitoraggio delle performance organizzative anche attraverso l'individuazione di un ufficio associato tra quelli esistenti in ambito provinciale o metropolitano, secondo le indicazioni delle Assemblee dei sindaci o delle Conferenze metropolitane.

(*) *Le parole « entro il 30 giugno 2022 » sono state sostituite alle parole « entro il 30 aprile 2022 » dall'art. 7, comma 1, lett.* a), *n. 1) d.l. 30 aprile 2022, n. 36, in corso di conversione in legge.*

(**) *Comma inserito dall'art. 7, comma 1, lett.* a), *n. 2) d.l. n. 36, cit.*

7 Reclutamento di personale nelle amministrazioni assegnatarie di progetti.

1. Per la realizzazione delle attività di coordinamento istituzionale, gestione, attuazione, monitoraggio e controllo del PNRR di cui al decreto-legge 31 maggio 2021, n. 77, entro trenta giorni dall'entrata in vigore del presente decreto, il Dipartimento della funzione pubblica della Presidenza del Consiglio dei ministri indice un concorso pubblico ai sensi dell'articolo 1, comma 4, per il reclutamento di un contingente complessivo di cinquecento unità di personale non dirigenziale a tempo determinato per un periodo anche superiore a trentasei mesi, ma non eccedente la durata di completamento del PNRR e comunque non eccedente il 31 dicembre 2026, da inquadrare nell'Area III, posizione economica F1, nei profili professionali economico, giuridico, informatico, statistico-matematico, ingegneristico, ingegneristico gestionale, delle quali 80 unità da assegnare, per i profili indicati nella tabella 1, di cui all'Allegato IV al presente decreto, al Ministero dell'economia e delle finanze-Dipartimento della ragioneria generale dello Stato, e le restanti da ripartire con decreto del Presidente del Consiglio dei ministri, adottato su proposta del Ministro dell'economia e delle finanze, tra le amministrazioni centrali deputate allo svolgimento delle predette attività, individuate dal medesimo decreto del Presidente del Consiglio dei ministri. Con decreto del Presidente del Consiglio dei ministri, su proposta del Ministro dell'economia e delle finanze, si provvede alla individuazione delle amministrazioni di cui all'articolo 8, comma 1, del decreto-legge 31 maggio 2021, n. 77.

2. Al fine di garantire l'integrale copertura dei posti di cui al comma 1 e fino ad ulteriori 300 unità a valere sulle vigenti facoltà assunzionali, è autorizzato lo scorrimento delle graduatorie del concorso di cui al medesimo comma 1, che rimangono efficaci per la durata dell'attuazione del PNRR, nonché delle vigenti graduatorie di concorsi pubblici, relative all'assunzione di personale con contratto sia a tempo determinato sia a tempo indeterminato.

3. Le assunzioni di personale di cui al comma 1, da selezionare anche avvalendosi della Commissione per l'attuazione del Progetto di Riqualificazione delle Pubbliche Amministrazioni (RIPAM) di cui all'articolo 35, comma 5, del decreto legislativo 30 marzo 2001, n. 165, sono effettuate in deroga ai limiti di spesa di cui all'articolo 9, comma 28, del decreto-legge 31 maggio 2010, n. 78, convertito, con modificazioni, dalla legge 30 luglio 2010, n. 122 e non sono computate ai fini della consistenza della dotazione organica.

3-*bis*. Le amministrazioni di cui al comma 1, nelle successive procedure di selezione per il personale a tempo indeterminato, possono prevedere, nei soli concorsi pubblici per l'accesso alle qualifiche dell'Area funzionale III, una riserva di posti in favore del personale assunto ai sensi del medesimo comma 1, in misura non superiore al 50 per cento.

4. Per le attività di monitoraggio e rendicontazione del PNRR di cui all'articolo 6 del decreto-legge 31 maggio 2021, n. 77, il Dipartimento della Ragioneria Generale dello Stato può avvalersi di un contingente di esperti di comprovata qualificazione professionale fino a un importo massimo di euro 50.000 lordi annui per singolo incarico, entro il limite di spesa complessivo di euro 167.000 per l'anno 2021 e di euro 500.000 per ciascuno degli anni 2022, 2023, 2024, 2025 e 2026. Al fine di assicurare la più efficace e tempestiva attuazione degli interventi del PNRR, nello stato di previsione del Ministero dell'economia e delle finanze è istituito un fondo da ripartire con decreto del Presidente del Consiglio dei ministri, su proposta del Ministro dell'economia e delle finanze con una dotazione di euro 2.668.000 per l'anno 2021 e di euro 8.000.000 per cia-

scuno degli anni 2022, 2023, 2024, 2025 e 2026, tra le restanti amministrazioni di cui al comma 1, che possono avvalersi di un contingente di esperti di comprovata qualificazione professionale nelle materie oggetto degli interventi per un importo massimo di 50.000 euro lordi annui per singolo incarico. Gli incarichi di cui al presente comma sono conferiti **[ai sensi dell'articolo 7, comma 6, del decreto legislativo 30 marzo 2001, n. 165]** (*) e con le modalità di cui all'articolo 1 del presente decreto, per la durata massima di trentasei mesi. Con le medesime modalità di cui all'articolo 1 del presente decreto sono conferiti gli incarichi di cui all'articolo 2, comma 13-*bis*, del decreto-legge 19 maggio 2020, n. 34, convertito, con modificazioni, dalla legge 17 luglio 2020, n. 77.

5. Il Dipartimento della Ragioneria Generale dello Stato assicura la formazione del personale assunto ai sensi del comma 1. A tal fine è autorizzata la spesa di euro 865.000 per l'anno 2021.

6. Per l'attuazione delle disposizioni di cui al presente articolo è autorizzata la spesa di euro 12.600.000 per l'anno 2021 e di euro 35.198.000 per ciascuno degli anni dal 2022 al 2026. Ai relativi oneri si provvede mediante corrispondente riduzione dello stanziamento del Fondo speciale di parte corrente iscritto, ai fini del bilancio triennale 2021 - 2023, nell'ambito del programma « Fondi di riserva e speciali », della missione « Fondi da ripartire » dello stato di previsione del Ministero dell'economia e delle finanze per l'anno 2021, allo scopo parzialmente utilizzando l'accantonamento relativo al medesimo Ministero.

6-*bis*. La facoltà di cui all'articolo 5-*bis*, comma 2, del decreto-legge 30 dicembre 2019, n. 162, convertito, con modificazioni, dalla legge 28 febbraio 2020, n. 8, può essere esercitata anche dai dirigenti medici di ruolo presso i presidi sanitari delle amministrazioni di cui all'articolo 1, comma 2, del decreto legislativo 30 marzo 2001, n. 165.

(*) *Le parole tra parentesi quadre sono state soppresse dall'art. 7, comma 1, lett.* b) *d.l. 30 aprile 2022, n. 36, in corso di conversione in legge.*

9 Conferimento di incarichi di collaborazione per il supporto ai procedimenti amministrativi connessi all'attuazione del PNRR.

1. Con decreto del Presidente del Consiglio dei ministri, adottato su proposta del Ministro per la pubblica amministrazione di concerto con il Ministro dell'economia e delle finanze, con il Ministro per gli affari regionali e le autonomie e con il Ministro per il Sud e la coesione territoriale, previa intesa in sede di Conferenza unificata di cui all'articolo 8 del decreto legislativo 28 agosto 1997, n. 281, fatte salve le assunzioni a tempo determinato di cui all'articolo 1, commi 1 e 4, per il conferimento, ai sensi dell'articolo 1, comma 5, lettera *a*), da parte delle regioni e delle province autonome di Trento e Bolzano, di incarichi di collaborazione a professionisti ed esperti, nel numero minimo di mille unità, per il supporto ai predetti enti e agli enti locali nella gestione delle procedure complesse, tenendo conto del relativo livello di coinvolgimento nei procedimenti amministrativi connessi all'attuazione del PNRR, sono ripartite le risorse finanziarie nel limite massimo di euro 38.800.000 per l'anno 2021, di euro 106.800.000 per ciascuno degli anni 2022 e 2023 e di euro 67.900.000 per l'anno 2024.

2. I reclutamenti di cui al comma 1 sono autorizzati subordinatamente all'approvazione del PNRR da parte della Commissione europea. Ai relativi oneri pari a euro 38.800.000 per l'anno 2021, euro 106.800.000 per ciascuno degli anni 2022 e 2023 ed euro 67.900.000 per l'anno 2024, si provvede a valere sul Fondo di rotazione per l'attuazione del Next Generation EU-Italia di cui all'articolo 1, comma 1037, della legge 30 dicembre 2020, n. 178, secondo le modalità di cui ai commi da 1038 a 1050 del medesimo articolo 1.

2-*bis*. Con decreto del Ministro della pubblica amministrazione di concerto con il Ministro dell'economia e delle finanze e con il Ministro per gli affari regionali e le autonomie, adottato previa intesa in sede di Conferenza unificata di cui all'articolo 8 del decreto legislativo 28 agosto 1997, n. 281, sono ripartite le risorse di cui al decreto del Ministro dell'economia e delle finanze 6 agosto 2021, pubblicato nella Gazzetta ufficiale n. 229 del 24 settembre 2021, residue e non impegnate pari a 48.100.000,00 euro a valere sulle risorse complessive destinate dal Sub-investimento 2.2.1 "Assistenza tecnica a livello centrale e locale" della misura M1C1 pari a 368.400.000,00 euro, destinandole, quanto a 30 milioni di euro al conferimento, da parte delle amministrazioni attuatrici, di ulteriori incarichi professionali da effettuarsi con le modalità e i criteri già definiti con il medesimo decreto di cui al comma 1 e, quanto a 18.100.000,00 euro, alla realizzazione di attività per il coordinamento e il rafforzamento delle attività operative di governance del progetto di cui al medesimo comma 1, mediante la realizzazione, presso il Dipartimento della funzione pubblica, di un Portale di progetto e di una Unità centrale, che cessa entro il 31 dicembre 2026, composta da professionisti ed esperti reclutati ai sensi dell'articolo 1, dedicata al raccordo dell'attività dei pool territoriali, alla misurazione dei tempi e alla verifica dei risultati, alla raccolta di evidenze su oneri amministrativi rilevati a livello regionale e nazionale, all'elaborazione di proposte di interventi di semplificazione, nonché al supporto ai lavori del Tavolo di coordinamento istituito dal decreto del Presidente del Consiglio dei ministri di cui al comma 1. L'amministrazione titolare dell'intervento è il Dipartimento della funzione pubblica quale Amministrazione centrale responsabile del sub-investimento 2.2.1 della misura M1C1; resta ferma l'applicazione delle disposizioni inerenti all'attuazione del PNRR, ivi comprese quelle riferite alla rendicontazione, monitoraggio e controllo (*).

(*) *Comma inserito dall'art. 7, comma 1, lett.* c) *d.l. 30 aprile 2022, n. 36, in corso di conversione in legge.*

11 Addetti all'ufficio per il processo.

1. Al fine di supportare le linee di progetto ricomprese nel PNRR e, in particolare, per favorire la piena

operatività delle strutture organizzative denominate ufficio per il processo, costituite ai sensi dell'articolo 16-*octies* del decreto-legge 18 ottobre 2012, n. 179, convertito con modificazioni, dalla legge 17 dicembre 2012, n. 221, e assicurare la celere definizione dei procedimenti giudiziari, in deroga a quanto previsto dall'articolo 36 del decreto legislativo 30 marzo 2001, n. 165, il Ministero della giustizia richiede alla Commissione RIPAM, che può avvalersi di Formez PA, di avviare procedure di reclutamento nel periodo 2021-2024, in due scaglioni, di un contingente massimo di 16.500 unità di addetti all'ufficio per il processo, con contratto di lavoro a tempo determinato, **non rinnovabile,** (*) della durata massima di due anni e sette mesi per il primo scaglione e di due anni per il secondo. Nell'ambito di tale contingente, alla corte di cassazione sono destinati addetti all'ufficio per il processo in numero non superiore a 400, da assegnarsi in virtù di specifico progetto organizzativo del primo presidente della corte di cassazione, con l'obiettivo prioritario del contenimento della pendenza nel settore civile e del contenzioso tributario. Al fine di supportare le linee di progetto di competenza della Presidenza del Consiglio dei Ministri ricomprese nel PNRR, e in particolare per favorire la piena operatività delle strutture organizzative denominate ufficio per il processo costituite ai sensi dell'articolo 53-*ter* della legge 27 aprile 1982, n. 186, il Segretariato generale della Giustizia amministrativa, di seguito indicato con l'espressione "Giustizia amministrativa", per assicurare la celere definizione dei processi pendenti alla data del 31 dicembre 2019, in deroga a quanto previsto dall'articolo 36 del decreto legislativo 30 marzo 2001, n. 165, è autorizzato ad avviare le procedure di reclutamento, in due scaglioni, di un contingente massimo di 326 unità di addetti all'ufficio per il processo, con contratto di lavoro a tempo determinato, non rinnovabile, della durata massima di due anni e sei mesi, così ripartito: 250 unità complessive per i profili di cui al comma 3, lettere *a*), *b*) e *c*), e 76 unità per il profilo di cui al comma 3, lettera *d*). I contingenti di personale di cui al presente comma non sono computati ai fini della consistenza della dotazione organica rispettivamente del Ministero della giustizia e della Giustizia amministrativa. L'assunzione del personale di cui al presente comma è autorizzata subordinatamente all'approvazione del PNRR da parte del Consiglio dell'Unione europea ai sensi dell'articolo 20, paragrafo 1, del regolamento (UE) 2021/241 del Parlamento europeo e del Consiglio del 12 febbraio 2021.

2. Il personale da assumere nell'amministrazione della giustizia ordinaria ai sensi del comma 1 deve essere in possesso del diploma di laurea in giurisprudenza ovvero, per una quota dei posti a concorso da indicarsi nel bando, del diploma di laurea in economia e commercio o in scienze politiche o titoli equipollenti o equiparati. In deroga a quanto previsto dagli articoli 2, comma 2, 40 e 45 del decreto legislativo 30 marzo 2001, n. 165, la declaratoria del profilo professionale degli addetti all'ufficio per il processo, comprensiva di specifiche e contenuti professionali, è determinata secondo quanto previsto dall'Allegato II, numero 1. Per quanto attiene al trattamento economico fondamentale ed accessorio e ad ogni istituto contrattuale, in quanto applicabile, gli addetti all'ufficio per il processo sono equiparati ai profili dell'area III, posizione economica F1. Il Ministero della giustizia, sentite le organizzazioni sindacali maggiormente rappresentative, può stabilire, anche in deroga a quanto previsto dalla contrattazione collettiva, particolari forme di organizzazione e di svolgimento della prestazione lavorativa, con riferimento al lavoro agile e alla distribuzione flessibile dell'orario di lavoro.

2-*bis*. L'assunzione di cui al presente articolo configura causa di incompatibilità con l'esercizio della professione forense e comporta la sospensione dall'esercizio dell'attività professionale per tutta la durata del rapporto di lavoro con l'amministrazione pubblica. L'avvocato e il praticante avvocato devono dare comunicazione dell'assunzione di cui al primo periodo al consiglio dell'ordine presso il quale risultino iscritti. La mancata comunicazione costituisce causa ostativa alla presa di possesso nell'ufficio per il processo. Ai soli fini del conseguimento del certificato di compiuta pratica, il praticante avvocato può ricongiungere il periodo già svolto a titolo di pratica forense a quello di svolgimento della funzione di addetto all'ufficio per il processo, anche nel caso in cui l'ufficio o la sede siano diversi rispetto a quella del consiglio dell'ordine presso il quale risulti iscritto (**).

3. Il contingente di cui al comma 1, la cui procedura di assunzione è gestita dalla Giustizia amministrativa, è composto dai seguenti profili professionali:

a) funzionari amministrativi - area III - posizione economica F1;

b) funzionari informatici - area III - posizione economica F1;

c) funzionari statistici - area III - posizione economica F1;

d) assistenti informatici - area II - posizione economica F2.

4. Il servizio prestato con merito e debitamente attestato al termine del rapporto di lavoro a tempo determinato di cui al comma 1, e, per la Giustizia amministrativa, limitatamente al personale di cui al comma 3, lettera *a*), qualora la prestazione lavorativa sia stata svolta per l'intero periodo sempre presso la sede di prima assegnazione:

a) costituisce titolo per l'accesso al concorso per magistrato ordinario, a norma dell'articolo 2 del decreto legislativo 5 aprile 2006, n. 160;

b) equivale ad un anno di tirocinio professionale per l'accesso alle professioni di avvocato e di notaio;

c) equivale ad un anno di frequenza dei corsi della scuola di specializzazione per le professioni legali, fermo il superamento delle verifiche intermedie e delle prove finali d'esame di cui all'articolo 16 del decreto legislativo 17 novembre 1997, n. 398;

d) costituisce titolo di preferenza per l'accesso alla magistratura onoraria ai sensi dell'articolo 4, comma 3, del decreto legislativo 13 luglio 2017, n. 116.

5. L'amministrazione giudiziaria, nelle successive procedure di selezione per il personale a tempo indeterminato, può prevedere l'attribuzione di un punteggio aggiuntivo in favore dei candidati in possesso del-

l'attestazione di cui al comma 4 ovvero, alternativamente, nei soli concorsi pubblici per le qualifiche della terza area professionale, prevedere una riserva in favore del personale assunto ai sensi del presente articolo, in misura non superiore al cinquanta per cento. L'amministrazione della Giustizia amministrativa, nelle successive procedure di selezione per il personale a tempo indeterminato, può prevedere l'attribuzione di un punteggio aggiuntivo in favore del personale che, al termine del rapporto di lavoro, abbia ricevuto, dal presidente dell'Ufficio giudiziario dove ha prestato servizio, un attestato di servizio prestato con merito.

6. (*Omissis*)

7. Per le finalità del presente articolo è autorizzata:

a) per la Giustizia ordinaria, la spesa di euro 360.142.195 per ciascuno degli anni 2022 e 2023, di euro 390.154.044 per l'anno 2024, di euro 360.142.195 per l'anno 2025 e di euro 180.071.098 per l'anno 2026, a cui si provvede mediante versamento di pari importo, nei corrispondenti anni, dai conti correnti di cui all'articolo 1, comma 1038, della legge 30 dicembre 2020, n. 178, all'entrata del bilancio dello Stato, per la successiva riassegnazione ai pertinenti capitoli di spesa dello stato di previsione del Ministero della giustizia;

b) per la Giustizia amministrativa la spesa di euro 8.458.696 per ciascuno degli anni 2022 e 2023, di euro 8.199.308 per l'anno 2024, di euro 7.939.920 per ciascuno degli anni 2025 e 2026, a cui si provvede a valere sul Fondo di rotazione per l'attuazione del Next Generation EU-Italia di cui all'articolo 1, comma 1037, della legge 30 dicembre 2020, n. 178, secondo le modalità di cui ai commi da 1038 a 1050 del medesimo articolo 1.

(*) *Le parole «, non rinnovabile, » sono state inserite dall'art. 7, comma 1, lett.* c) *d.l. 30 aprile 2022, n. 36, in corso di conversione in legge.*

(**) *Comma inserito dall'art. 33, comma 2, lett.* a) *d.l. 1° marzo 2022, n. 17, conv., con modif., in l. 27 aprile 2022, n. 34.*

17 Monitoraggio dell'impiego degli addetti all'ufficio per il processo e delle altre misure sul personale o e smaltimento dell'arretrato.

[1. Con uno o più decreti del Ministro della giustizia, di concerto con il Ministro dell'economia e delle finanze, sono indicate le procedure di monitoraggio, le risorse e le modalità necessarie ai fini della valutazione delle misure urgenti per la giustizia ordinaria di cui al presente capo nell'ambito del PNRR] (*).

2. Con apposito decreto del Presidente del Consiglio di Stato, da emanare entro cinquanta giorni dalla data di entrata in vigore del presente decreto, sentito il Consiglio di presidenza della Giustizia amministrativa, sono adottate le Linee guida per lo smaltimento dell'arretrato in tutti gli uffici della Giustizia amministrativa, con l'indicazione dei compiti degli Uffici per il processo, ivi inclusa la segnalazione degli affari meritevoli di priorità nella definizione, e del cronoprogramma dei risultati intermedi e finali da raggiungere.

3. Il personale addetto all'ufficio per il processo presta attività lavorativa esclusivamente per la riduzione dell'arretrato, ove necessario anche in modalità da remoto e con la dotazione informatica fornita dall'Amministrazione.

4. Le attività di segnalazione, individuate nelle Linee guida di cui al comma 2, possono essere svolte anche dal Segretariato generale della Giustizia amministrativa.

5. Ferme restando le udienze straordinarie annualmente individuate dal Consiglio di presidenza della Giustizia amministrativa ai sensi dell'articolo 16, comma 1, delle norme di attuazione del codice del processo amministrativo, di cui all'allegato 2 al decreto legislativo 2 luglio 2010, n. 104, al fine della trattazione dei procedimenti di cui all'articolo 11, comma 1, del presente decreto, sono programmate dal Consiglio di presidenza della Giustizia amministrativa ulteriori udienze straordinarie, in un numero necessario e sufficiente al fine di assicurare il raggiungimento degli obiettivi stabiliti, per la Giustizia amministrativa, dal PNRR. A tal fine, il Consiglio di presidenza della Giustizia amministrativa aggiorna il numero di affari da assegnare al presidente del collegio e ai magistrati componenti dei collegi. Il Presidente del Consiglio dei ministri, entro trenta giorni dalla data di entrata in vigore della legge di conversione del presente decreto, adegua alle finalità del PNRR, sentito il Consiglio di presidenza della Giustizia amministrativa, il decreto previsto dall'articolo 16, comma 1, delle norme di attuazione del codice del processo amministrativo, di cui all'allegato 2 al decreto legislativo 2 luglio 2010, n. 104.

6. La partecipazione dei magistrati alle udienze straordinarie di cui al comma 5 è su base volontaria. Le udienze si svolgono da remoto. Non possono essere assegnati alle udienze straordinarie di smaltimento gli affari di cui agli articoli da 112 a 117 del codice del processo amministrativo, di cui all'allegato 1 al decreto legislativo 2 luglio 2010, n. 104. La partecipazione dei magistrati alle udienze straordinarie di cui al comma 5 costituisce criterio preferenziale, da parte del Consiglio di presidenza della Giustizia amministrativa, nell'assegnazione degli incarichi conferiti d'ufficio.

7. Per evitare la formazione di nuovo arretrato, al decreto legislativo 2 luglio 2010, n. 104, sono apportate le seguenti modificazioni:

(*Omissis*)

(*) *Comma abrogato dall'art. 48, comma 1, lett.* a) *d.l. 30 aprile 2022, n. 36, in corso di conversione in legge.*

7. Decreto legge 27 gennaio 2022, n. 4, convertito, con modificazioni, in legge 28 marzo 2022, n. 25. — Misure urgenti in materia di sostegno alle imprese e agli operatori economici, di lavoro, salute e servizi territoriali, connesse all'emergenza da COVID-19, nonché per il contenimento degli effetti degli aumenti dei prezzi nel settore elettrico.

Pubblicato nella Gazzetta Ufficiale n. 21 del 27 gennaio 2022; la legge di conversione è stata pubblicata nella Gazzetta Ufficiale n. 73 del 28 marzo 2022.

29 Disposizioni urgenti in materia di contratti pubblici (*).

(*) *Ai sensi dell'art. 23, comma 3-bis d.l. 21 marzo 2022, n. 21, conv., con modif., in l. 20 maggio 2021, n. 51, il presente articolo si interpreta « nel senso che le disposizioni ivi contenute per gli appaltatori si applicano, alle medesime condizioni, anche ai contraenti generali, anche in deroga a quanto previsto dai contratti o convenzioni ».*

8. Decreto legge 21 marzo 2022, n. 21, convertito, con modificazioni, in legge 20 maggio 2022, n. 51. — Misure urgenti per contrastare gli effetti economici e umanitari della crisi ucraina.

Pubblicato nella Gazzetta Ufficiale n. 67 del 21 marzo 2022; la legge di conversione è stata pubblicata nella Gazzetta Ufficiale n. 117 del 20 maggio 2022.

23 Revisione dei prezzi.

1. Al fine di mitigare gli effetti economici derivanti dagli aumenti eccezionali dei prezzi di alcuni materiali da costruzione, nonché dei carburanti e dei prodotti energetici, il Ministero delle infrastrutture e della mobilità sostenibili, in relazione alle domande di accesso al Fondo per l'adeguamento dei prezzi di cui all'articolo 1-septies, comma 8, del decreto-legge 25 maggio 2021, n. 73, convertito, con modificazioni, dalla legge 23 luglio 2021, n. 106, può riconoscere, nel limite complessivo del 50 per cento delle risorse del medesimo Fondo e nelle more dello svolgimento dell'attività istruttoria relativa alle istanze di compensazione presentate secondo le modalità di cui al citato comma 8, un'anticipazione pari al 50 per cento dell'importo richiesto in favore dei soggetti di cui al comma 7 del medesimo articolo 1-septies ed all'articolo 25, comma 8, del decreto-legge 1° marzo 2022, n. 17. All'esito dell'attività istruttoria di cui al periodo precedente, il Ministero delle infrastrutture e della mobilità sostenibili può disporre la ripetizione totale o parziale dell'importo erogato a titolo di anticipazione, che è versato all'entrata del bilancio dello Stato per essere successivamente riassegnato al Fondo di cui all'articolo 1-septies, comma 8, del decreto-legge 25 maggio 2021, n. 73, convertito, con modificazioni, dalla legge 23 luglio 2021, n. 106 (*).

2. Al fine di fronteggiare gli aumenti eccezionali dei prezzi di alcuni materiali da costruzione:

a) il Fondo di cui all'articolo 7, comma 1, del decreto-legge 16 luglio 2020, n. 76, convertito, con modificazioni, dalla legge 11 settembre 2020, n. 120, è incrementato di 200 milioni di euro per l'anno 2022 interamente destinati alle compensazioni di cui all'articolo 29, comma 1, lettera *b*) del decreto-legge 27 gennaio 2022, n. 4, convertito, con modificazioni, dalla legge 28 marzo 2022, n. 25, per le opere pubbliche di cui al comma 8 del medesimo articolo 29;

b) la dotazione del Fondo di cui all'articolo 1-*septies*, comma 8, del decreto-legge 25 maggio 2021, n. 73, convertito, con modificazioni, dalla legge 23 luglio 2021, n. 106, è incrementata di 120 milioni di euro per l'anno 2022.

3. (*Omissis*).

3-*bis*. L'articolo 1-*septies* del decreto-legge 25 maggio 2021, n. 73, convertito, con modificazioni, dalla legge 23 luglio 2021, n. 106, l'articolo 29 del decreto-legge 27 gennaio 2022, n. 4, convertito, con modificazioni, dalla legge 28 marzo 2022, n. 25, e l'articolo 25 del decreto-legge 1° marzo 2022, n. 17, convertito, con modificazioni, dalla legge 27 aprile 2022, n. 34, si interpretano nel senso che le disposizioni ivi contenute per gli appaltatori si applicano, alle medesime condizioni, anche ai contraenti generali, anche in deroga a quanto previsto dai contratti o convenzioni.

(*) *Ai sensi dell'art. 26, comma 11 d.l. 17 maggio 2022, n. 50, in corso di conversione in legge, le disposizioni di cui al presente comma si applicano anche alle istanze di riconoscimento di contributi a valere sulle risorse del Fondo di cui al comma 4, lettera a) del medesimo art. 26 d.l. n. 50, cit.*

29 Rafforzamento della disciplina cyber.

1. Al fine di prevenire pregiudizi alla sicurezza delle reti, dei sistemi informativi e dei servizi informatici delle amministrazioni pubbliche di cui all'articolo 1, comma 2, del decreto legislativo 30 marzo 2001, n. 165, derivanti dal rischio che le aziende produttrici di prodotti e servizi tecnologici di sicurezza informatica legate alla Federazione Russa non siano in grado di fornire servizi e aggiornamenti ai propri prodotti appartenenti alle categorie individuate al comma 3, in conseguenza della crisi in Ucraina, nonché al fine di prevenire possibili pregiudizi per la sicurezza nazionale

nello spazio cibernetico, le medesime amministrazioni procedono tempestivamente alla diversificazione dei prodotti in uso.

2. Fermo restando quanto previsto dall'articolo 1, comma 2, lettera *a*), del decreto-legge 16 luglio 2020, n. 76, convertito, con modificazioni, dalla legge 11 settembre 2020, n. 120, le stazioni appaltanti, che procedono ai sensi del comma 1, provvedono all'acquisto di un ulteriore prodotto o servizio tecnologico di sicurezza informatica di cui al comma 3 e connessi servizi di supporto mediante gli strumenti di acquisto messi a disposizione dalle centrali di committenza, ovvero, laddove non sussistano o non siano comunque disponibili nell'ambito di tali strumenti, mediante la procedura negoziata senza previa pubblicazione del bando di cui all'articolo 63 del codice dei contratti pubblici, di cui al decreto legislativo 18 aprile 2016, n. 50, anche in deroga a quanto disposto dal comma 6, secondo periodo, del medesimo articolo 63.

2-*bis*. Al fine di garantire l'effettiva tempestività delle misure di cui ai commi 1 e 2:

a) le centrali di committenza di cui al comma 2, tramite gli organismi di direzione tecnica previsti per ciascuna convenzione o accordo quadro che abbia ad oggetto la fornitura di servizi e di prodotti atti a sostituire quelli di cui al comma 1, consentono l'aggiornamento delle offerte mediante l'inserimento di ulteriori prodotti idonei alle finalità di cui al presente articolo, di cui sia valutata la sostenibilità e che contribuiscano al conseguimento dell'autonomia tecnologica nazionale ed europea;

b) all'articolo 31-*bis*, comma 1, del decreto-legge 16 luglio 2020, n. 76, convertito, con modificazioni, dalla legge 11 settembre 2020, n. 120, le parole: "e che alla medesima data risultino esauriti" sono soppresse.

3. Ai fini di cui al comma 1, è adottata apposita circolare da parte dell'Agenzia per la cybersicurezza nazionale, anche sulla base degli elementi forniti nell'ambito del Nucleo per la cybersicurezza di cui all'articolo 8, comma 1, del decreto-legge 14 giugno 2021, n. 82, convertito, con modificazioni, dalla legge 4 agosto 2021, n. 109, nella composizione di cui al comma 4 del medesimo articolo 8, nella quale sono altresì indicate, ferma restando la responsabilità di ciascuna amministrazione, le principali raccomandazioni procedurali. Nella predetta circolare sono ricomprese, in particolare, le categorie di prodotti e servizi, ivi incluse le relative aziende produttrici o fornitrici, di cui al comma 1, tra quelle volte ad assicurare le seguenti funzioni di sicurezza:

a) sicurezza dei dispositivi (endpoint security), ivi compresi applicativi antivirus, antimalware ed « endpoint detection and response » (EDR);

b) « web application firewall » (WAF).

4. Dall'attuazione dei commi 1, 2 e 3 non derivano effetti che possano costituire presupposto per l'azione di responsabilità di cui all'articolo 1 della legge 14 gennaio 1994, n. 20. Le amministrazioni interessate provvedono agli adempimenti previsti dai commi 1, 2 e 3 con le risorse umane, finanziarie e strumentali disponibili a legislazione vigente.

(*Omissis*).

30 Disposizioni in tema di approvvigionamento di materie prime critiche.

1. Con decreto del Presidente del consiglio dei Ministri, su proposta del Ministero dello sviluppo economico e del Ministero degli affari esteri e della cooperazione internazionale, sulla base della rilevanza per l'interesse nazionale e del pregiudizio che deriverebbe dall'operazione, anche in relazione alla necessità di approvvigionamento di filiere produttive strategiche, sono individuate [,] le materie prime critiche, per le quali le operazioni di esportazione al di fuori dell'Unione europea sono soggette alla procedura di notifica di cui al comma 2. I rottami ferrosi, anche non originari dell'Italia, costituiscono materie prime critiche e la loro esportazione è soggetta all'obbligo di notifica di cui al comma 2.

2. I soggetti che intendono esportare dal territorio nazionale, direttamente o indirettamente, fuori dall'Unione europea le materie prime critiche individuate ai sensi del comma 1 o i rottami ferrosi di cui al medesimo comma 1 hanno l'obbligo di notificare, almeno venti giorni prima dell'avvio dell'operazione, al Ministero dello sviluppo economico e al Ministero degli affari esteri e della cooperazione internazionale una informativa completa dell'operazione.

3. Salvo che il fatto costituisca reato, chiunque non osservi l'obbligo di cui al comma 2 è soggetto a una sanzione amministrativa pecuniaria pari al 30 per cento del valore dell'operazione e comunque non inferiore a euro 30.000 per ogni singola operazione.

4. Le misure di cui al presente articolo si applicano fino al 31 luglio 2022.

5. Dall'attuazione del presente articolo non devono derivare nuovi o maggiori oneri a carico della finanza pubblica. Le amministrazioni provvedono alle attività di controllo previste dal presente articolo avvalendosi delle risorse umane, finanziarie e strumentali disponibili a legislazione vigente.

37 Contributo straordinario contro il caro bollette.

1. Al fine di contenere per le imprese e i consumatori gli effetti dell'aumento dei prezzi e delle tariffe del settore energetico, è istituito, per l'anno 2022, un contributo a titolo di prelievo solidaristico straordinario, determinato ai sensi del presente articolo, a carico dei soggetti che esercitano nel territorio dello Stato, per la successiva vendita dei beni, l'attività di produzione di energia elettrica, dei soggetti che esercitano l'attività di produzione di gas metano o di estrazione di gas naturale, dei soggetti rivenditori di energia elettrica, di gas metano e di gas naturale e dei soggetti che esercitano l'attività di produzione, distribuzione e commercio di prodotti petroliferi. Il contributo è dovuto, altresì, dai soggetti che, per la successiva rivendita, importano a titolo definitivo energia elettrica, gas naturale o gas metano, prodotti petroliferi o che introducono nel territorio dello Stato detti beni provenienti da altri Stati dell'Unione europea. Il contributo non è dovuto dai soggetti che svolgono l'attività di organizzazione e ge-

stione di piattaforme per lo scambio dell'energia elettrica, del gas, dei certificati ambientali e dei carburanti.

2. La base imponibile del contributo solidaristico straordinario è costituita dall'incremento del saldo tra le operazioni attive e le operazioni passive, riferito al **periodo dal 1° ottobre 2021 al 30 aprile 2022, rispetto al saldo del periodo dal 1° ottobre 2020 al 30 aprile 2021** (*). In caso di saldo negativo del periodo dal 1° ottobre 2020 al 31 marzo 2021, ai fini del calcolo della base imponibile per tale periodo è assunto un valore di riferimento pari a zero. Il contributo si applica **nella misura del 25 per cento** (*) nei casi in cui il suddetto incremento sia superiore a euro 5.000.000. Il contributo non è dovuto se l'incremento è inferiore al 10 per cento.

3. Ai fini del calcolo del saldo di cui al comma 2, si assume il totale delle operazioni attive, al netto dell'IVA, e il totale delle operazioni passive, al netto dell'IVA, indicato nelle Comunicazioni dei dati delle liquidazioni periodiche IVA, presentate, ai sensi dell'articolo 21-bis del decreto-legge 31 maggio 2010, n. 78, convertito, con modificazioni, dalla legge 30 luglio 2010, n. 122, per i periodi indicati al comma 2.

4. I soggetti tenuti al pagamento del contributo ai sensi del comma 1, che partecipano a un gruppo IVA costituito ai sensi dell'articolo 70-*quater* del decreto del Presidente della Repubblica 26 ottobre 1972, n. 633, per determinare i saldi di cui al comma 2 del presente articolo, assumono i dati delle fatture emesse e ricevute dal Gruppo IVA che riportano il codice fiscale dei suddetti soggetti, secondo quanto previsto dall'articolo 3 del decreto del Ministro dell'Economia e delle Finanze 6 aprile 2018, pubblicato nella Gazzetta Ufficiale della Repubblica italiana n. 90 del 18 aprile 2018 e, per le operazioni effettuate tra i soggetti partecipanti al Gruppo IVA, i dati risultanti dalle scritture contabili tenute ai sensi del decreto del Presidente della Repubblica 29 settembre 1973, n. 600.

5. Il contributo è liquidato e versato **per un importo pari al 40 per cento, a titolo di acconto, entro il 30 giugno 2022 e per la restante parte, a saldo, entro il 30 novembre 2022** (**), con le modalità di cui all'articolo 17 del decreto legislativo 9 luglio 1997, n. 241. Con provvedimento del direttore dell'Agenzia delle entrate, sentita l'Autorità di regolazione per energia, reti e ambiente, sono definiti gli adempimenti, anche dichiarativi, e le modalità di versamento del contributo. Con il medesimo provvedimento possono essere individuati dati aggiuntivi da indicare nelle fatture di cessione e di acquisto dei prodotti di cui al comma 1 e sono definite le modalità per lo scambio delle informazioni, anche in forma massiva, con la Guardia di finanza.

5-*bis*. Le entrate derivanti dal contributo a titolo di prelievo solidaristico straordinario determinato ai sensi del presente articolo sono attribuite alle regioni a statuto speciale e alle province autonome di Trento e di Bolzano per la parte ad esse spettante in base ai rispettivi statuti di autonomia.

6. Ai fini della riscossione del contributo, dell'accertamento e delle relative sanzioni, nonché per il relativo contenzioso, si applicano le disposizioni in materia di imposta sul valore aggiunto in quanto compatibili.

7. Il contributo non è deducibile ai fini delle imposte sui redditi e dell'imposta regionale sulle attività produttive.

8. Al fine di evitare, a tutela del consumatore, indebite ripercussioni sui prezzi al consumo dei prodotti energetici e dell'energia elettrica, per il periodo dal **1° maggio (***)** al 31 dicembre 2022, i soggetti tenuti al pagamento del contributo di cui al comma 1 comunicano entro la fine di ciascun mese solare all'Autorità garante della concorrenza e del mercato il prezzo medio di acquisto, di produzione e di vendita dell'energia elettrica, del gas naturale e del gas metano nonché dei prodotti petroliferi, relativo al mese precedente. L'Autorità riscontra la sussistenza dei presupposti per l'adozione dei provvedimenti di sua competenza sulla base dei dati ricevuti e di apposite verifiche, nell'ambito di un piano straordinario di controlli sulla veridicità delle comunicazioni di cui al presente comma. Le modalità per la trasmissione dei dati sono stabilite dall'Autorità garante della concorrenza e del mercato.

9. Ai fini dei riscontri e delle verifiche di cui al comma 8, l'Autorità si avvale, secondo modalità da definirsi mediante apposite intese, della collaborazione della Guardia di finanza, che utilizza anche i dati di cui al comma 5 e agisce con i poteri a essa attribuiti per l'accertamento dell'imposta sul valore aggiunto e delle imposte sui redditi.

10. (*Omissis*).

(*) *Le parole « periodo dal 1° ottobre 2021 al 30 aprile 2022, rispetto al saldo del periodo dal 1° ottobre 2020 al 30 aprile 2021 » sono state sostituite alle parole « periodo dal 1° ottobre 2021 al 31 marzo 2022, rispetto al saldo del periodo dal 1° ottobre 2020 al 31 marzo 2021 » e le parole « nella misura del 25 per cento » sono state sostituite alle parole « nella misura del 10 per cento » dall'art. 55, comma 1, lett.* b) *d.l. 17 maggio 2022, n. 50.*

(**) *Le parole « per un importo pari al 40 per cento, a titolo di acconto, entro il 30 giugno 2022 e per la restante parte, a saldo, entro il 30 novembre 2022 » sono state sostituite alle parole « 30 giugno 2022 » dall'art. 55, comma 1, lett.* c) *d.l. n. 50, cit.*

(***) *Le parole « 1° maggio » sono state sostituite alle parole « 1° aprile » dall'art. 55, comma 1, lett.* d) *d.l. n. 50, cit.*

Decreto legge 30 aprile 2022, n. 36. — Ulteriori misure urgenti per l'attuazione del Piano nazionale di ripresa e resilienza.

Pubblicato nella Gazzetta Ufficiale n. 100 del 30 aprile 2022.

2 Piattaforma unica di reclutamento per centralizzare le procedure di assunzione nelle pubbliche amministrazioni.

1. (*Omissis*) (*).

2. Il Portale unico del reclutamento di cui al comma 1, è operativo dal 1° luglio 2022 e, a decorrere dalla medesima data, può essere utilizzato dalle amministrazioni pubbliche centrali di cui all'articolo 1, comma 2, e dalle autorità amministrative indipendenti. Dal 1°

novembre 2022 le medesime amministrazioni utilizzano il Portale per tutte le procedure di assunzione a tempo determinato e indeterminato. Resta fermo quanto previsto dall'articolo 1, comma 4, ultimo periodo, del decreto-legge 9 giugno 2021, n. 80, convertito, con modificazioni, dalla legge 6 agosto 2021, n. 113.

3. Ai concorsi banditi prima della data di entrata in vigore del presente decreto continua ad applicarsi la disciplina vigente alla data di pubblicazione del bando.

4. Per gli avvisi di selezione pubblicati sul Portale di cui al comma 1, gli obblighi di comunicazione di cui all'articolo 3, comma 1, del decreto del Presidente della Repubblica 12 aprile 2006, n. 184 e all'articolo 5, comma 5, del decreto legislativo 14 marzo 2013, n. 33, si intendono assolti mediante pubblicazione, da parte dell'amministrazione cui è indirizzata l'istanza di accesso agli atti o di accesso civico generalizzato, di un apposito avviso sul medesimo Portale.

5. (*Omissis*) (**).

6. (*Omissis*) (***).

7. A decorrere dal 1° novembre 2022 i componenti delle commissioni esaminatrici dei concorsi pubblici svolti secondo le modalità previste dall'articolo 4, comma 3-*quinquies*, del decreto-legge 31 agosto 2013, n. 101, convertito, con modificazioni, dalla legge 30 ottobre 2013, n. 125, e dall'articolo 35, comma 5, del decreto legislativo 30 marzo 2001, n. 165, sono individuati nel rispetto dei principi della parità di genere, attraverso il Portale di cui al comma 1. Fino alla predetta data, il Dipartimento della funzione pubblica della Presidenza del Consiglio dei ministri, anche avvalendosi della Commissione per l'attuazione del progetto di riqualificazione delle pubbliche amministrazioni di cui all'articolo 35, comma 5, del decreto legislativo 30 marzo 2001, n. 165, nomina i componenti delle commissioni esaminatrici dei concorsi pubblici unici di cui all'articolo 4, comma 3-quinquies, del decreto-legge 31 agosto 2013, n. 101, convertito, con modificazioni, dalla legge 30 ottobre 2013, n. 125, e delle procedure selettive di cui dell'articolo 35, comma 5, del decreto legislativo 30 marzo 2001, n. 165, sulla base di elenchi di nominativi scelti tra soggetti in possesso di requisiti di comprovata professionalità e competenza. Gli elenchi sono formati dalle amministrazioni destinatarie delle predette procedure concorsuali che assicurano il rispetto del principio di trasparenza e imparzialità dell'azione amministrativa. Le disposizioni di cui al presente comma si applicano anche alla procedura di nomina delle sottocommissioni e dei comitati di vigilanza. Per le finalità di cui al presente comma, i termini di cui all'articolo 53, comma 10, del decreto legislativo 30 marzo 2001, n. 165, relativi all'autorizzazione a rivestire l'incarico di commissario nelle procedure concorsuali di cui al presente articolo, sono rideterminati, rispettivamente, in dieci e quindici giorni. L'articolo 3, comma 15, della legge 19 giugno 2019, n. 56 è abrogato.

(*) *Inserisce l'art.* 35-ter *d.lgs. 30 marzo 2001, n. 165.*
(**) *Modifica l'art.* 14-bis, *comma 2 d.lgs. 27 ottobre 2009, n. 150.*
(***) *Abroga i commi 8 e 9 dell'art. 10 d.l. 19 maggio 2020, n. 34, conv., con modif., in l. 17 luglio 2020, n. 77.*

3 Riforma delle procedure di reclutamento del personale delle pubbliche amministrazioni.

1. (*Omissis*) (*).
2. (*Omissis*) (**).
3. (*Omissis*) (***).
4. Ai concorsi banditi prima della data di entrata in vigore del presente decreto continua ad applicarsi la disciplina vigente alla data di pubblicazione del bando.
5. All'articolo 3, comma 6, del decreto-legge 9 giugno 2021, n. 80, convertito, con modificazioni, dalla legge 6 agosto 2021, n. 113, l'ultimo periodo è sostituito dal seguente: « Ai fini dell'attuazione delle medesime disposizioni, il Ministro per la pubblica amministrazione, acquisite le proposte della Scuola nazionale dell'amministrazione, entro il 31 ottobre 2022, con proprio decreto, previa intesa in sede di Conferenza unificata di cui all'articolo 8 del decreto legislativo 28 agosto 1997, n. 281, adotta specifiche linee guida. ».
6. Con decreto del Presidente della Repubblica da adottarsi ai sensi dell'articolo 17, comma 2, della legge 23 agosto 1988, n. 400, su proposta del Ministro per la pubblica amministrazione, entro il 31 dicembre 2022, si provvede all'aggiornamento delle disposizioni del decreto del Presidente della Repubblica 9 maggio 1994, n. 487, nel rispetto delle misure introdotte dal presente articolo e dei seguenti criteri:

a) raccolta organica delle disposizioni regolamentari che disciplinano la medesima materia, adeguando la normativa alla nuova disciplina di livello primario;

b) semplificazione e coordinamento, sotto il profilo formale e sostanziale, del testo delle disposizioni vigenti, assicurando l'unicità, la contestualità, la completezza, la chiarezza e la semplicità della disciplina;

c) indicazione espressa delle disposizioni da abrogare tra quelle previste dal decreto-legge 31 agosto 2013, n. 101, convertito, con modificazioni, dalla legge 30 ottobre 2013, n. 125, dal decreto-legge 19 maggio 2020, n. 34, convertito, con modificazioni, dalla legge 17 luglio 2020, n. 77, dal decreto-legge 1° aprile 2021, n. 44, convertito, con modificazioni, dalla legge 28 maggio 2021, n. 76, e di ogni altra disposizione incompatibile con quelle introdotte dal presente decreto.

7. Con le ordinanze di cui all'articolo 10-bis del decreto-legge 22 aprile 2021, n. 52, convertito, con modificazioni, dalla legge 17 giugno 2021, n. 87, il Ministro della salute, su proposta del Ministro per la pubblica amministrazione, può aggiornare i protocolli per lo svolgimento dei concorsi pubblici in condizioni di sicurezza.

(*) *Inserisce l'art.* 35-quater *d.lgs. 30 marzo 2001, n. 165.*
(**) *Abroga i commi 1-7 dell'art. 10 d.l. 1° aprile 2021, n. 44, conv., con modif., in l. 28 maggio 2021, n. 76.*
(***) *Modifica l'art. 1, comma 4 d.l. 9 giugno 2021, n. 80, conv., con modif., in l. 6 agosto 2021, n. 113.*

4 Aggiornamento dei codici di comportamento e formazione in tema di etica pubblica (*).

Omissis.

(*) *Modifica l'art. 54 d.lgs. 30 marzo 2001, n. 165.*

5 Rafforzamento dell'impegno a favore dell'equilibrio di genere.

1. Al fine di dare effettiva applicazione al principio della parità di genere nell'organizzazione e gestione del rapporto di lavoro, le amministrazioni adottano, senza nuovi o maggiori oneri a carico della finanza pubblica, nel rispetto dell'articolo 157, comma 4, del Trattato sul funzionamento dell'Unione europea (TFUE) ed in coerenza con gli obiettivi di lungo periodo della Strategia nazionale per la parità di genere 2021-2026, misure che attribuiscano vantaggi specifici ovvero evitino o compensino svantaggi nelle carriere al genere meno rappresentato. I criteri di discriminazione positiva devono essere proporzionati allo scopo da perseguire ed adottati a parità di qualifica da ricoprire e di punteggio conseguito nelle prove concorsuali. A tal fine, entro il 30 settembre 2022, il Dipartimento della funzione pubblica della Presidenza del Consiglio dei ministri, di concerto con il Dipartimento delle pari opportunità, adotta specifiche linee guida.

6 Revisione del quadro normativo sulla mobilità orizzontale.

1. (*Omissis*).

2. I comandi o distacchi, in corso alla data di entrata in vigore del presente decreto, esclusi quelli di cui all'articolo 30, comma 1-*quinquies*, del decreto legislativo 30 marzo 2001, n. 165, come introdotto dal comma 1 del presente articolo, cessano alla data del 31 dicembre 2022 o alla naturale scadenza, se successiva alla predetta data, qualora le amministrazioni non abbiano già attivato procedure straordinarie di inquadramento di cui al comma 3.

3. Al fine di non pregiudicarne la funzionalità, le amministrazioni interessate possono attivare, fino al 31 dicembre 2022, a favore del personale di cui al comma 2, già in servizio a tempo indeterminato presso le amministrazioni, le Autorità e i soggetti, di cui all'articolo 30, comma 1-quinquies, del decreto legislativo 30 marzo 2001, n. 165, come introdotto dal comma 1 del presente articolo, eccettuato il personale appartenente al servizio sanitario nazionale e quello di cui all'articolo 3 del decreto legislativo 30 marzo 2001, n. 165, che alla data del 31 gennaio 2022 si trovava in posizione di comando o distacco, nel limite del 50 per cento delle vigenti facoltà assunzionali e nell'ambito della dotazione organica, procedure straordinarie di inquadramento in ruolo per il personale non dirigenziale, in deroga alle disposizioni di cui all'articolo 30 del decreto legislativo 30 marzo 2001, n. 165. Per le procedure straordinarie di cui al presente comma si tiene conto della anzianità maturata in comando o distacco, del rendimento conseguito e della idoneità alla specifica posizione da ricoprire. Non è richiesto il nulla osta dell'amministrazione di provenienza.

4-6. (*Omissis*).

7. Al fine di potenziare la capacità delle amministrazioni attuatrici del Piano nazionale di ripresa e resilienza, possono essere conferiti incarichi dirigenziali a funzionari di cittadinanza italiana di organizzazioni internazionali o dell'Unione europea ai sensi dell'articolo 19, comma 6, del decreto legislativo 30 marzo 2001, n. 165, anche in deroga alle percentuali ivi previste. Il conferimento degli incarichi ai sensi del presente comma è consentito nei limiti dei posti disponibili e delle facoltà assunzionali dell'amministrazione che conferisce l'incarico, senza nuovi o ulteriori oneri a carico della finanza pubblica. Gli incarichi di cui al presente comma sono conferiti per una durata comunque non eccedente il termine del 31 dicembre 2026.

10 Disposizioni in materia di conferimento di incarichi per il Piano nazionale di ripresa e resilienza.

1. Fino al 31 dicembre 2026, le amministrazioni titolari di interventi previsti nel Piano nazionale di ripresa e resilienza, ivi incluse le regioni e gli enti locali, in deroga al divieto di attribuire incarichi retribuiti a lavoratori collocati in quiescenza ai sensi dell'articolo 5, comma 9, del decreto-legge 6 luglio 2012, n. 95, convertito, con modificazioni, dalla legge 7 agosto 2012, n. 135, possono conferire ai soggetti collocati in quiescenza da almeno due anni incarichi ai sensi dell'articolo 7, comma 6, del decreto legislativo 30 marzo 2001, n. 165, nei limiti delle risorse finanziarie già destinate per tale finalità nei propri bilanci, sulla base della legislazione vigente, fuori dalle ipotesi di cui all'articolo 1, commi 4, 5 e 15 del decreto-legge 9 giugno 2021, n. 80, convertito, con modificazioni, dalla legge 6 agosto 2021, n. 113.

2. Al personale di cui al comma 1 possono essere conferiti gli incarichi di cui all'articolo 31, comma 8, del decreto legislativo 18 aprile 2016, n. 50, nonché, in presenza di particolari esigenze alle quali non è possibile far fronte con personale in servizio e per il tempo strettamente necessario all'espletamento delle procedure di reclutamento del personale dipendente, l'incarico di responsabile unico del procedimento di cui comma 1 del medesimo articolo 31.

3-4. (*Omissis*).

11 Potenziamento amministrativo delle regioni e delle politiche di coesione.

1. Al solo fine di consentire l'attuazione dei progetti previsti dal Piano nazionale di ripresa e resilienza (PNRR), le regioni a statuto ordinario che provvedono alla realizzazione degli interventi previsti dai predetti progetti possono, in deroga all'articolo 9, comma 28, del decreto-legge 31 maggio 2010, n. 78, convertito, con modificazioni, dalla legge 30 luglio 2010, n. 122, assumere con contratto a tempo determinato personale con qualifica non dirigenziale in possesso di specifiche professionalità per un periodo anche superiore a trentasei mesi, ma non eccedente la durata di attuazione dei progetti e comunque il termine del 31 dicembre 2026, nel limite di una spesa aggiuntiva non superiore al valore dato dal prodotto della media delle entrate correnti relative agli ultimi tre rendiconti approvati, considerate al netto del fondo crediti di dubbia esigibilità stanziato nel bilancio di previsione, per la per-

centuale distinta per fascia demografica indicata nella tabella 1 di cui all'Allegato 1 al presente decreto. Le predette assunzioni sono subordinate all'asseverazione da parte dell'organo di revisione del rispetto pluriennale dell'equilibrio di bilancio. La spesa di personale derivante dall'applicazione del presente comma non rileva ai fini dell'articolo 33 del decreto-legge 30 aprile 2019, n. 34, convertito, con modificazioni, dalla legge 28 giugno 2019, n. 58, dell'articolo 1, commi 557 e 562, della legge 27 dicembre 2006, n. 296.

2. (*Omissis*).

21 Utilizzo di economie degli investimenti del Piano nazionale di ripresa e resilienza.

1. Fatta salva la normativa in materia di utilizzo delle economie di progetto e delle risorse disponibili per la compensazione degli oneri derivanti dall'incremento dei prezzi dei materiali necessari alla realizzazione delle opere, le amministrazioni titolari degli interventi previsti dal Piano nazionale di ripresa e resilienza possono destinare eventuali risorse delle missioni e componenti del Piano di Ripresa e Resilienza non assegnate in esito alle procedure di selezione dei progetti al finanziamento dei Progetti Bandiera di cui all'articolo 33, comma 3, lettera *b*), del decreto-legge 6 novembre 2021, n. 152, convertito, con modificazioni, dalla legge 29 dicembre 2021, n. 233, proposti dalle Regioni e dalle Province autonome di Trento e Bolzano all'interno delle stesse missioni e componenti del Piano, in coerenza con le relative condizionalità e previa individuazione del contributo di tali progetti ai traguardi e obiettivi già fissati per le stesse, nel rispetto del vincolo di cui all'articolo 2, comma 6-*bis* del decreto-legge 31 maggio 2021, n. 77, convertito, con modificazioni, dalla legge 29 luglio 2021, n. 108, e con allocazione nelle aree territoriali alle quali le risorse non assegnate erano originariamente destinate, salve le specifiche allocazioni territoriali già previste nel Piano nazionale di ripresa e resilienza.

2. Alla realizzazione dei Progetti Bandiera di cui al comma 1 possono altresì concorrere le risorse afferenti ai Piani di sviluppo e coesione, programmazione 2021/2027, di cui all'articolo 1, comma 178, della legge 30 dicembre 2020, n. 178.

27 Istituzione del Sistema nazionale prevenzione salute dai rischi ambientali e climatici.

1. Allo scopo di migliorare e armonizzare le politiche e le strategie messe in atto dal Servizio sanitario nazionale per la prevenzione, il controllo e la cura delle malattie acute e croniche, trasmissibili e non trasmissibili, associate a rischi ambientali e climatici, è istituito il Sistema nazionale prevenzione salute dai rischi ambientali e climatici, di seguito « SNPS ».

2. Il SNPS, mediante l'applicazione dell'approccio integrato « one-health » nella sua evoluzione « planetary health » e tramite l'adeguata interazione con il Sistema nazionale a rete per la protezione ambientale, di cui alla legge 28 giugno 2016, n. 132, di seguito « SNPA », concorre al perseguimento degli obiettivi di prevenzione primaria correlati in particolare alla promozione della salute, alla prevenzione e al controllo dei rischi sanitari associati direttamente e indirettamente a determinanti ambientali e climatici, anche derivanti da cambiamenti socio-economici, valorizzando le esigenze di tutela delle comunità e delle persone vulnerabili o in situazioni di vulnerabilità, in coerenza con i principi di equità e prossimità.

3. Ai fini di cui al comma 2, il SNPS svolge le seguenti funzioni:

a) identifica e valuta le problematiche sanitarie associate a rischi ambientali e climatici, per contribuire alla definizione e all'implementazione di politiche di prevenzione attraverso l'integrazione con altri settori;

b) favorisce l'inclusione della salute nei processi decisionali che coinvolgono altri settori, anche attraverso attività di comunicazione istituzionale e formazione;

c) concorre, per i profili di competenza, alla definizione e all'implementazione degli atti di programmazione in materia di prevenzione e dei livelli essenziali di assistenza associati a priorità di prevenzione primaria, assicurando la coerenza con le azioni in materia di livelli essenziali delle prestazioni tecniche ambientali (LEPTA), di cui all'articolo 9 della legge 28 giugno 2016, n. 132;

d) concorre alla individuazione e allo sviluppo di criteri, metodi e sistemi di monitoraggio integrati, anche avvalendosi di sistemi informativi funzionali all'acquisizione, all'analisi, all'integrazione e all'interpretazione di modelli e dati;

e) assicura il supporto alle autorità competenti nel settore ambientale per l'implementazione della valutazione di impatto sulla salute (VIS) nell'ambito della valutazione ambientale strategica (VAS), della valutazione di impatto ambientale (VIA) e dell'autorizzazione integrata ambientale (AIA).

4. Fanno parte del SNPS, operando in coordinamento tra loro, in una logica di rete:

a) i Dipartimenti di prevenzione di cui agli articoli 7 e 7-bis del decreto legislativo 30 dicembre 1992, n. 502, in coerenza con le previsioni di cui all'articolo 7-ter, comma 1, lettera b), del medesimo decreto legislativo;

b) le regioni e le province autonome di Trento e di Bolzano, anche con funzioni di coordinamento in rete dei Dipartimenti di cui alla lettera *a*) tra di loro e con le altre strutture sanitarie e socio-sanitarie, nonché con gli altri enti del territorio di competenza, che concorrono al raggiungimento degli obiettivi del SNPS;

c) gli Istituti zooprofilattici sperimentali di cui al decreto legislativo 30 giugno 1993, n. 270;

d) l'Istituto superiore di sanità, con compiti di coordinamento e supporto tecnico-scientifico;

e) il Ministero della salute, con compiti di indirizzo, programmazione, monitoraggio, comunicazione istituzionale, anche mediante l'adozione di apposite direttive.

28 Costituzione e disciplina della società 3-I S.p.A. per lo sviluppo, la manutenzione e la gestione di soluzioni software e di servizi informatici a favore degli enti previdenziali e delle pubbliche amministrazioni centrali.

1. Al fine di conseguire gli obiettivi indicati nella Missione 1 del Piano nazionale di ripresa e resilienza di cui al regolamento (UE) 2021/241 del Parlamento europeo e del Consiglio del 12 febbraio 2021, con particolare riguardo alla misura R 1.2., e per lo svolgimento delle attività di sviluppo, manutenzione e gestione di soluzioni software e di servizi informatici, è autorizzata la costituzione della società 3-I S.p.A., con sede in Roma, a capitale interamente pubblico. La società svolge le proprie attività a favore dell'Istituto nazionale previdenza sociale (INPS), dell'Istituto nazionale per l'assicurazione contro gli infortuni sul lavoro (INAIL), dell'Istituto nazionale di statistica (ISTAT), della Presidenza del Consiglio dei ministri, del Ministero del lavoro e delle politiche sociali e delle altre pubbliche amministrazioni centrali indicate nell'elenco pubblicato ai sensi dell'articolo 1, commi 2 e 3, della legge 31 dicembre 2009, n. 196, fermo restando quanto stabilito dall'articolo 33-septies del decreto-legge 18 ottobre 2012, n. 179, convertito, con modificazioni, dalla legge 17 dicembre 2012, n. 221. Il capitale sociale della società 3-I S.p.A., pari a 45 milioni di euro, è interamente sottoscritto e versato, in tre rate annuali, dall'INPS, dall'INAIL e dall'ISTAT, nella misura di un terzo per ciascun ente, o nella diversa misura indicata nello statuto di cui al comma 2.

2. Lo statuto della società di cui al comma 1 è adottato con deliberazione congiunta dei presidenti degli Istituti di cui al medesimo comma 1 che partecipano al capitale sociale, entro novanta giorni dalla data di entrata in vigore del presente decreto, e approvato con decreto del Presidente del Consiglio dei ministri, su proposta del Ministro delegato per l'innovazione tecnologica e la transizione digitale, di concerto con il Ministro del lavoro e delle politiche sociali. Lo statuto definisce ruoli e responsabilità degli organi della società, nonché le regole di funzionamento della società. Lo statuto definisce altresì le modalità di esercizio del controllo analogo, esercitato dai tre Istituti, dalla Presidenza del Consiglio dei ministri e dal Ministero del lavoro e delle politiche sociali, al fine di assicurare il coordinamento con gli obiettivi istituzionali e la coerenza con le finalità della transizione digitale nazionale.

3. Il consiglio di amministrazione della società è composto da cinque membri, di cui uno nominato dal Presidente del Consiglio dei ministri o dal Ministro delegato per l'innovazione tecnologica e la transizione digitale, con funzioni di Presidente, e uno nominato dal Ministro del lavoro e delle politiche sociali. I restanti tre membri sono designati, uno ciascuno, dagli Istituti di cui al comma 1, tra gli appartenenti al proprio personale dirigenziale, e sono nominati con decreto delle rispettive amministrazioni vigilanti.

4. Il collegio sindacale della società è composto da tre membri titolari, nominati rispettivamente dal Ministro del lavoro e delle politiche sociali, dal Presidente del Consiglio dei ministri o dal Ministro delegato per l'innovazione tecnologica e la transizione digitale e dal Ministro dell'economia e delle Finanze, quest'ultimo con funzioni di presidente, nonché da due membri supplenti, di cui uno nominato dal Ministro del lavoro e delle politiche sociali ed uno dal Ministro delegato per la pubblica amministrazione.

5. Fermo restando quanto previsto dal comma 2, al fine di consentire il necessario controllo analogo della società 3-I S.p.A., sono in ogni caso sottoposti all'approvazione preventiva della Presidenza del Consiglio dei ministri e del Ministero del lavoro e delle politiche sociali, gli atti della suddetta società relativi a:

a) affidamenti di attività da parte di amministrazioni diverse da quelle che esercitano il controllo sulla società, per importi maggiori di 500 mila euro;

b) costituzione di nuove società;

c) acquisizioni di partecipazioni in società;

d) cessione di partecipazioni e altre operazioni societarie;

e) designazione di amministratori;

f) proposte di revoca di amministratori;

g) proposte di modifica dello statuto della società 3-I S.p.A. o di società partecipate;

h) proposte di nomina e revoca di sindaci e liquidatori.

6. Il rapporto della società con gli Istituti e con le amministrazioni di cui al comma 1 è regolato da apposito contratto di servizio, nel quale sono fissati la data di avvio dei servizi, i livelli minimi inderogabili delle prestazioni e le relative compensazioni economiche, conformemente agli atti di indirizzo strategico approvati dal consiglio di amministrazione. Per il raggiungimento degli obiettivi fissati nel contratto di servizio la società può stipulare contratti di lavoro e provvedere all'affidamento di contratti di lavori, servizi e forniture di cui al decreto legislativo 18 aprile 2016, n. 50, nel rispetto delle vigenti previsioni di legge.

7. Con uno o più decreti del Presidente del Consiglio dei ministri, di concerto con il Ministro dell'economia e finanze e degli altri ministri interessati, da adottarsi entro sessanta giorni dalla data di entrata in vigore del presente decreto, sono individuate, tenendo conto delle esigenze di autonomia degli Istituti partecipanti, le risorse finanziarie per il conferimento delle quote del capitale sociale di cui al comma 1, i beni immobili in proprietà degli Istituti di cui al comma 1, gli strumenti, i mezzi, gli apparati, le infrastrutture informatiche oggetto di gestione e ogni altra pertinenza, che sono trasferiti alla società 3-I S.p.A. per l'assolvimento dei propri compiti, e sono stabilite le relative modalità di trasferimento della società.

8. La pubblicazione del presente decreto nella Gazzetta Ufficiale della Repubblica italiana tiene luogo degli adempimenti in materia di costituzione di società per azioni previsti dalle vigenti disposizioni di legge.

9. Agli oneri derivanti dalla sottoscrizione del capitale sociale della società, si provvede a valere sulle risorse appostate, per le medesime finalità, nei bilanci degli istituti partecipanti di cui al comma 1, come certificate dagli organi di revisione dei medesimi Istituti, che sono tenuti ad assicurarne apposita evidenza con-

tabile. A tal fine sono corrispondentemente ridotti gli stanziamenti in conto capitale nei bilanci di previsione dei predetti Istituti.

Decreto legge 17 maggio 2022, n. 50. — Misure urgenti in materia di politiche energetiche nazionali, produttività delle imprese e attrazione degli investimenti, nonché in materia di politiche sociali e di crisi ucraina.

Pubblicato nella Gazzetta Ufficiale n. 114 del 17 maggio 2022.

5 Disposizioni per la realizzazione di nuova capacità di rigassificazione.

1. In considerazione della necessità di diversificare le fonti di approvvigionamento di gas ai fini della sicurezza energetica nazionale, fermi restando i programmi di decarbonizzazione del sistema energetico nazionale, le opere finalizzate all'incremento della capacità di rigassificazione nazionale mediante unità galleggianti di stoccaggio e rigassificazione da allacciare alla rete di trasporto esistente alla data di emanazione del presente decreto, incluse le connesse infrastrutture, costituiscono interventi strategici di pubblica utilità, indifferibili e urgenti. Per la realizzazione delle opere e delle infrastrutture connesse di cui al primo periodo, con decreto del Presidente del Consiglio dei ministri sono nominati uno o più Commissari straordinari di Governo. Per lo svolgimento delle attività di cui al presente articolo, il Commissario si avvale delle amministrazioni centrali e territoriali competenti, senza nuovi o maggiori oneri a carico della finanza pubblica e allo stesso non sono corrisposti gettoni, compensi, rimborsi di spese o altri emolumenti, comunque denominati.

2. Per la costruzione e l'esercizio delle opere di cui al comma 1, nonché per la realizzazione delle connesse infrastrutture, l'autorizzazione prevista dall'articolo 46 del decreto-legge 1° ottobre 2007, n. 159, convertito, con modificazioni, dalla legge 29 novembre 2007, n. 222, è rilasciata dal Commissario di cui al comma 1 a seguito di procedimento unico, da concludersi entro centoventi giorni dalla data di ricezione dell'istanza di cui al comma 5.

3. Per le valutazioni ambientali delle opere e delle infrastrutture connesse di cui al comma 1, previa comunicazione alla Commissione europea, si applica l'esenzione di cui all'articolo 6, comma 11, del decreto legislativo 3 aprile 2006, n. 152.

4. Le amministrazioni a qualunque titolo interessate nelle procedure autorizzative, incluso il rilascio della concessione demaniale marittima, delle opere e delle infrastrutture connesse di cui al comma 1, attribuiscono ad esse priorità e urgenza negli adempimenti e nelle valutazioni di propria competenza, anche ai fini del rispetto del termine di cui al comma 2. L'autorizzazione di cui al comma 2, fermo restando quanto previsto dall'articolo 46, commi 1, terzo periodo e 2, primo periodo, del decreto-legge n. 159 del 2007, convertito, con modificazioni, dalla legge n. 222 del 2007, tiene luogo dei pareri, nulla osta e autorizzazioni necessari ai fini della localizzazione dell'opera, della conformità urbanistica e paesaggistica dell'intervento, della risoluzione delle interferenze e delle relative opere mitigatrici e compensative. L'autorizzazione include altresì l'autorizzazione di cui all'articolo 109 del decreto legislativo n. 152 del 2006 ed eventuali atti di assenso ai fini della realizzabilità dell'opera all'interno di siti contaminati, ogni eventuale ulteriore autorizzazione comunque denominata richiesta ai fini della realizzabilità dell'opera ivi incluse quelle ai fini antincendio ai sensi del decreto legislativo 26 giugno 2015, n. 105, nonché la verifica preventiva dell'interesse archeologico di cui all'articolo 25 del decreto legislativo 18 aprile 2016, n. 50, e, ove necessario, la concessione demaniale, fatti salvi la successiva adozione e l'aggiornamento delle relative condizioni economiche e tecnico-operative. L'autorizzazione ha effetto di variante degli strumenti urbanistici vigenti, nonché di approvazione della variante al piano regolatore portuale, ove necessaria. La variante urbanistica, conseguente all'autorizzazione, comporta l'assoggettamento dell'area a vincolo preordinato all'esproprio ai sensi dell'articolo 10 del decreto del Presidente della Repubblica 8 giugno 2001, n. 327, e le comunicazioni agli interessati di cui all'articolo 14, comma 5, della legge 7 agosto 1990, n. 241, tengono luogo della fase partecipativa di cui all'articolo 11 del predetto decreto del Presidente della Repubblica n. 327 del 2001. Gli enti locali provvedono alle necessarie misure di salvaguardia delle aree interessate e delle relative fasce di rispetto e non possono autorizzare interventi edilizi incompatibili con la localizzazione dell'opera.

5. Entro il termine di trenta giorni dalla nomina del Commissario di cui al comma 1, i soggetti interessati alla realizzazione delle opere e delle connesse infrastrutture di cui al comma 1 presentano la relativa istanza di autorizzazione al medesimo Commissario, corredata, ove necessario, dalla soluzione tecnica di collegamento dell'impianto alla rete nazionale di trasporto del gas naturale, da un cronoprogramma di realizzazione ed entrata in esercizio dell'impianto, nonché da una descrizione delle condizioni di approvvigionamento del gas.

6. Il Commissario di cui al comma 1 comunica alla Presidenza del Consiglio dei ministri, al Ministero della transizione ecologica e al Ministero delle infrastrutture e della mobilità sostenibili le istanze di cui al comma 5 entro cinque giorni dalla presentazione e i progetti autorizzati entro cinque giorni dal rilascio dell'autorizzazione.

7-8. (*Omissis*).

9. Per quanto non espressamente disciplinato dal presente articolo, qualora trovi applicazione il codice dei contratti pubblici di cui al decreto legislativo n. 50

del 2016, per l'affidamento delle attività necessarie alla realizzazione delle opere e delle infrastrutture connesse di cui al medesimo comma 1, si opera in deroga ad ogni disposizione di legge diversa da quella penale, fatto salvo il rispetto delle disposizioni del codice delle leggi antimafia e delle misure di prevenzione di cui al decreto legislativo 6 settembre 2011, n. 159, nonché dei vincoli inderogabili derivanti dall'appartenenza all'Unione europea, ivi inclusi quelli derivanti dalle direttive 2014/24/UE e 2014/25/UE del Parlamento europeo e del Consiglio, del 26 febbraio 2014, dei principi di cui agli articoli 30, 34 e 42 del decreto legislativo n. 50 del 2016 e delle disposizioni in materia di subappalto.

10. In ogni caso, in considerazione della necessità di realizzare con urgenza le opere e le connesse infrastrutture di cui al comma 1, nell'ambito delle relative procedure di affidamento:

a) è sempre autorizzata la consegna dei lavori in via di urgenza e, nel caso di servizi e forniture, l'esecuzione del contratto in via d'urgenza ai sensi dell'articolo 32, comma 8, del decreto legislativo n. 50 del 2016, nelle more della verifica dei requisiti di cui all'articolo 80 del medesimo decreto legislativo n. 50 del 2016, nonché dei requisiti di qualificazione previsti per la partecipazione alla procedura;

b) si applicano le previsioni di cui all'articolo 3, commi 1, 2, 3, 4, 5 e 6, del decreto-legge 16 luglio 2020, n. 76, convertito, con modificazioni, dalla legge 11 settembre 2020, n. 120;

c) non si applicano le previsioni di cui all'articolo 22 del decreto legislativo n. 50 del 2016;

d) le stazioni appaltanti possono prevedere, a pena di esclusione dalla procedura, l'obbligo per l'operatore economico di procedere alla visita dei luoghi, nonché alla consultazione sul posto dei documenti di gara e relativi allegati ai sensi e per gli effetti dell'articolo 79, comma 2, del decreto legislativo n. 50 del 2016 esclusivamente laddove detto adempimento sia strettamente indispensabile in ragione della tipologia, del contenuto o della complessità dell'appalto da affidare;

e) in relazione alle procedure ordinarie, si applicano le riduzioni dei termini procedimentali per ragioni di urgenza previsti dagli articoli 60, comma 3, 61, comma 6, 62 comma 5, 74, commi 2 e 3, del decreto legislativo n. 50 del 2016, nonché i termini ridotti ovvero i termini minimi previsti, per i settori speciali, dagli articoli 122 e 124 del medesimo decreto legislativo n. 50 del 2016;

f) nelle ipotesi previste dall'articolo 79, comma 3, del decreto legislativo n. 50 del 2016, la proroga dei termini per la presentazione delle offerte non può superare sette giorni;

g) il termine massimo previsto dall'articolo 83, comma 9, secondo periodo, del decreto legislativo n. 50 del 2016 è ridotto a cinque giorni. In ogni caso, è esclusa la possibilità di esperire la procedura del soccorso istruttorio con riguardo alle mancanze, alle incompletezze e ad ogni altra irregolarità essenziale degli elementi rilevanti ai fini della valutazione dell'offerta;

h) in caso di presentazione di offerte anormalmente basse, il termine previsto dall'articolo 97, comma 5, del decreto legislativo n. 50 del 2016 per la presentazione, per iscritto, delle spiegazioni non può essere superiore a sette giorni.

11. Per le medesime finalità di cui al comma 10, è possibile altresì ricorrere alla procedura di cui all'articolo 63 del decreto legislativo n. 50 del 2016, per i settori ordinari, e di cui all'articolo 125, per i settori speciali, nella misura strettamente necessaria, quando, per ragioni di estrema urgenza derivanti da circostanze imprevedibili, non imputabili alla stazione appaltante, ivi comprese quelle derivanti dalla grave crisi internazionale in atto in Ucraina, l'applicazione dei termini, anche abbreviati, previsti per le procedure ordinarie può compromettere la realizzazione degli obiettivi di cui al comma 1. Al solo scopo di assicurare la trasparenza, le stazioni appaltanti danno evidenza dell'avvio delle procedure negoziate di cui al presente comma mediante i rispettivi siti internet istituzionali.

12. Ai giudizi che riguardano le impugnazioni degli atti relativi alle procedure di affidamento di cui ai commi, 9, 10 e 11 si applica l'articolo 125 del codice del processo amministrativo di cui al decreto legislativo 2 luglio 2010, n. 104.

13-14. (*Omissis*).

6 Disposizioni in materia di procedure autorizzative per gli impianti di produzione di energia da fonti rinnovabili.

(*Omissis*) (*).

(*) *Modifica gli artt. 20 e 22 d.lgs. 8 novembre 2021, n. 199, che di seguito si riportano:* ***Art. 20. Disciplina per l'individuazione di superfici e aree idonee per l'installazione di impianti a fonti rinnovabili.*** - *1. Con uno o più decreti del Ministro della transizione ecologica di concerto con il Ministro della cultura, e il Ministro delle politiche agricole, alimentari e forestali, previa intesa in sede di Conferenza unificata di cui all'articolo 8 del decreto legislativo 28 agosto 1997, n. 281, da adottare entro centottanta giorni dalla data di entrata in vigore del presente decreto, sono stabiliti principi e criteri omogenei per l'individuazione delle superfici e delle aree idonee e non idonee all'installazione di impianti a fonti rinnovabili aventi una potenza complessiva almeno pari a quella individuata come necessaria dal PNIEC per il raggiungimento degli obiettivi di sviluppo delle fonti rinnovabili. In via prioritaria, con i decreti di cui al presente comma si provvede a:*

a) *dettare i criteri per l'individuazione delle aree idonee all'installazione della potenza eolica e fotovoltaica indicata nel PNIEC, stabilendo le modalità per minimizzare il relativo impatto ambientale e la massima porzione di suolo occupabile dai suddetti impianti per unità di superficie, nonché dagli impianti a fonti rinnovabili di produzione di energia elettrica già installati e le superfici tecnicamente disponibili;*

b) *indicare le modalità per individuare superfici, aree industriali dismesse e altre aree compromesse, aree abbandonate e marginali idonee alla installazione di impianti a fonti rinnovabili.*

2. Ai fini del concreto raggiungimento degli obiettivi di sviluppo delle fonti rinnovabili previsti dal PNIEC, i decreti di cui al comma 1, stabiliscono altresì la ripartizione della potenza installata fra Regioni e Province autonome, prevedendo sistemi di monitoraggio sul corretto adempimento degli impegni assunti e criteri per il trasferimento statistico fra le medesime Regioni e Province autonome, da effettuare secondo le regole generali di cui all'Allegato I, fermo restando che il trasferimento statistico non può pregiudicare il conseguimento dell'obiettivo della Regione o della Provincia autonoma che effettua il trasferimento.

3. Ai sensi dell'articolo 5, comma 1, lettere a) *e* b)*, della legge 22 aprile 2021, n. 53, nella definizione della disciplina inerente le aree idonee, i decreti di cui al comma 1, tengono conto delle esigenze di tutela del patrimonio culturale e del paesaggio, delle aree agricole e forestali, della qualità dell'aria e dei corpi idrici, privilegiando l'utilizzo di superfici di strutture edificate, quali capannoni industriali e parcheggi, nonché di aree a destinazione industriale, artigianale, per servizi e logistica, e verificando l'idoneità di aree non utilizzabili per altri scopi, ivi incluse le superfici agricole non utilizzabili, compatibilmente con le caratteristiche e le disponibilità delle risorse rinnovabili, delle infrastrutture di rete e della domanda elettrica, nonché tenendo in considerazione la dislocazione della domanda, gli eventuali vincoli di rete e il potenziale di sviluppo della rete stessa.*

4. Conformemente ai principi e criteri stabiliti dai decreti di cui al comma 1, entro centottanta giorni dalla data di entrata in vigore dei medesimi decreti, le Regioni individuano con legge le aree idonee, anche con il supporto della piattaforma di cui all'articolo 21. Il Dipartimento per gli affari regionali e le autonomie della Presidenza del Consiglio dei ministri esercita funzioni di impulso anche ai fini dell'esercizio del potere di cui al terzo periodo. Nel caso di mancata adozione della legge di cui al primo periodo, ovvero di mancata ottemperanza ai principi, ai criteri e agli obiettivi stabiliti dai decreti di cui al comma 1, si applica l'articolo 41 della legge 24 dicembre 2012, n. 234. Le Province autonome provvedono al processo programmatorio di individuazione delle aree idonee ai sensi dello Statuto speciale e delle relative norme di attuazione.

5. In sede di individuazione delle superfici e delle aree idonee per l'installazione di impianti a fonti rinnovabili sono rispettati i princìpi della minimizzazione degli impatti sull'ambiente, sul territorio, sul patrimonio culturale e sul paesaggio, fermo restando il vincolo del raggiungimento degli obiettivi di decarbonizzazione al 2030 e tenendo conto della sostenibilità dei costi correlati al raggiungimento di tale obiettivo.

6. Nelle more dell'individuazione delle aree idonee, non possono essere disposte moratorie ovvero sospensioni dei termini dei procedimenti di autorizzazione.

7. Le aree non incluse tra le aree idonee non possono essere dichiarate non idonee all'installazione di impianti di produzione di energia rinnovabile, in sede di pianificazione territoriale ovvero nell'ambito di singoli procedimenti, in ragione della sola mancata inclusione nel novero delle aree idonee.

8. Nelle more dell'individuazione delle aree idonee sulla base dei criteri e delle modalità stabiliti dai decreti di cui al comma 1, sono considerate aree idonee, ai fini di cui al comma 1 del presente articolo:

a) *i siti ove sono già installati impianti della stessa fonte e in cui vengono realizzati interventi di modifica non sostanziale ai sensi dell'articolo 5, commi 3 e seguenti, del decreto legislativo 3 marzo 2011 n. 28, nonché, per i soli impianti solari fotovoltaici, i siti in cui, alla data di entrata in vigore della presente disposizione, sono presenti impianti fotovoltaici sui quali, senza variazione dell'area occupata o comunque con variazioni dell'area occupata nei limiti di cui alla lettera* c-ter), *numero 1), sono eseguiti interventi di modifica sostanziale per rifacimento, potenziamento o integrale ricostruzione, anche con l'aggiunta di sistemi di accumulo di capacità non superiore a 3 MWh per ogni MW di potenza dell'impianto fotovoltaico;*

b) *le aree dei siti oggetto di bonifica individuate ai sensi del Titolo V, Parte quarta, del decreto legislativo 3 aprile 2006, n. 152;*

c) *le cave e miniere cessate, non recuperate o abbandonate o in condizioni di degrado ambientale;*

c-bis) *i siti e gli impianti nelle disponibilità delle società del gruppo Ferrovie dello Stato italiane e dei gestori di infrastrutture ferroviarie nonché delle società concessionarie autostradali;*

c-ter) *esclusivamente per gli impianti fotovoltaici, anche con moduli a terra, in assenza di vincoli ai sensi della parte seconda del codice dei beni culturali e del paesaggio, di cui al decreto legislativo 22 gennaio 2004, n. 42:*

1) le aree classificate agricole, racchiuse in un perimetro i cui punti distino non più di 500 metri da zone a destinazione industriale, artigianale e commerciale, compresi i siti di interesse nazionale, nonché le cave e le miniere;

2) le aree interne agli impianti industriali e agli stabilimenti, questi ultimi come definiti dall'articolo 268, comma 1, lettera h), *del decreto legislativo 3 aprile 2006, n. 152, nonché le aree classificate agricole racchiuse in un perimetro i cui punti distino non più di 500 metri dal medesimo impianto o stabilimento;*

3) le aree adiacenti alla rete autostradale entro una distanza non superiore a 300 metri;

c-quater) *fatto salvo quanto previsto alle lettere* a), b), c), c-bis) *e* c-ter), *le aree che non sono ricomprese nel perimetro dei beni sottoposti a tutela ai sensi del decreto legislativo 22 gennaio 2004, n. 42, né ricadono nella fascia di rispetto dei beni sottoposti a tutela ai sensi della parte seconda oppure dell'articolo 136 del medesimo decreto legislativo. Ai soli fini della presente lettera, la fascia di rispetto è determinata considerando una distanza dal perimetro di beni sottoposti a tutela di sette chilometri per gli impianti eolici e di un chilometro per gli impianti fotovoltaici. Resta ferma l'applicazione dell'articolo 30 del decreto-legge 31 maggio 2021, n. 77, convertito, con modificazioni, dalla legge 29 luglio 2021, n. 108.*

***Art. 22. Procedure autorizzative specifiche per le Aree Idonee.** - 1. La costruzione e l'esercizio di impianti di produzione di energia da fonti rinnovabili nelle aree idonee sono disciplinati secondo le seguenti disposizioni:*

a) *nei procedimenti di autorizzazione di impianti di produzione di energia elettrica alimentati da fonti rinnovabili su aree idonee, ivi inclusi quelli per l'adozione del provvedimento di valutazione di impatto ambientale, l'autorità competente in materia paesaggistica si esprime con parere obbligatorio non vincolante. Decorso inutilmente il termine per l'espressione del parere non vincolante, l'amministrazione competente provvede comunque sulla domanda di autorizzazione;*

b) *i termini delle procedure di autorizzazione per impianti in aree idonee sono ridotti di un terzo.*

1-bis. *La disciplina di cui al comma 1 si applica anche, ove ricadenti su aree idonee, alle infrastrutture elettriche di connessione degli impianti di produzione di energia da fonti rinnovabili e a quelle necessarie per lo sviluppo della rete elettrica di trasmissione nazionale, qualora strettamente funzionale all'incremento dell'energia producibile da fonti rinnovabili.*

7 Semplificazione dei procedimenti di autorizzazione di impianti di produzione di energia elettrica alimentati da fonti rinnovabili.

1. Nei procedimenti di autorizzazione di impianti di produzione di energia elettrica alimentati da fonti rinnovabili di cui all'articolo 12 del decreto legislativo 29 dicembre 2003, n. 387, qualora il progetto sia sottoposto a valutazione di impatto ambientale di competenza statale, le eventuali deliberazioni del Consiglio dei ministri adottate ai sensi dell'articolo 5, comma 2, lettera *c-bis*), della legge 23 agosto 1988, n. 400, sostituiscono ad ogni effetto il provvedimento di VIA e alle stesse si applicano i commi 3, 4 e 5 dell'articolo 25 del decreto legislativo 3 aprile 2006, n. 152.

2. Le deliberazioni di cui al comma 1, nonché quelle adottate dal Consiglio dei ministri ai sensi dell'articolo 14-*quinquies*, comma 6, della legge 7 agosto 1990, n. 241, confluiscono nel procedimento autorizzatorio unico, che è perentoriamente concluso dall'amministrazione competente entro i successivi sessanta giorni. Se la decisione del Consiglio dei ministri si esprime per il rilascio del provvedimento di VIA, decorso inutilmente il prescritto termine di sessanta giorni, l'autorizzazione si intende rilasciata.

3. Alle riunioni del Consiglio dei ministri convocate per l'adozione delle deliberazioni di cui al comma 2 possono essere invitati, senza diritto di voto, i Presidenti delle regioni e delle province autonome interessate, che esprimono definitivamente la posizione dell'amministrazione di riferimento e delle amministrazioni non statali che abbiano partecipato al procedimento autorizzatorio.

10 Disposizioni in materia di VIA.

(*Omissis*) (*).

(*) *Modifica gli artt. 8, 23 e 25 d.lgs. 3 aprile 2006, n. 152.*

13 Gestione dei rifiuti a Roma e altre misure per il Giubileo della Chiesa cattolica per il 2025.

1. Il Commissario straordinario del Governo di cui all'articolo 1, comma 421, della legge 30 dicembre 2021, n. 234, limitatamente al periodo del relativo mandato e con riferimento al territorio di Roma Capitale, tenuto anche conto di quanto disposto dall'articolo 114, terzo comma, della Costituzione, esercita le competenze assegnate alle regioni ai sensi degli articoli 196 e 208 del

decreto legislativo 3 aprile 2006, n. 152, e, in particolare:

a) predispone e adotta il piano di gestione dei rifiuti di Roma Capitale, nel rispetto dei criteri di cui all'articolo 199 del decreto legislativo 3 aprile 2006, n. 152 e degli indirizzi del Programma nazionale per la gestione dei rifiuti di cui all'articolo 198-*bis* del medesimo decreto legislativo n. 152 del 2006;

b) regolamenta le attività di gestione dei rifiuti, ivi compresa la raccolta differenziata dei rifiuti urbani, anche pericolosi;

c) elabora e approva il piano per la bonifica delle aree inquinate;

d) approva i progetti di nuovi impianti per la gestione di rifiuti, anche pericolosi, assicura la realizzazione di tali impianti e autorizza le modifiche degli impianti esistenti, fatte salve le competenze statali di cui agli articoli 7, comma 4-*bis* e 195, comma 1, lettera *f*), del decreto legislativo n. 152 del 2006;

e) autorizza l'esercizio delle operazioni di smaltimento e recupero di rifiuti, anche pericolosi, fatte salve le competenze statali di cui all'articolo 7, comma 4-bis del decreto legislativo n. 152 del 2006.

2. Ai fini dell'esercizio dei compiti di cui al comma 1 il Commissario straordinario, ove necessario, può provvedere a mezzo di ordinanza, sentita la regione Lazio, in deroga a ogni disposizione di legge diversa da quella penale, fatto salvo il rispetto delle disposizioni del codice delle leggi antimafia e delle misure di prevenzione di cui al decreto legislativo 6 settembre 2011, n. 159, delle disposizioni del codice dei beni culturali e del paesaggio di cui al decreto legislativo 22 gennaio 2004, n. 42, nonché dei vincoli inderogabili derivanti dall'appartenenza all'Unione europea. Le ordinanze adottate dal Commissario straordinario sono immediatamente efficaci e sono pubblicate nella Gazzetta Ufficiale della Repubblica italiana. La regione Lazio si esprime entro il termine di quindici giorni dalla richiesta; decorso tale termine si procede anche in mancanza della pronuncia.

3. Con decreto del Presidente del Consiglio dei ministri, d'intesa con il Commissario straordinario e la regione Lazio, possono essere nominati uno o più subcommissari. Il Commissario straordinario si avvale di una struttura commissariale anche sulla base di apposite convenzioni con le amministrazioni pubbliche, senza nuovi o maggiori oneri a carico della finanza pubblica. Ai subcommissari eventualmente nominati non spettano compensi, gettoni di presenza, rimborsi di spese o altri emolumenti comunque denominati.

4. Per le condotte poste in essere ai sensi del presente articolo l'azione di responsabilità di cui all'articolo 1 della legge 14 gennaio 1994, n. 20, è limitata ai casi in cui la produzione del danno conseguente alla condotta del soggetto agente è da lui dolosamente voluta. La limitazione di responsabilità prevista dal primo periodo non si applica per i danni cagionati da omissione o inerzia del soggetto agente.

5. Dall'applicazione delle disposizioni di cui ai commi 1, 2, 3 e 4 non derivano nuovi o maggiori oneri a carico della finanza pubblica.

6. All'articolo 1, comma 423, della legge 30 dicembre 2021, n. 234, il secondo periodo è sostituito dai seguenti: « Per ogni intervento il programma dettagliato individua il cronoprogramma procedurale, il soggetto attuatore e la percentuale dell'importo complessivo lordo dei lavori che in sede di redazione o rielaborazione del quadro economico di ogni singolo intervento deve essere riconosciuta alla società "Giubileo 2025" di cui al comma 427. L'ammontare di tale percentuale è determinato in ragione della complessità e delle tipologie di servizi affidati alla società "Giubileo 2025" e non può essere superiore al 2 per cento dell'importo complessivo lordo dei lavori ovvero alla percentuale prevista dalla normativa applicabile tenuto conto delle risorse utilizzate a copertura dei suddetti interventi. ».

26 Disposizioni urgenti in materia di appalti pubblici di lavori.

1. Per fronteggiare gli aumenti eccezionali dei prezzi dei materiali da costruzione, nonché dei carburanti e dei prodotti energetici, in relazione agli appalti pubblici di lavori, ivi compresi quelli affidati a contraente generale, aggiudicati sulla base di offerte, con termine finale di presentazione entro il 31 dicembre 2021, lo stato di avanzamento dei lavori afferente alle lavorazioni eseguite e contabilizzate dal direttore dei lavori ovvero annotate, sotto la responsabilità dello stesso, nel libretto delle misure dal 1° gennaio 2022 fino al 31 dicembre 2022, è adottato, anche in deroga alle specifiche clausole contrattuali, applicando i prezzari aggiornati ai sensi del comma 2 ovvero, nelle more del predetto aggiornamento, quelli previsti dal comma 3. I maggiori importi derivanti dall'applicazione dei prezzari di cui al primo periodo, al netto dei ribassi formulati in sede di offerta, sono riconosciuti dalla stazione appaltante nella misura del 90 per cento, nei limiti delle risorse di cui al quarto e quinto periodo, nonché di quelle trasferite alla stazione appaltante a valere sulle risorse dei fondi di cui al comma 4. Il relativo certificato di pagamento è emesso contestualmente e comunque entro cinque giorni dall'adozione dello stato di avanzamento. Il pagamento è effettuato, al netto delle compensazioni eventualmente già riconosciute o liquidate, ai sensi dell'articolo 106, comma, 1, lettera *a*), del decreto legislativo 18 aprile 2016, n. 50, entro i termini di cui all'articolo 113-bis, comma 1, primo periodo, del decreto legislativo 18 aprile 2016, n. 50, utilizzando, nel limite del 50 per cento, le risorse appositamente accantonate per imprevisti nel quadro economico di ogni intervento, fatte salve le somme relative agli impegni contrattuali già assunti, e le eventuali ulteriori somme a disposizione della medesima stazione appaltante e stanziate annualmente relativamente allo stesso intervento. Ai fini del presente comma, possono, altresì, essere utilizzate le somme derivanti da ribassi d'asta, qualora non ne sia prevista una diversa destinazione sulla base delle norme vigenti, nonché le somme disponibili relative ad altri interventi ultimati di competenza della medesima stazione appaltante e per i quali siano stati eseguiti i relativi collaudi o emessi i certificati di regolare esecuzione, nel rispetto delle procedure contabili della spesa e nei limiti della residua spesa autorizzata disponibile alla data di entrata in vigore del presente decreto. Qualora il direttore dei

lavori abbia già adottato lo stato di avanzamento dei lavori e il responsabile unico del procedimento abbia emesso il certificato di pagamento, relativamente anche alle lavorazioni effettuate tra il 1° gennaio 2022 e la data di entrata in vigore del presente decreto, è emesso, entro trenta giorni dalla medesima data, un certificato di pagamento straordinario recante la determinazione, secondo le modalità di cui al primo periodo, dell'acconto del corrispettivo di appalto relativo alle lavorazioni effettuate e contabilizzate a far data dal 1° gennaio 2022. In tali casi, il pagamento è effettuato entro i termini e a valere sulle risorse di cui al terzo e al quarto periodo.

2. Per le finalità di cui al comma 1, in deroga alle previsioni di cui all'articolo 23, comma 16, terzo periodo, del codice dei contratti pubblici di cui al decreto legislativo n. 50 del 2016, e limitatamente all'anno 2022, le regioni, entro il 31 luglio 2022, procedono ad un aggiornamento infrannuale dei prezzari in uso alla data di entrata in vigore del presente decreto, in attuazione delle linee guida di cui all'articolo 29, comma 12, del decreto-legge 27 gennaio 2022, n. 4, convertito, con modificazioni, dalla legge 28 marzo 2022, n. 25. In caso di inadempienza da parte delle regioni, i prezzari sono aggiornati, entro i successivi quindici giorni, dalle competenti articolazioni territoriali del Ministero delle infrastrutture e della mobilità sostenibili, sentite le regioni interessate. Fermo quanto previsto dal citato articolo 29 del decreto-legge n. 4 del 2022, in relazione alle procedure di affidamento delle opere pubbliche avviate successivamente alla data di entrata in vigore del presente decreto e sino al 31 dicembre 2022, ai fini della determinazione del costo dei prodotti, delle attrezzature e delle lavorazioni, ai sensi dell'articolo 23, comma 16, del decreto legislativo n. 50 del 2016, si applicano i prezzari aggiornati ai sensi del presente comma ovvero, nelle more dell'aggiornamento, quelli previsti dal comma 3. I prezzari aggiornati entro il 31 luglio 2022 cessano di avere validità entro il 31 dicembre 2022 e possono essere transitoriamente utilizzati fino al 31 marzo 2023 per i progetti a base di gara la cui approvazione sia intervenuta entro tale data.

3-14. (*Omissis*).

27 Disposizioni urgenti in materia di concessioni di lavori.

1. Per fronteggiare, nell'anno 2022, gli aumenti eccezionali dei prezzi dei materiali da costruzione, nonché dei carburanti e dei prodotti energetici, anche in conseguenza della grave crisi internazionale in atto in Ucraina, i concessionari autostradali di cui all'articolo 142, comma 4, del codice dei contratti pubblici relativi a lavori, servizi e forniture di cui al decreto legislativo 12 aprile 2006, n. 163 e quelli di cui all'articolo 164, comma 5, del codice dei contratti pubblici di cui al decreto legislativo 18 aprile 2016, n. 50, possono procedere all'aggiornamento del quadro economico del progetto esecutivo in corso di approvazione o approvato alla data di entrata in vigore del presente decreto e in relazione al quale sia previsto l'avvio delle relative procedure di affidamento entro il 31 dicembre 2023, utilizzando il prezzario di riferimento più aggiornato.

2. Il quadro economico del progetto, come rideterminato ai sensi del comma 1, è sottoposto all'approvazione del concedente ed è considerato nell'ambito del rapporto concessorio, in conformità alle delibere adottate dall'Autorità di regolazione dei trasporti di cui all'articolo 37 del decreto-legge 6 dicembre 2011, n. 201, convertito, con modificazioni, dalla legge 22 dicembre 2011, n. 214. In ogni caso, i maggiori oneri derivanti dall'aggiornamento del quadro economico del progetto non concorrono alla determinazione della remunerazione del capitale investito netto, né rilevano ai fini della durata della concessione.

30 Semplificazioni procedurali in materia di investimenti.

1. Nei procedimenti aventi ad oggetto investimenti per il sistema produttivo nazionale di valore superiore ai 50 milioni di euro, al di fuori dei casi in cui si applica l'articolo 12 del decreto-legge 31 maggio 2021, n. 77, convertito, con modificazioni, dalla legge 29 luglio 2021, n. 108, in caso di inerzia o ritardo ascrivibili a soggetti diversi dalle regioni, province autonome di Trento e di Bolzano, città metropolitane, province e comuni, il Ministero dello sviluppo economico, in sostituzione dell'amministrazione proponente, previa assegnazione di un termine per provvedere non superiore a trenta giorni, adotta ogni atto o provvedimento necessario, ivi comprese l'indizione della conferenza di servizi decisoria di cui agli articoli 14, comma 2 e 14-*bis*, della legge 7 agosto 1990, n. 241 e della conferenza di servizi preliminare di cui all'articolo 14, comma 3, della legge n. 241 del 1990, nonché l'adozione della determinazione motivata di conclusione della conferenza di cui all'articolo 14-*quater*, comma 1, della citata legge n. 241 del 1990. L'esercizio dei poteri sostitutivi di cui al presente articolo può essere richiesto anche dal soggetto proponente.

2. Ove il Ministero dello sviluppo economico non adotti gli atti e provvedimenti di cui al comma 1, ovvero, ai sensi dell'articolo 120, secondo comma, della Costituzione, in caso di inerzia o ritardo ascrivibili a regioni, province autonome di Trento e di Bolzano, città metropolitane, province e comuni, il Consiglio dei ministri, su proposta del Presidente del Consiglio dei ministri, esercita i poteri sostitutivi, individuando l'amministrazione, l'ente, l'organo o l'ufficio, ovvero in alternativa nomina uno o più commissari ad acta, ai quali attribuisce, in via sostitutiva, il potere di adottare gli atti o provvedimenti necessari.